與李開復對話

成長與學習，李開復的 **30** 個解答

李開復 著

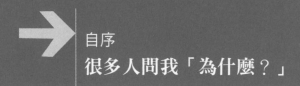

自序
很多人問我「為什麼？」

2004年春天，我從美國回到北京，有天晚上在一所大學演講，當活動結束、我們一行人正要驅車離開時，一名學生趕了上來，急促而堅定地對我說：

「開復老師，有個問題請您一定要回答。」

「都十一點了，請把你的E-mail地址給我，我們會和你聯繫的。」同行的公關經理擔心我體力不支，替我出面婉拒。

「不，你們一定要給我一個機會直接問開復老師！我的問題不是為自己問的，而是為了更多的大學生問的。你們可以拒絕我，但是請不要拒絕眾多的大學生。」他執著地說。

「好，你說。」我被他的熱情和真誠打動了。

「開復老師，您寫給青年學生的兩封信，我都看了很多遍。您願意花時間和青年學生交流，我和我的同學都很感動。但是，在今天這個社會，青年學生有太多困惑。『一對多』的演講或文章並不夠，我們需要互動的交流。您多次談到網際網路的威力，為什麼您不利用網路和我們交流？這樣，我們就有更多的溝通機會，您可以從中知道更多有關我們的問題，也將有更多人能看到您的回答。」

　　這位同學的想法提醒了我，我決定採納他的建議，借助網路巨大的傳播能力，為自己和千萬渴望成長的學生建造一個我們共同擁有的「溝通實驗室」。

　　回美國後，在我寫完給青年學生的第三封信的同時，我創建了「開復學生網」。網站從2004年夏天開設至今，三載寒來暑往，透過這個網路論壇，我已回答了數千個青年學生向我提出的問題，在網路上和網路外結識了無數希望與我直接對話的年輕人，甚至還有他們的父母和老師。

　　我們的交談從學習、工作、求職、留學，到家庭、成長、事業、戀愛……，透過「開復學生網」這個平台，不但讓我有機會和三十萬個註冊訪問者「零距離」接觸，我們的對話內容也經過四通八達的網路，傳播到更多我從未到過的地方，傳播給無數素不相識、也許永遠不會見面的人們。

　　在繁忙的工作之餘，在家人還在甜夢中酣睡未醒的清晨，在人群川流不息的候機廳裡，我就像一個超級「網蟲」，習慣性地抓住任何能夠進入網路的大小時機，打開頁面，閱讀一個又一個的提問，並提出我的觀點和建議。我知道，那些或單純、或尖銳、或輕鬆、或沉重的問題中，包含著許許多多青年學生深深的期待和信任；我也知道，我無法為所有問題提供一個完美的、一勞永逸的終極解決方案。然而，分享這一代青年的勃勃生氣，總是帶給我深深的感動和喜悅，我也始終相信，只要能夠分擔他們的困惑和焦慮，我的付出就是有價值、有意義的。

　　現在大家看到的這本書，就是這三年來我在「開復學生網」和青年學生對話內容的整理和總結。成書過程中，我對內容

重複的問題進行了合併整理，對過於零碎的文字進行了過濾濃縮，最後按照話題內容做了簡單的分類。無論問題還是回答，我都儘量使它們保持原有的對話感和現場感，把我們當時那種無拘無束、自由開放的交流氣氛傳遞給讀者。

從寫信、演講到設立網站、寫書，很多人問我「為什麼？」，我覺得，今天的青年是近百年來第一次能夠在安定和平的社會環境中，接受先進完整的教育、有條件專心讀書，並且擁抱資訊時代的幸運兒。現代的青年學生非常優秀，然而，生活在一個社會環境日新月異的時代，他們所面臨的挑戰，卻也往往難以從歷史經驗，以及長輩的人生經驗中，找到現成的答案。

他們希望參與社會，但又難以把握社會中林林總總、錯綜複雜的現實問題；他們希望快速提升自己，卻又看不清楚努力的方向；他們希望取得有真正意義的成功，卻又常常在多元價值觀並存的現代社會中感到迷失；他們渴望與他人愉快地相處，卻又不免因為自負或是自卑而找不到自己的位置……。面對父母的高度期望，習慣於應試教育的學校和浮躁的社會心態，他們多麼渴望有人能夠了解、分擔自己的希望和苦悶、成長的幸福與煩惱……。

我不是職業作家，我的寫作不是體系宏偉的鴻篇巨制，也不是文采華麗的文學經典，我只希望透過寫作這個交流方式來分享和分擔這個時代年輕人的生存感受，並且盡可能提供一些我的經驗供他們選擇、參考。除此之外，我還有一個稍高一些的奢望：讓我們的社會更加關心年輕人的生存處境和成長煩惱。

實際上，我也的確得到了許多擁有成功人生的各行業專家

的幫助。「開復學生網」這個虛擬社區中已經有三十多位「社區專家」，他們承諾和數百位志工，以及一個小而美的社區管理團隊一起，共同建立一個非營利的公益網站，而這個網站的兩大主題就是「學生」和「學習」。所以，「開復學生網」現已改名為「我學網」（www.5xue.com[1]）。在這個網站上，我們也特別建立了一個供本書讀者交流的專欄（book.5xue.com）。我和我的朋友們將在那裡等待大家，和大家交流。

　　很多人對這本書做出了重要貢獻。在一些回答中，引用了多位熱心網友、專家、志工在網站的留言、建議和文章，在「我學網」上，也有更多相關問題的內容和深入討論，在書中會透過註腳的方式推薦給大家。王詠剛、周虹曾經在我的前兩本書中承擔了文字整理方面大量辛苦繁雜的工作，而這第三本書再次幸運地得到了他們同樣有力的幫助。秦方幫我做了網站上的文字整理。在出版和推廣方面，黃勇、黎松、王肇輝、王勇軍都有重要的貢獻。最後，要感謝的是我的姐姐李開敏，她幫我修改了數百個回答，尤其是有關情感、成長方面的問題。開敏是資深的社會工作者，我從她的修改和補充中學到很多。我真的很難用語言表達對他們的感謝！

【註釋】

1 感謝萬網捐贈www.5xue.com域名。

← 目次

CONTENTS

本書結集兩百三十個問答，是我們自「我學網」上四千個問答中多次篩選出來的，既是最受關注、重複率最高，也是最具代表性、最精采的。這些問答經過五次篩選、編輯。在編輯過程中，我們尋求專家幫助，但也保持了原文的網路風格。

　　為了這本書，我們也在「我學網」開闢了一個特區，能夠讓讀者發表心得、彼此溝通。我們新增了大約100個討論區，讓書中的問題可以更深度的討論。我希望也歡迎讀者來「我學網」向我和其他的專家發問。更歡迎更多有經驗的人也來到網站，分享他們的經驗，幫助青年學生成長。

　　這本書和《做最好的自己》、《做21世紀的人才》是互相呼應的，這兩本書有我深信的成功準則：價值觀、理想、興趣、積極主動等。而這本書則是用活生生的實例、成長故事，和我貼切的回答來引用和詮釋這些準則。我相信這樣對青年學生會更有幫助。

　　這本書寫給所有青年學生，我相信從中學生到博士生都可以從中受益。另外，我也希望這本書適合家長、老師閱讀，因為他們不但可以參考我的建議來幫助孩子成長，也可以看到其他學生心中的問題和困惑。

　　最後，我還有個稍高一些的奢望：讓我們的社會更加關心年輕人的生存處境和成長煩惱。

第 1 章 我該怎麼辦？
青年學生的迷惘

在我回答過的數千個讀者提問中，給我印象最深的是那些充滿困惑和迷惘的同學。他們有的在進入大學後，一下子不知道該怎麼安排自己的時間和生活；有的在父母的期望中承受了太大的心理壓力，以至於愈來愈缺乏自信；有的一心追逐名利上的成功，而找不到自己真正的目標；有的在複雜的社會關係和人際交往面前，表現得脆弱而無助；有的習慣依靠別人，甚至倚賴別人；有的則在字裡行間充滿對現實的失望和茫然；有的一心想退學創業，卻不知道認真思考和分析；有的考慮問題過於簡單；有的一經挫折就痛苦不堪；有的在學習成績的壓力下身心疲憊；還有的總是不知道該如何改掉自己身上的缺點和壞習慣……。

今天的社會為青年學生們提供了施展才華的大好舞台，提供了學習、成長與成功的眾多機會。很多人可能想像不到，同學們竟然有如此多的困惑和迷惘。這究竟是為什麼呢？

在與青年學生交流的過程中，我深深地感受到，現在有相當多的青年朋友因為四個原因而焦慮、苦惱，甚至迷失了方向。我從眾多提問中挑選了一些比較具代表性的問題，放在本書第1章，用來印證以下四個原因。

自大二起，我就把「發揮影響力」當作人生目標。

利益驅使造成零和競爭

　　社會現實中，有許多以片面追逐名利為目的的「零和競爭」。在當今社會上，一切「向錢看」的一元化價值觀（「我要做名人，我要名利雙收」），不但讓人生缺乏了意義，也造成了不健康的競爭，而父母也常常對子女的未來寄予厚望，超出他們的子女所能承受的（「沒有好成績，我該怎麼辦？」）。

　　來自社會和父母雙方面的壓力，讓青年學生找不到真正的自我。他們或許是受了追逐名利的影響，只相信表面上的成功和一元化的價值觀；或者在競爭壓力之下崩潰，造成自信的極度缺乏（「害怕人人比我強」）。其實，正如我多次在公開信和書中強調的，只要用多元化的價值觀引導自己，真心追逐理想和興趣所在，你就能在充滿自信的學習、工作和生活中贏得一次又一次的成功。最後，你獲益的可能反而更大，人生也將更有意義，與人相處也會更順利。

浮躁消極造成迷失方向

　　在高速發展的社會中，一部分人的心態愈來愈浮躁，迫不及待地追逐名利這個一元化的「成功」。這種浮躁的心態給青年學生造成很不好的影響。書中那位希望退學創業，以便走上通往成功「高速公路」的學生（「我想退學創業，你為什麼不同意」）也許並不清楚欲速則不達的道理；而那位異常迫切想得到

有成功經驗者的指點以便儘快成功的學生(「我需要『人生規劃師』」)或許很少考慮自己應該為自己的成功之路規劃些什麼。

　　無論如何,青年朋友要想取得有真正意義的成功,就必須靜下心來,踏踏實實地充實自我,體驗社會,找到最適合自己的成功之路。

應試教育造成機械思維

　　今天,許多校園裡的師生還在應試教育的指揮下機械地完成教與學的任務。這種教學方式很難給學生創造自主思考、自主創新的環境。許多學生因為不懂得主動學習、有效學習、用心學習的道理,無論是在中學還是大學,都只是強記硬背了許多死知識,而沒有分辨真偽的判斷力,難怪有的學生很容易被錯誤的想法誤導(例如前述想退學創業的學生是被一個網路上的流言所騙,「女生不能做軟體工程師」則是個荒謬、卻被普遍認同的觀念)。同時,國內的應試教育占用了學生大量的時間,進入大學後根本沒有多餘的精力和時間再接受課業學習以外的磨練,由於得不到成長,碰到挫折後往往不知所措。還有些學生對自己的學校非常不

透過演講、寫書,希望這個社會能更加關心年輕人的生存處境和成長煩惱。

滿意，甚至因此對現實失望，變得憤世嫉俗，在還沒有足夠社會經驗以前就成為「憤青」。

　　在這方面，我建議大家應該多聽、多看、多問，學會舉一反三、融會貫通的自修之道，不管周圍環境如何，學好基礎知識，多參加社會實踐，開拓視野、立定志向，積極主動地把握屬於自己的機會。大家也要注意，看問題要全面，學會獨立思考，少憤世嫉俗地發牢騷，多培養正面思考，用建設性方法解決問題，因為「與其詛咒黑暗，不如點亮蠟燭」。

自由時間造成光陰虛度

　　在進入大學並擁有大量屬於自己的時間後，許多學生反而不知所措（「時間很多，浪費不小」）；還有的學生沒有自我充實和自我發展的勇氣與經驗，反而養成不少壞習慣（「怎樣才能改掉壞習慣」）。對於這些學生，我想說的是：我們不能改變社會和教育等環境因素，但是我們可以了解並理解它們，儘量不要被它們所影響。我們更可以改變自己的態度，努力向上，樹立正確的價值觀，增加自信心，避免陷入壞習慣的陷阱，積極追隨理想，用持續的自學和自我改善不斷提升自己。大學是一生中最寶貴的學習時光，一定要下定決心，不能讓這四年光陰虛度。

　　迷惘不可怕，最可怕的是在迷惘中迷失方向；迷惘不可惜，最可惜的是在迷惘後失去自信；迷惘不可悲，最可悲的是在迷惘時誤入歧途。

　　走出迷惘並不是難事，只要我們有足夠自信、足夠樂觀，並善於運用智慧規劃、實踐自己的成功之路。

利益驅使造成零和競爭

我要做名人，我要名利雙收

Q 我今年讀大二，但我不想過得平平淡淡，希望留下一點有價值的東西。我的理想就是做個名人，我要名利雙收。你能給一些建議嗎？

A 看了你的問題，我認為你的思想已經被今天社會上的「一元化價值觀[1]」嚴重誤導。喜歡名利沒有不對，但是你不能認為人活著只是為了名利。如果人人都這麼想，那有多少人會是快樂或認為自己成功？

你是否思考過，在一生中，你能或你想留下一點什麼有價值的東西？一個辛勤的農民終其一生留下一塊良田，他過得平淡無奇，卻實實在在。一個好老師，愛學生如己出，他不一定出名，卻可能成為很好的典範。這個世界的進步包含了多少沒沒無聞的升斗小民不問回報的付出？繼續思考和觀察你身邊這些可敬的無名小卒，他們雖然不出名，但都能留下一點有價值的東西。

什麼是「有價值的東西」？舉個例子，我的理想是得到「影響力」，而「出名」則是影響力的副產品，是人一生中可有可無的東西。我也希望你能有自己的「影響力」。「影響力」絕不是個人的勢力或權力，也不代表要改變整個世界，而是我對世界的貢獻和對世人的幫助。只要一個人的一生對這世界有點貢獻，無論是老師幫助學生，醫生、護士幫助病人，或清潔工維護環境優美，都是貢獻；只要曾經幫助過人，無論是拯救一個人的生命，還是為人帶來歡笑，都是一種幫助。最大化的影響力就是

讓自己有最多的貢獻。我大學時有位哲學老師，他在與我們討論人生意義時用了很簡單的三個字：「Make a difference.」。這三個字的意思就是影響力。

　　人在世間幾十年，如果離開時，心裡能感受到「世界因為有我而更好」，那就是有了影響力。「Made a difference.」，人的一生就有了價值。人人都有影響力，只不過能夠影響的範圍不同而已，最大化這個影響力就是自己對世界、對社會最大的貢獻。

　　一旦有自己的理想，不要浮躁，要一步一步慢慢來。沒有好的學習基礎以前，談其他東西都太遙遠。只有穩紮穩打，才能真正成功。從現在開始打下堅實的基礎，對自己時刻保持自覺，知道自己的能力，然後給自己制定一個可能達成的合理期望，並在接下來的進步中對這個長遠的期望慢慢進行調整。

　　最後，就算你決定追求名利，我認為「成為名人」的目標可行性不大。你仍然需要把它轉換成更短期、更可行的目標，例如基礎學習、尋找興趣、實務經驗等等，不管怎樣，對一個大二的學生而言，一切要從「基礎學習」做起。

沒有好成績，我該怎麼辦？

Q 我是一名大二的學生，學的是理科專業，但一次次考試的失敗讓我感到困惑，有點失去信心。每次我都很認真學習，但考出來的成績總是讓我感到失望。我覺得時間不多了，到大三以後就該為找工作或考研究所做準備，但我對現在的成績感到緊張，不管是找工作還是考研究所，我都怕受成績太差影響。我想進步，但總是達不到；我有目標，但覺得很遙遠。我的成績總是提高不了，

時間一天天過去，我該怎麼辦？

A 青年學生有個很大的問題，就是在「一元化價值觀」引導之下，把文憑當做學習的目標，把成績當成學習的衡量標準。這造成了學生求學只是為了拿到文憑，而不是學習就業技能。這個基本問題帶來後面一連串的問題，比如大學畢業生就業不易，而就業不易又帶來考研究所的潮流。但是，找不到工作的大學畢業生考研究所，只是把就業的問題延後，數年後，這些學生還是要面臨就業問題，社會的情況只會更嚴重。

學習最重要的目的是就業，做任何有關學習的決定時（例如考研究所），都要問問自己：畢業後要做什麼？如果答不上來，那麼你還是沒有脫離「文憑」價值觀的「毒害」。

你自認離目標很遙遠，問題可能在於你將目標訂得太遠、太高了。用階段性的方法，訂定一個可在一年內衡量的目標（例如找到自己喜愛的興趣或職業，或提升英文和網路能力）。另外，總結一下自己的學習方法，如果方法不對，常常會收不到應有的效果。學習要有耐心，慢慢來，欲速不達，過程中的體會比結果更重要，一心只想立刻見效是不可能的。

我在「給青年學生的第三封信」中提出自信和成功可形成良性循環；同樣的，自卑和失敗也會成為惡性循環。你要想辦法，讓自己達到「小小的成功」，從這裡得到「小小的自信」，才能開始這個循環。訂定一個你認為可以達到的目標（例如每天多讀半小時、多背三個英文單詞，或考試多考幾分），挑一些你比較感興趣的科目，用一些你過去得到進步的方法，或你比較有興趣的學習方法（例如和同學切磋）來學習。

不要把一切看得那麼重。看得愈重，給自己的壓力就愈大，你就會愈緊張，反而表現不好。考試時儘量放輕鬆，考前睡眠要充足。答題前先深呼吸，放鬆心情。

害怕人人比我強[2]

Q 我在人群中常常感到很不安，害怕別人比我強、成績比我好，也害怕別人比我差，卻在我面前悠然自得。我覺得自己多年來辛苦學習只是因為想要做到比別人好，以為這就是成功。我害怕別人和我很不一樣，擔心如果被人遺棄怎麼辦，又害怕別人與我一樣，勾心鬥角讓人害怕。我不知道生命中可讓我安心投入的是什麼？其實我的成績很好，可是我總想和人比高下。我該怎麼辦？

A 首先，你是一個心思很細膩的人。從你的描述來看，你能很深刻地描述出內心的不安，把這份痛苦說得如此清楚，展現你不同於常人的「內心觀照」，這是我很欣賞的。

其次，你的苦讓我想到一段名言：「人生有如一場豐盛的宴席，有的人卻活活餓死。」你這麼聰明，有能力反省，卻被囚禁在一個害怕的「名利的零和競爭」城堡裡。短短一封來信裡你用了四個「害怕」，如何走出城堡，相信聰明的你已有些答案。下面，我提出一些我的建議。

有句名言：「令人害怕的事情只有害怕本身。」對自己有信心，才能脫離恐懼。我寫的「給青年學生的第三封信」（收錄在《做21世紀的人才》第14章）就是為那些和你有類似心態的學生而寫的。如果你把所有的人際關係都當做是「零和競爭」，會終身活在猜忌、恐懼、算計、擔心、妒嫉裡。如果不想過這樣的

日子，就必須下定決心改變心態。何況你的成績已經很好，完全沒必要抱持這種心態。如果你看過我的「給青年學生的第一封信」和「給青年學生的第二封信」（分別收錄在《做21世紀的人才》第12、第13章），你就會知道：步入社會以後，一個只有獎狀而沒有與人相處能力的人，很快就會被淘汰。你如果不想被淘汰，就必須改變。

你可以想想，二十年以後，說不定你連昔日費心攀比的人是誰都不記得，對於這些無關緊要的人，值得讓自己這麼痛苦嗎？嘗試去做下列事情：和悠然自得的人做朋友，告訴他們你多羨慕欣賞他們的瀟灑和不在乎；和與你很不一樣的人打招呼，請教他們的生活態度，說出你的害怕；最重要的是，去找三個成績遠不如你的同學，問問他們需不需要幫忙。

生命中可以安心投入的是什麼？你如此投入，想要一個好成績，卻沒得到安心，反而患得患失，或許你應該選擇致力於尋找「安心」！從每天與人的接觸，以及情感的流動去感受人與人之間的互信、互助、互愛，也許安心就在其中。

也許你認為別人也是這麼看待你，其實人與人之間的關係都具有一種反射性。你怎麼對待別人，別人就會怎麼對待你；如果你覺得別人把你當做對手，那很可能是因為你先把他們當做對手；如果你希望別人對你友善，你就必須踏出第一步，友善地對待別人。

「給青年學生的第三封信」不只是理論，也有具體的實踐方式。我建議你對人際關係制定一些小小的目標，例如和同學打招呼，主動和他們談話，約他們出去玩，主動提出一起讀書和討

論的建議，以你自己的特長去幫助他們，然後一步步推進你們的關係。

最後，我希望你能慢慢有進步，然後把你的進步發表在這個論壇，與其他朋友分享。

浮躁消極造成迷失方向

我想退學創業，你為什麼不同意？

Q 我想退學創業，我的想法並非沒有根據。甲骨文執行長艾利森（Larry Ellison）是當今世界上僅次於蓋茲（Bill Gates）的富翁，網路上流傳著他在耶魯大學2000年畢業典禮上的致辭，大意是大學畢業的優等生並不能成為優秀的領導者，反而是失敗者。現今世上最富有的人都是退學創業，老老實實從大學畢業的人以後不會有什麼成就。連甲骨文執行長都建議大學生退學創業，為什麼您不同意？

A 這個網上流傳的致辭是騙人的。甲骨文執行長絕對沒有勸大學生退學，這是網路上一篇搞笑、諷刺的文章被當真了（就像2004年謠傳蓋茲過世的消息一樣）。以後看到這類不可思議的消息，建議你自己上網求證一下，花個幾分鐘就可以找到真相。

如何分清事情的真偽？很簡單，到任何搜尋引擎上輸入："Larry Ellison Yale Graduation 2000"，就知道結果了（參見http://urbanlegends.about.com/library/blellison.htm）。其實，看到你這

個問題時，我也不清楚這個演講到底是真是假，但我的基本常識告訴我這是不可能的。在這充滿謊言、誇張、廣告的網路空間裡，學生需要培養判斷力，小心求證，尤其是聽起來很荒唐的事。

回到你的問題，我覺得你對速成的期待並不實際。一般來說，我不認為博士、碩士學歷和創業有關，但是我不建議任何一個沒有工作經驗的學生或畢業生去創業。蓋茲和戴爾讀大學時已經證明了自己的商業才華，也創造了不少財富，他們是在看清了必須及時把握的商機時才離校創業。

創業惟艱，創業的人當中，一千個只有一個能成功；要想上市，則是一千家公司裡只有一家；而能達到微軟的成就的，更是一千家上市公司裡只有一家。創業不但需要大量的時間和資源的投入，而且需要在商業運作、管理經驗、人際關係方面都很成熟的領導者。不要看到蓋茲的成功，就認為創業是你的目標。他的成功來自天賦、才華、時機、運氣。更何況蓋茲也勸大學生不要退學創業。等畢業後，進入大公司或新創公司學習幾年後再創業會更合適。

大學是你一生中最重要的學習時光。把握這段時光，提升自己的學習能力，踏踏實實地建立扎實的基礎，這才是你應該做的。不要掉入浮躁的陷阱，揠苗助長只會帶來痛苦和失望。

我需要「人生規劃師」

 來到「開復學生網」，本來抱著來到寶地得到指點的期望，但是看了您「給青年學生的第四封信」（收錄在《做21世紀

的人才》第7章）第一段，我的心涼了半截。學生問您「只有你能告訴我，我該怎麼做」，您認為「這種被動的思維方式是從小在中國的教育環境中培養出來的」，而不願意告訴我們該怎麼做，只希望我們自己尋找。我覺得正好相反，因為唯有先覺醒的學生才會試圖找另外一個層次的「過來人」徵求意見。我們需要醍醐灌頂般的建議，需要您為我們做人生計畫，讓我們能夠以最快的速度成功，可以嗎？

A 你的問題反映了一種「習慣性的消極」。你希望有人幫你計劃好一生，然後像個機器執行他人幫你設計的計畫。這個期望是不實際的。適合你的最好計畫，只有你自己知道，你必須自己積極尋找，然後執行。

我願意在宏觀方向、具體方法上指點學生，要不然我為什麼要給青年學生寫七封信？為什麼要辦「開復學生網」（現在的「我學網」）？其實，在第四封信裡的七種學習都是我建議的方向，我在網路上的幾千封回信裡也都提出了我的意見。

但是，我們必須分清「徵求意見」和「只有你能告訴我，我該怎麼做」是不同的層次。前者是開放性地諮詢，後者是倚賴對方，把生命的計劃權、決定權放在所謂「專家」的手中，這種盲目的心態是危險的，有待覺醒，因為這違反了青年學生獨立思考和自主學習的需要。

其次，我也不會在完全沒有把握、不知情況的前提下，去做陌生人的「人生規劃師」。只憑網路上的幾百字，我怎麼可能比你自己更能回答你心中的疑問呢？當然，我可以幫助你分析利弊，也可以啟發你找到興趣，但你必須了解，最後的決定權只能

保留給自己。

　　我也願意醍醐灌頂、喚醒需要幫助的學生。但是我的「醍醐」不是用我為你做的人生計畫喚醒你，而是用一種積極的態度，讓你從消極被動的睡夢中醒來。持有這種消極被動態度的人，事業還沒有開始，自己就已經被擊敗。

　　每一位老師都有不同的方法幫助學生。我可以選擇告訴學生每一步該怎麼走，也許這樣的具體建議可以被更多人接受。但我認為在沒有掌握學生足夠資訊的前提下給他們指路是不負責的，這麼做只會強化他們消極被動的習慣。

　　每個人都有不同的人生目的，也都各有不同的境遇、性格、資質，旁人只能給建議，不能給答案。倘若一個人可以設計另一個人的人生，那就如同工廠的生產線，產品都是同一個模子出來的，這與現在提倡的解放思想、發揚個性正好牴觸。

　　所以，我寧願幫助學生找到自己的聲音，發現自己的興趣，發揮自己的潛力。也許這麼做，我直接幫助的人會較少，也許這一步對有些人來說跨越太大，但我認為這是青年學生最需要的一步。

應試教育造成機械思維

女生不能當軟體工程師[3]？

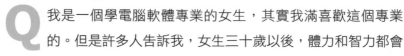

Q 我是一個學電腦軟體專業的女生，其實我滿喜歡這個專業的。但是許多人告訴我，女生三十歲以後，體力和智力都會

下降，跟不上男同事，所以女生別做這行，最好儘快轉行，當個教師或做行政工作。你看我該不該找個時機改行？

A 「女生不能當工程師」這種思想是錯誤的，而且這種過於簡化的極端理論相當可笑，應該一聽就引起你的質疑，但是我發現有這種想法的人相當多。為了妥慎回答這個問題，我把提問轉給我的同事——女工程師王忻，因為我知道她強烈反對這種錯誤的思維。王忻是Google資深工程師，北京出生，五歲時跟隨父母移居美國。中學期間跳了三級，十五歲進入加州理工大學，加入Google前，曾在微軟等公司工作。以下是王忻的回答。

女生能當工程師嗎？／王忻

在美國長大的我，第一次聽到如此具體的性別歧視，很吃驚。做為一位女性軟體工程師，我平時難免聽到一些對於女性當工程師和對女性能力的疑問，我覺得這些話最大的危險是影響到人的自信。

我在北京出生，五歲時父母到美國留學把我也帶了去。我父親是數學博士，母親從小就用心輔導我，所以我小時候數學特別好。十歲時我就開始在附近的大學選修微積分課，隨後又跳了三級，十五歲進入加州理工大學。現在說起來簡單，但當時我的經歷經常遭到別人的反對，說我年齡太小、學不好之類的話，或者說女性不適合學電腦。我當時覺得這些話大都很可笑，沒有在意，當然也要特別感謝我父母沒拿它當回事。後來我順利完成所有的學業，用事實證明了我走的路，那些所謂的

「預言」也就不攻自破了。

後來我在美國另一家大軟體公司做了五年的工程師，隨後來Google，已經工作了兩年半。在這裡，我第一次有了很多傑出的女性榜樣。我們公司有六位女性副總裁，兩位女性董事會成員，當然還有許多女性工程師總監、女性工程師等等。目前我的主管就是一位女性經理。她是我的第一個女主管，我從她身上學了很多女性擅長的本領，比如如何讓別人採取你的觀點，同時又不傷害他們的感情等等（她也是中國人）。

公司意識到女性員工在很多問題上可以帶來一些新的視野。創始人佩吉（Larry Page）去年對人事部門訂了要求，新招募的軟體工程師裡應該有25%是女性，當然這是不能以降低錄取標準為前提的。所以我們下了更多工夫去尋找女工程師，邀請她們來面試。這可不是口頭說說而已，佩吉專門調配了三分之一的人事部員工去招聘女工程師。結果去年我們的女工程師比率在6個月內由13%上升到19%。公司每過幾個月還會邀請中學生和小學生來參觀公司、與員工談話，對於女孩童，Google鼓勵她們要好好學習科學和電腦。

公司要求在面試過程中至少要有一名女性面試官，如果申請者被發現有性別歧視，不管這個人有多聰明也不會被錄取。我曾經有過這方面的親身經歷。兩年前，我和一位男同事共同面試一位男性應徵者。當時我考了他一道難題，但那位應徵者回答時，只對我的男同事講話，幾乎不理睬我。四十五分鐘的面試中，我感覺愈來愈不舒服。事後，我把我的顧慮寫進面試

評量，另一位女性面試官也表示有同感。結果，雖然這位應徵者其他方面都表現很好，還是沒有被錄取。

其實，從很多細節上可以看出公司對女性員工的重視。軟體公司慶祝業績時，常常會發T恤，Google也不例外。別的公司因為男員工比較多，常常只訂男性尺寸，造成我家裡存了很多大得只能當睡衣的T恤。但是Google每次總會訂女性的大、中、小號。每個小組慶祝階段性成果的時候，也會挑男女員工都喜歡的活動，比如聽現場相聲等，而不僅僅是看賽車或棒球。

這篇文章的點擊率很高。我想王忻自己的例子和文章中的描述，毫無疑問給女大學生（很多是未來的女工程師）很大的鼓舞和自信！

自由時間造成光陰虛度

時間很多，浪費不小[4]

Q 進入大學後，我發現大學的生活和高中相比似乎沒有什麼太大的區別，每天依舊是學習，每次依舊是擔心考試成績，不同的只是大學裡上網的時間和睡覺的時間多了很多，壓力也小了很多。自己擁有的時間好像很多，但是一下就都浪費掉了，尤其是在網路遊戲上面。我對這樣的情況感到很著急，我該怎麼辦？

A 你不應該說大學與高中沒有什麼差別。「時間多了很多」正是很大的差別。時間多了，就需要自己安排時間、計畫時間、管理時間。我這裡有幾個如何管理時間的建議。

首先，不要成為「緊急」的奴隸。事分輕重緩急，這裡面的「重」和「急」是不一樣的。「準備明天的考試」是「急事」，而「培養自己的積極性」是「重要事」。人的慣性是先做最緊急的事，但往往因為這麼做而使得重要的事被荒廢。大部分緊急的事情其實並不重要，而許多重要的事情並不緊急。因此，不要把全部的時間都去做看起來「緊急」的事情，一定要留一些時間做真正「重要」的事情，比如打好知識基礎、學習做人等等。有種管理每日時間的方法是，早上寫下今天要做的緊急事和重要事，睡前回顧這一天有沒有做到兩者的平衡。

其次，分清楚「必須做」的事和「不必須做」的事，做到「足夠好就好」的事和「足夠好仍不夠好」的事。有那麼多的「緊急事」和「重要事」，想把每件都做到最好是不實際的。「足夠好仍不夠好」的事要做到最好，但是「足夠好就好」的事盡力而為即可。建議你用良好的態度和胸懷接受你不能改變的事情，多關注你能夠改變的事情。雖然我提倡「追隨我心」，但是在追隨興趣的同時，一定要把必須做的事做好。這是一種基本的責任心。

最後，以終為始，做長期的藍圖規劃，一步一步地向你的目標邁進，這樣，你就能一步步地看到進展，就會更有動力、更自信地繼續做下去（請看我寫的「給青年學生的第三封信」，收錄在《做21世紀的人才》第14章）。時間管理與目標設定、目標

執行具有相輔相成的關係，時間管理與目標管理不可分。每個小目標的完成，會讓你清楚知道與大目標的遠近，你每日的行動承諾是你的壓力和激勵，而且行動承諾必須結合你的長遠目標。所以，要有計畫地工作和生活，需要管理好自己的時間。

面對誘惑一定要堅持住，多餘的時間應該用在能讓自己不斷提升的事情上。我在「給青年學生的第四封信」中曾建議：「大學四年的關鍵時刻是最容易迷失的時候。你必須有自控的能力，讓自己交些好朋友，學習些好習慣，不要沉迷於對自己沒有幫助的習慣（像網路遊戲）裡。一位自主積極的青年學生在我的網站上勸告其他同學：『沉迷網路遊戲的同學是對現實的逃避，不願意面對自己不足的一面。我認為，要脫離網路遊戲，珍惜在大學的寶貴時光，找到自己的興趣，做一些有意義，並能讓自己感到滿足的事情。』」

怎樣才能改掉壞習慣[5]？

Q 我是一個大一新生，一學期渾渾噩噩就這麼過去了，我突然發現自己多了很多壞習慣，包括：打網路遊戲、做事不負責、上課遲到、熬夜、吸菸上癮、浪費錢等。我也很苦惱，我該怎樣做才能改掉這些壞習慣？

A 大學新生進入大學後，突然發現時間和自由多了很多。本來這是學習知識的大好時光，有些學生卻迷了路。剛開始是學習動力不足，然後是蹺課，最後整天玩網路遊戲，線上聊天，日夜顛倒。這些學生如果不糾正自己的壞習慣，接下來可能就會失去考試資格，甚至被退學。大家不要等出了問題再悔改，

一旦發現這些令人擔心的訊號，就一定要警覺，開始補救工作。補救的第一步就是發現問題，承認問題，而且希望改變。你能夠意識到自己有問題，並且要求改變，就代表你是有救的。

我們應該意識到，從另一個角度來看，改掉壞習慣就是建立好習慣。如何建立好習慣呢？國外心理學家有一個自我建設或自我暗示的清單，你不妨做做看，主題是：「我知道我可以」，共分五步驟：

1. 先寫下動機，為何要改壞習慣？如果不改，你將付出什麼代價？

2. 接著找出過去的成功經驗，曾經如何克服困難？改正不良習慣？

3. 想想如果要建立好習慣，現在擁有哪些內在資源，比如個人特質、潛力、能力、態度等。

4. 了解擁有哪些外在資源可以協助你，比如朋友、愛人、師長等等。

5. 最後，一旦成功了，你的願景是什麼？你會有什麼改變？誰會注意到你的改變？

這份清單，每一項都要以「我知道我可以」開始，盡可能詳細。寫完後找位好友念給對方聽，再請對方提供意見，加強「我知道我可以」的內容。

我認識不少年輕人，他們曾經為考試焦慮，做完練習後，突然發現自己其實從小擅長考試，能有效掌握答題的方式，結果如釋重負，也如願考試過關。

　　萬事起頭難，改掉壞的習慣也是。開始的時候，你必須比平時更專注執著，持之以恆。雖然可能很困難，但是你要記住，絕對不會一直這麼困難的。當你的「好習慣」開始成為習慣後，一切規律都將改變，你會自然而然地維持好習慣。

【註釋】

1 什麼是價值觀？論壇裡這篇文章或許可以給你一點啟示：http://book. 5xue.com/2。

2 如何找回自信？這篇文章可能是不錯的方法：http://book.5xue.com/3。

3 女性從事什麼行業容易成功呢？請參看：http://book.5xue.com/4。

4 關於時間和學習之間的關係，請參見網站論壇的討論：http://book.5xue. com/7。

5 習慣的力量有多大？http://book.5xue.com/8。

第 2 章 # 做最好的自己
從價值觀、理想和成功談起

我在給青年學生的七封信，以及《做最好的自己》中，曾反覆強調，青年學生要善於從「多元化」的視野理解成功，用智慧的選擇追尋屬於自己、真正的成功。要獲致真正的成功，首先要擁有正確的價值觀，用誠信的態

我的為人處世之道很多是來自我的父親。

度對待自己、對待他人、對待未來。也只有在正確的價值觀指引下，青年學生才可以更加端正自己的人生態度，並把正確的價值觀和人生態度應用到追尋理想、發現興趣、有效執行、努力學習、人際交流與合作溝通等人生實踐中，找到真正的成功之路。

但是，在青年學生成長的過程中，今天社會上那種不正常的、片面追逐名利、「一元化」的價值觀有可能對他們造成負面的影響，消磨掉青年人本性中那種積極向上的勇氣和銳氣，甚至對社會失望，對未來喪失信心，陷入迷惘的境地（「這個社會公平嗎？」）。從那些真摯又充滿困惑的網友提問中，我切實感覺到，有些青年朋友追求成功的態度過於浮躁和急迫，沒有經過認真的思考和智慧的辨別，就急匆匆地加入了「零和競爭」的大軍，在「一元化」、片面和狹隘的成功道路上漸行漸遠（「我想成為億萬富翁」、「我想成為資訊時代的英雄」）。

　　每一次我都在回覆中提醒陷入迷惘的同學，要冷靜、理智、智慧地對待成功。成功無法速成，也不是千篇一律的。每個人都可以有只屬於自己的成功，也都可以根據自己的理想、愛好規劃自己的成功「藍圖」。

　　如果把成功比做千姿百態、高聳入雲的山峰，那麼，以誠信為本的價值觀就是山峰下堅毅、雄渾的磐石，是這千百個高度的堅實基礎（「為什麼誠信那麼重要？」）。

　　有人說，一個人是否能夠成功，完全取決於他的才幹、膽識，以及能力和運氣。其實，無論一個人的才華有多麼出眾，如果沒有正確的價值觀指引，他就很容易偏離正確的航線（「道德與才華哪個重要？」）。特別是如果一個人的價值觀是扭曲、邪惡的，那麼，他在其他方面的造詣愈深，他對社會的危害也就愈大。

　　正因為如此，我一向認為：誠信應該是植根於一個人靈魂深處的一種價值觀。價值觀是每個人判斷是非善惡的信念體系，不但引導我們追尋自己的理想，還決定一個人生活中大大小小的選擇。在這個意義上，我們的任何行為，都是自身價值觀的流露。無論在什麼時代，在哪個國家，一個缺乏誠信、人品有問題的人，都不可能成為一個真正有所作為的人（「如何正確理解誠信」）。

我也希望我的女兒「做最好的自己」。

還有一些同學對人生的意義產生疑問，不知道該如何樹立並追尋自己的理想（「人活著為了什麼」）。說實話，我無法告訴每個人生命的意義是什麼，應該追尋什麼理想，因為成功對每個人而言都是獨一無二的。

我只能告訴大家：每個人的生命都屬於自己，生命的意義需要自己主動把握和追尋。如果將希望寄託在別人身上，你只會在一次次的失望中迷失方向。

其次，如果一個人不知道生命的意義是什麼，找不到自己的理想與真愛，那麼，他會自然而然地被那些表面的、膚淺的成功所吸引，陷入追逐名利的怪圈子；或是百無聊賴，只知道虛度光陰。這樣的生活可能擁有短暫的享樂時光，但從長遠看來，他所經歷的空虛與痛苦一定是巨大的。

在找到屬於自己的生命意義之前，其實，一個人生命的意義正好體現在不斷的尋找和探索的過程中。對人生而言，過程比結果更重要，經歷比收穫更能給人難以忘懷的快樂體驗。

青年朋友們，希望你們都能鼓起勇氣，運用自己的智慧，在追尋與探索人生意義的道路上快樂前行[1]。

成功的定義[2]

我想成為資訊時代的英雄

Q 我對資訊理論和電腦非常感興趣，電腦在很大程度上滿足了我的支配欲。我一直認為：一張強大、獲取資訊和知識的「網路」可以使一個人、一個國家、一個民族變得非常強大！衝著這種想法，我選擇了我的專業。我有一種強烈的渴望：得到這樣的能力，無論在哪個行業，只要對這個領域有一定認識，我就能快速建起一張具有強大獲取資訊和知識能力的網路，為這個行業帶來巨大效益。我從小就夢想成為一個英雄，現在上了大學，這種想法依然強烈：我想成為一個資訊時代的英雄。

但面對如此多的科學技術名詞，我感到茫然，在這些面前，做為一個近似於無知而又渴望實現理想的大學生來說，我心裡憋得很，我很狂熱地認為，我的這一生就應該是在這個領域奮鬥！

A 做「英雄」的前提是一種雄心。你表達了強烈的雄心，但是，做英雄的夢想若只是為了滿足支配欲或被巨大效益吸引是不足成事的。要當英雄首先必須打好基礎；要當英雄也應該要做最好的自己；要當英雄應該願意從小兵做起；要當英雄應該有的欲望不是支配欲，而是「我要活得有價值」的欲望。

下面是我以前曾和一位有類似欲望的學生的對話：

我說：「做管理的工作最重要的是有服務的意識，好的管理不在於駕馭他人，而在於有足夠的管理智慧。」

「那麼，該如何得到這種智慧？」他一臉迷惘地問。

「首先，要得到部屬的尊敬和信任。」

「那我又該如何得到他們的信任？」

「學會團體合作，學會為部屬著想，只有將心比心，才能贏得信任。」

「該如何得到他們的尊敬？」

「你要做一個優秀的人，一個有理想、有抱負、有能力的人。這樣才能夠得到他人發自內心的尊敬。」

「我又該如何找到理想、獲取抱負、得到能力？」

「要有良好的素質、習慣和態度。但最重要的是，你必須是一個好人，一個講誠信的人。只有這樣，你才有可能成為一個成功的人。」

在這浩瀚的學海裡，很難得的是你承認了自己的茫然。既然知道自己還有很長的路要走，就先收起狂熱之心吧！萬丈高樓平地起，你應該扎實地學習，謙卑面對這瞬息萬變的資訊世界。

我想成為億萬富翁

Q 我是一名高三學生，我的夢想是成為陳天橋（中國網路遊戲界的風雲人物）第二，想培養自己遊戲製作和管理方面的特長，我打算在報考大學專業時選擇數字媒體藝術專業。另外，我想成為億萬富翁的想法很多人都不理解。您認為這樣想有什麼錯嗎？我該怎樣達到目標呢？

A 希望成為億萬富翁的想法沒有什麼錯，不過對十八歲的人，先成為「一萬」的富翁，再逐步加碼，會更實際。你的這個想法和中國長久以來的客觀環境有很大關係。「做富翁」是個目標，我相信一個人有目標絕對比沒有目標好。你可以靠自

己的能力得到財富，反過來也能夠證明自己的實力，但不應該一味想到錢財能給自己帶來什麼。

我建議你再往深一層思考：你希望成為富翁的深層目的是什麼？是享受？為了家人？是幫助別人？成就感？還是有其他原因？很多研究證明：沒有錢的人總認為發財就可以得到快樂；一旦真的擁有財富，才發現不一定快樂。我在微軟工作時，不少早期員工在公司上市幾年後，賺到大筆財富，就退休了。但是他們退休幾年後發現生活沒有目標和意義，想再回公司時，技術卻落伍了。

另外，把錢當做最終的目標，如果得到了錢，就不知道接下來究竟應該做什麼了──除了得到「更多錢」。當你離開這個世界時，沒有貢獻，沒有快樂，只有留下一堆冰冷冷的金錢。

最後，我想勸你不要希望自己完全模仿一個人。你想成為富翁，不一定要像陳天橋一樣做數字媒體遊戲。很多業內人士認為屬於他公司的商機已過，以後不一定再有這種機遇。如果你崇拜的是蓋茲，難道你的人生理想就是一定要做Basic的解釋器嗎？希望你繼續向成功人士學習，但是立志做「最好的自己」，不要讓自己成為他人的翻版。

名利是貶義的嗎？

Q 我的觀點是：每個人都想追求名利，得到名利之後自然也就想追求其他東西，譬如理想，所以年輕人追求名利沒什麼不好，這本來就是社會進步的動力，最重要的是，要正確看待得到的名利。從這種意義上來看，得到名利就是成功。開復老師，有

些人認為在您的建議中，名利是貶義的。請問您同意我對名利的看法嗎？

A 你說得很好，名利不只是可以追求的目標，更是一個可以發揮「影響力」的手段。讓隨著名利帶來的權力成為可以和更多人分享、讓社會共同進步的因素，那名利就是可以灌溉我們生活的養分、肥料，把社會帶向繁榮進步。

但是，名利不是唯一的成功，成功有很多種內涵，也就是我在《做最好的自己》裡面提出的「多元化成功」。我認為更好的成功的定義是：（1）每天都在進步，也就是「做最好的自己」；（2）明確地理解自己的理想，朝著它邁進，過有意義的一生；（3）做自己有興趣的事，讓自己和周圍的人更快樂；（4）追逐你的理想、興趣、快樂，這比追逐名利更重要（但兩者並不衝突）。

你所說的和以上觀點並不衝突，因為你認為名利與許多目標都是相關的，名利有助於達到那些目標。而有些同學認為自己面對的是「非黑即白」的選擇：（1）得到名利而滿足自己；（2）對社會貢獻而犧牲自己。也有少數同學看了《做最好的自己》一書，錯認我在鼓吹後者，放棄前者。其實名利和理想不但不衝突，而且根據美國的一項調查指出，有許多人在追逐理想、興趣、快樂的過程中發現名利也隨之而來。

因此，年輕人追求名利沒什麼不好，這本來就是社會進步的動力，最重要的是應該正確看待得到的名利，但如果社會或個人認為名利是唯一的成功和目標，就是錯誤的一元化價值觀。

這個社會公平嗎？

Q 在這個社會中，你相信人跟人之間有天生的不公平嗎？以前我相信世間有公平、命運掌握在自己手中。今年我參加了研究生考試，本來按筆試成績是第二名，這個專業一共收三名研究生，我以為自己一定沒問題。但是面試的時候，因為筆試成績排在我後面的兩個人是本校生，而我是外校生，結果他們的總成績比我高，最後我落榜了。我覺得除了是本校生以外，他們沒有哪一點比我強，而學校就是公然地歧視外校生，我毫無辦法，只能看著別人搶走屬於自己的機會。這有公平可言嗎？請問您怎麼看待這種天生的不公平？經過這樣的事情，我感覺自己原來的想法很固執，覺得很多時候成功是由命運和運氣決定的，我不知道這是不是心理成熟的表示，還是不願意努力而墮落的表現？

A 「一切都靠命運」（宿命論）和「一切都靠自己」（人定勝天）都不合適。所以中國人說「盡人事，聽天命」。人跟人比，天生當然是不公平的，出生的家庭、才智、容貌，樣樣都不是公平劃一的，所以英文中常說一個人是「含著金湯匙、銀湯匙出生的」，但是否讓先天的不公平來決定我們一生的發展，卻可以由自己掌握。

我當然希望每個人都能有同樣的選擇和機會。在我看來，衡量人類進步的一個重要標準就是看社會能不能給每個人更公平的選擇和機會。如果我們說今天每個人的選擇都一樣多、機會都一樣大，那顯然是自欺欺人。比如美國可以說是比較「公平」、「平等」的社會，每個人都可以當總統，這似乎是很「公平」、令人振奮的。但窮人當總統的機會絕對比富人小，女人的機會絕

對比男人小，黑人的機會也絕對比白人小，這是不爭的事實。

　　誠然，世界的確有很多領域不是完全公平的，但是每個人都有爭取的機會、有選擇的權利。如果你因為覺得世界絕對不公平而放棄了自己的機會和權利，那就是你自己放棄了成功的機會，而不是世界拋棄了你。

　　盡量爭取機會、積極選擇可以為自己創造更大的公平。例如有些人出生時就因為遺傳，可能在某個時候罹患較嚴重的疾病，但這並不表示他一定會患病。如果他能把握機會，做正確的選擇，安排好自己的鍛鍊和飲食，很可能比誰都健康；但如果他因為「基因不好」就自暴自棄，他得病的機率幾乎一定會倍增。

　　如果一個人把他生活中的很多東西都歸咎於天生不公，那麼他必然是一個消極的人，或者帶著這種近乎受害的心結，一生扮演著受害者的角色，彷彿全世界都虧欠他，他的無力感和憤怒會影響他，使他無法客觀公平地判斷與辨別。面臨任何事，你都要想清楚哪些因素是自己不能改變、必須接受的；哪些因素是自己可以選擇的；哪些因素是你必須勇敢積極去挑戰的。當你碰到不可改變的事情時，要勇敢地接受它，不要把時間浪費在悔恨、羨慕和嫉妒上。

　　你應該積極主動地抓住命運中你可以選擇、改變、可以最大化你影響力的部分。如果公平是地平線，那麼有人站在地平線之上，享受自己爭取來的陽光；相反的，有人封閉在地平線之下，飽受黑暗的煎熬，但其實他可以靠自己的努力開創新的局面，不斷探索未知的未來。只有這樣，我們才能把所謂的「不公平」慢慢轉化為「公平」。

　　還有，就算在最艱苦的時候，當你感覺命運已拋下你而去，你仍是有選擇的。有一個真實的故事，講的是原本受佛洛伊德心理學派影響頗深的決定論心理學家弗蘭克（Viktor Frankl）。他經歷了納粹集中營的淒慘歲月後，開創出獨具一格的心理學派。弗蘭克的父母、妻子、兄弟都死於納粹魔掌，他本人則在納粹集中營受到嚴刑拷打。有一天，他赤身獨處於囚室之中，突然意識到一種全新的感受，也許正是集中營的惡劣環境讓他猛然警醒：「在任何極端的環境裡，人們總會擁有一種最後的自由，那就是選擇自己態度的自由。」

　　弗蘭克的意思是說，在一個人極端痛苦無助的時候，他依然可以自行決定他的人生態度。在最為艱苦的歲月裡，弗蘭克選擇了積極向上的態度。他沒有悲觀絕望，反而在腦海中設想，自己獲釋以後該如何站在講台上，把這段痛苦的經歷介紹給自己的學生。憑著這種積極、樂觀的思維方式，他在獄中不斷磨練自己的意志，直到心靈超越牢籠的禁錮，在自由的天地裡任意馳騁。

　　命運有很多因素是不可掌握的，但是努力可以提高掌握命運的能力。另外，不是光有努力就可以了，事情的成敗與許多因素有關，在適當的時候做適當的事情，是很重要的能力。

不再是全班第一的我

Q 從小到大，我都是全班第一，也是我父母的驕傲。但是，進入全市最好的高中以後，我發現自己不再是全班第一。我開始懷疑自己，快樂不起來，我該怎麼辦？

A 我認為，你是「一元化」教育體制下的受害者，彷彿你的存在和快樂都建立在「保有第一」的基礎上，你也會發現這樣的「快樂」是多麼脆弱、不真實。讓得「第一」決定你的快樂，是多麼狹隘、荒謬，也是典型的「一元化價值觀」的體現。學習做「第五」、「第十」，而仍能自我肯定、樂由心生，是你現在必須做的功課。

首先，你要打破「第一」的快樂迷思。世界上沒有研究能證明拿第一的人比較快樂，但有研究證明「找到意義」、「做有意義的事」和一個人的快樂與否有關。另外，能感受愉悅或積極投入到嗜好、興趣、活動中渾然忘我的人和快樂有密切關聯。

鼓勵你以某項嗜好、興趣、活動做為目標，放下「第一」。「第一」或許能給你一些成就感，但你不是分數的奴隸，只有你能決定自己的快樂。

你為什麼要進入全市最好的高中，而不是選擇一所能夠讓你保持「第一」的學校？即使在全市第一的高中得「第一」，是否就證明你是全國所有高中的「第一」？即使你進了清華，得了清華的「第一」，是否又證明你是全世界「第一」？這就是古人說的，「天外有天，人外有人」。看到比你強的人，應該高興，因為你可以在與對方交流、良性競爭和切磋中提升自己。

希望你能夠參考我寫的「給青年學生的第三封信」，逐漸尋找自己的興趣和目標，不要為了老師的關照和大家的矚目而學習。當你找到真心喜歡的志趣以後，你會發現「第一」的光環是多麼虛幻！世界上原來還有比它更加令人激動的東西。要想找到這樣的東西，就一定要走出虛榮的光環，恢復平常心。

生活在別人給你的光環下是不踏實的，因為別人將左右你的喜怒哀樂。一定要把命運掌握在自己手裡，為了自己的目標努力，而不是為了別人給你光環。

關於成功的困惑[3]

Q 您關於成功的論述很多，可是我還有很多困惑，您説每個人的成功可以不同，那麼，我到底該追求什麼樣的成功？我如何才能找到自己的目標和通往成功的方法呢？

A 想取得成功，就要了解成功、了解自己，但這談何容易！成功者就是做自己喜歡的事情的人。失敗者就是整天做自己不喜歡的事情的人；無論他多有錢，多有名，如果不是做自己喜歡的事情，就是失敗者。

成功就是讓自己今天比昨天好，這不是一個「速成」的秘方。我對成功的定義是能做到最好的自己，能得到最高層次的快樂。有不少例子說明追逐理想的人反而成為最富有的人，如蓋茲把自己的成功歸因於一直以來都在追求自己的夢想──用技術改變人們的生活，而財富僅僅是對他執著追求夢想的獎勵。

只想發財的人不一定能夠如願以償。如果在今天的中國和美國做個調查，可能大多數的美國人是追求快樂的，而大多數的中國人則嚮往傳統意義上的成功：名和利。有趣的是，許多美國人反而經由追求快樂，得到舉世矚目的成功。其實理由很簡單：追求快樂意味著選擇從事自己最感興趣的工作，每天都為著理想而奮鬥，也意味著每天都以期待的心情來到辦公室工作。這將激勵自己成為最好的自己，而得到成功。所以我認為最重要的是讓

自己快樂，追逐自己的興趣，讓自己成為最好的自己。不要和別人攀比，只要問問自己今天有沒有比昨天更好，今年有沒有比去年更好，而不要問自己是否比同學或朋友更好。

我只能引導大家了解自己，真正的難題還是要自己解決。

價值觀與誠信[4]

為什麼誠信那麼重要？

Q 您反覆強調誠信，為什麼誠信那麼重要？在2001年的「對話」節目中，為什麼您把誠信放在智慧之前？難道企業希望員工都成為聖人嗎？

A 一個人的人品如何，直接決定了這個人對社會的價值。而在與人品相關的各種因素中，誠信又是最重要的一點。我在「給青年學生的第一封信」中對誠信有具體的論述：

「我在蘋果公司工作時，曾有一位剛被我提拔的經理，由於受到部屬的批評，非常沮喪地要求我再找一個人來接替他。我問他：『你認為你的長處是什麼？』他說：『我相信自己是一個非常正直的人。』我告訴他：『當初我提拔你做經理，就是因為你是一個公正無私的人。管理經驗和溝通能力可以在日後工作中慢慢學習，但正直的心無價。』我支持他繼續做下去，並在管理和溝通技巧方面給予他很多指點和幫助。最後，他不負眾望，成為出色的管理人才。現在，他已經是個頗為成功的公司的首席技術官。

「與之相反，我曾面試過一位求職者。他在技術、管理方面都相當出色。但談話之餘他表示，如果我錄取他，他可以把在原來公司工作時的一項發明帶過來。隨後他似乎察覺到這樣說有些不妥，又做出聲明：那些工作是他在下班之後做的，他的老闆並不知道。這一番談話之後，對我而言，不論他的能力和工作績效如何，我都不會錄用他。原因是他缺乏最基本的處世準則和最起碼的職業道德——誠實和講信用。如果雇用這樣的人，誰能保證他不會在這裡工作一段時間後，把在這裡的成果也當做所謂『業餘之作』，變成向其他公司討好的『貢品』呢？這說明：一個人品不完善的人，不可能成為一個真正有所作為的人。

「在美國，中國學生的勤奮和優秀是出了名的，曾經一度是美國各名校最受歡迎的留學生群體。而最近，卻有一些學校和教授聲稱，他們再也不想招收中國學生了。理由很簡單，某些中國學生拿著讀博士的獎學金到了美國，一旦找到工作機會，就馬上申請離開學校，將自己承諾要完成的學位和研究拋在一邊。這種言行不一的做法，使得美國有部分教授對中國學生的誠信產生了懷疑。有這種行為的中國學生是少數，但是這樣的『少數』已經讓中國學生的名譽受到極大的損害。另外，目前美國有很多教授不理會大多數中國學生的推薦信，因為他們知道這些推薦信根本就出自學生自己之手，已無參考性可言。這也是誠信受到損害以後的必然結果。

「我在微軟研究院也曾碰到過類似的問題。一位來這裡實習的學生，有一次出乎意料地提出了一個非常好的研究結果。但是他的研究結果別人卻無法重複驗證。後來，他的老闆發現這個

學生對實驗資料進行挑選，只留下合乎最佳結果的資料，捨棄了『不太好』的資料。我認為，這個學生永遠不可能實現真正的學術突破，也不可能成為一名真正合格的研究人員。

「最後想提的是一些喜歡貪小便宜的人。他們在學校或公司打私人的長途電話、多報銷計程車費等。也許有人認為，學生以成績、事業為重，其他細節只是小事，沒什麼大不了。然而，這些身邊『小事』，往往成為一個人塑造人格和積累誠信的關鍵。貪小便宜、耍小聰明的行為，只會把自己定性為一個貪圖小利、沒有出息的人的形象，最後因小失大。對於這些行為，一言以蔽之，就是『勿以惡小而為之』。」

你問我為什麼在2001年的「對話」節目中，把誠信放在智慧之前。難道我們會去衡量員工的誠信和智慧，而給誠信更高的比重？其實，我們的衡量都在直接的工作目標上，並不會對誠信或智慧做直接的衡量。但是，做為第一「核心價值」，誠信是我們對員工最基本的要求。我根本不會去雇用沒有誠信的人；如果一個員工發生了嚴重的誠信問題，他會被立刻解雇。

你又問：難道企業希望員工都成為聖人嗎？我並不是要求每個人都要做聖人，而是希望每個人都有基本的職業道德。一家公司對人品的要求不是以個人道德為出發點，而是出於自身利益的考慮，因為公司需要把自己的鑰匙交給每個員工、把每一項任務交付給每位員工。只有公司對員工能夠完全信任，員工才更能充分發揮自己的才能。人品有問題的員工很可能帶給公司莫大的傷害，所以公司絕對不能雇用這種人。

前新加坡總理李光耀曾給年輕人建言：「優秀不重要，被

人信賴才重要。人格是當然的必要條件，如果不能明辨是非，沒有榮譽感，你就不值得信賴，不論你有多優秀，也將成就不了大事。必須要先得人信賴，大家才會與你合作。沒有誠信，將淪入萬劫不復的循環。」

道德與才華哪個重要？

Q 當年，因為劉邦重用陳平，於是有人向劉邦「舉報」陳平「盜嫂受金（與嫂子通姦，收受賄賂），反覆無常」。劉邦經過「調研」，覺得陳平雖然有一些德行上的過失，但他的才能對於此時的自己來說更加有用，於是繼續重用陳平。後來，陳平果然輔佐劉邦統一了天下，成為西漢開國四大文臣之一。

這個例子對我很有啟發。因為道德畢竟不是法律，有些所謂有道德缺陷的人，只要不是違法亂紀的宵小之輩，我想企業應當不拘一格任用。因為這個世界有太多庸庸碌碌的「君子」，在激烈的商戰中，往往情緒智商（EQ）不夠，容易犯下大錯。這就是所謂「小人誤事，君子誤國」。例如你的銷售總監如果連吃個飯應酬一下都不會，那麼銷售就會出現嚴重的問題。但在華人企業的用人觀念中，道德品質是一道重要門檻，很多在道德上略有欠缺、但是有真才實學的人才都被拒之門外或遭遇冰封。難道有真才實學的人才真的要被道德所掩蓋嗎？我深感困惑！

A 道德也分公眾道德和隱私道德。對公司而言，其實個人的隱私道德可以相對考慮得少一點，比如生活問題等。但對於公眾道德，尤其是誠信問題，則必須考慮。公司考察一個人的道德問題，必須將個人道德問題放在企業文化和企業道德的層面

考慮。人都有各種各樣的問題，以從眾心理看，有小問題的人可以在一定程度上被合適的企業文化和企業道德所同化，近朱者赤。這就是企業文化和企業道德有必要建立的關鍵。我們完全沒有必要把道德問題無限誇大到廣義的範圍，而要從微觀和企業發展角度考察人。

公司裡重視的公眾道德是誠信和職業道德（integrity and professionalism）。這不但正確，也是為了公司本身的利益。如果雇用、甚至重用缺乏誠信的人，企業就會承擔很大的風險。如果一個人有才但貪財，企業的風險就相當大，怕他把公司的財產據為己有；如果一個人有才、但缺乏最起碼的企業忠誠度，企業（尤其是高科技產業的公司）的風險就是他會把保密性資料、集體智慧、客戶帶走；如果一個人有才華、但個人作風極其敗壞，企業的風險就是他會帶壞整個公司的風氣和企業文化。

在21世紀的今天，最成功的企業往往是最充分授權的企業，因為最優秀的人在授權的企業才能夠發揮潛力。而誠信有問題的人在愈授權的企業裡殺傷力愈強。而且，最成功的公司聘用的都是能力較強的人，能力愈強的人如果沒有誠信，對公司殺傷力也愈強。很典型的一個例子是在1995年，霸菱銀行（Barings Bank）一位很能幹的期貨交易員李森（Nick Lesson），在三年時間裡利用自己的技術進行不當交易，造成這家有兩百多年歷史的銀行倒閉。

如果企業雇用了一個欠缺誠信的人，那麼它就是在冒險。這種冒險並不是每次都會導致最嚴重的後果和損失。就算陳平是個誠信欠缺的人，我們也不能依據陳平輔佐劉邦成功的事例，就

簡單地認可重用品德不好的人無可厚非。正如搶劫是不正確的，但如果有一個人搶成了，發財了，你就認可搶劫這種行為嗎？這樣的邏輯並不嚴密。

另外，我們無法追根溯源地分析如果劉邦沒有重用陳平，是會更成功還是更失敗。還有，銷售總監會不會和客戶應酬吃飯與誠信道德沒有任何關係。建議你思考問題時要就事論事，不要把太多無關的事情都混雜在一起。

我們看到很多國外對誠信重視的例子。其實，身處市場經濟浪潮中的華人企業也是經過多年的探索、學習才發展到現今規模。目前經營成功的一些華人公司，尤其是辛苦經營數十年的品牌，我們可以看到，它們非常注重員工要具備「誠信」二字，這是企業在多年實踐中透過學習研究正、反面的實際事例所得出的用人觀，可信度和實用性都非常高，不應該輕易摒棄。

如何正確理解誠信？[5]

Q 您在很多地方都提到：誠信是公司對員工最基本的要求。到底怎麼定義「誠信」？衡量誠信有什麼標準？很多公司在銷售產品時，都會有諸多誇大不實之詞，或者許下無法兌現的承諾。這些行為是否屬於對客戶不誠信？公司為了銷售產品，可以允許員工對外不誠信，但公司從自身利益出發，又要求員工對公司守誠信。如此看來，將這裡的「誠信」解釋為「忠誠」，是否更合適？

這是一個「雙重標準」的悖論：一方面，對公司有利的事情，誠信的標準可以降低；另一方面，對公司不利的事情，誠信的標準把關又很嚴格甚至苛刻。既然公司做法如此，個人是不是也對自己

制定雙重標準呢？即對自己有利的事情，標準可以相對寬鬆。

您覺得當一個人身處必須以違反誠信為代價才能獲取巨大利益，尤其是可能獲取的利益巨大到足以彌補他因為喪失誠信而產生的損失時，他應該怎麼做？誠信是不是根本沒有一個嚴格、統一、規範的標準，一切還是從利益出發來考慮？

A 誠信是言行一致，言出必行。誠信是每個人和企業在與世界接軌的旅程中必要的價值觀。如果一個人常做出無法兌現的承諾，必將不被人所信任；一家公司面對合作夥伴和客戶也要遵循同樣的態度。

今日的華人社會充滿了機遇，但誠信還在發展中。在這樣的環境裡，一切都迂腐而不能變通是不可行的。但是，認為「對公司有利的事情，誠信的標準可以降低；對公司不利的事情，誠信的標準把關又很嚴格甚至苛刻」顯然是錯誤的。不誠信的行為對公司可能短期比較有利，但是長此以往，一定有害，甚至會直接導致公司的滅亡。如果需要我做出選擇或提出建議，我會說：「除非為了生存，在不得已的情況之下，對誠信千萬不要妥協。」

以你提出的對客戶做出無法兌現的承諾為例，你對客戶最好的回答是：「別的銷售員或許會馬上承諾，但是做不做得到就另當別論；我可以保證會盡全力幫您做到，達到您要求的標準。我答應的事情一定會做到，但我能力範圍之外的事情我不會答應您，只有這樣我才能得到您長久的信任。」

誠信是嚴格、統一、有規範標準的。如醫療保健用品若有誇大不實的廣告，會被主管機關依法取締。食品的成分若有造假

或被污染等情形，也同樣會有召回銷毀以示負責的處理。誠信的企業才能吸引員工，得到員工的認同，也會吸引消費者，對其產品保持忠誠的態度。利益重要，但唯利是圖，甚至失信背信，終究難逃消費者的慧眼而遭淘汰。

企業如何做到誠信？

Q 講誠信是要力求做聖人嗎？企業也講誠信嗎？企業如何才能在和它的對手競爭時堅持道德？目前商業競爭不能不講究策略，可是有些策略本身就是不道德的行為。那麼什麼才是合理的競爭呢？現在很多企業領導人都在看《孫子兵法》，這部書不也是一種商業計謀嗎？雖然我還在學校念書，但畢竟將來要進入企業工作，有一天必然會面對這些問題，您能不能從您的經歷和優秀企業領導階層的角度幫我解除這些困惑？

A 從你的提問中，我發現：你有一個最大的誤解，那就是講道德、守誠信就是要求員工淡泊名利、做聖人；要求企業不論計謀、不想盈利。但實際情況並非如此。

對一個員工而言，他應該追求卓越，當然其中也包括名利的因素。對個人來說何謂誠信呢？要在守基本職業道德的前提下開展工作；不能做違背公司利益的事情；不能說謊，更不能有任何犯法行為；對客戶要守信，對合作夥伴要有較大的透明度，對自己的承諾要負責，對同事要有團隊精神。

評估一個員工、一家一流企業的主要方式仍然是業績、成果等可衡量的因素，而不會用道德、誠信這些主觀的因素打分數。但是，我們可以把對道德、誠信的考慮，融入對員工的考

評。比如，以合作夥伴或客戶對員工的滿意度做為指標，在進行滿意度調查時提出守信、透明度等方面的問題；也可以從同事、部屬的回饋來判斷團隊精神、是否守信等；對承諾負責也是可以衡量的。

對一家企業的考核也是如此。在守法、守信、誠實、負責的前提下，用任何的商業計謀得到最大的盈利，是企業的應有之舉。這裡所說的商業計謀是指合法的商業競爭，讓一家公司得以獲利。例如IBM依靠完善服務，從服務中獲利，降低客戶對軟體價值的認可；昇陽公司轉變方向，不與Java的老夥伴IBM合作而與微軟合作，以增加Java和.NET的相容性做為公司的特點；微軟買下Great Plain和Navision，改變過去作風，開始進攻中小企業軟體市場。這些商業行為一定要守法。例如微軟必須在遵守和美國司法部和解的條例下進行併購；昇陽必須在轉變方向時對它過去的軟體發展商負責；IBM不能夠以謊言來否定軟體的價值。

怎樣看待考試作弊？

Q 我遇到一些煩心事，今天考大學物理，我們班上又有同學作弊，而且每科都這樣，請問我該如何對待？

A 「勿以惡小而為之」，也許有些年輕人認為，學生以成績、事業為重，其他細節只是小事，沒什麼大不了。然而，就是那些身邊的「小事」，成為一個人塑造人格和積累誠信的關鍵。貪小便宜、耍小聰明的行為只會把自己變成一個貪圖小利、沒有出息的人，最後因小失大，走入歧途。

不養成誠信的習慣，就很容易墮落。當一家企業騙了它的

第一個顧客得逞，就會習慣性地為了更大的利益去騙更多的顧客；當一個員工報了第一次假帳後，就會習慣性地繼續報假帳，而且金額會愈來愈大；當一個學生第一次考試作弊成功後，他就會習慣性地作弊，甚至找「槍手」代考。

信譽是珍貴的，但也是易損的，正應了中國的那句古話：「從善如登，從惡如崩。」得到和維持信譽需要長期不懈的努力，但是毀壞信譽，卻只需要犯一次錯誤。由「小惡」發展「大惡」就像走下坡路一樣，如果不及時糾正，很快就會滑入深淵；反之，從「大惡」回歸「誠信」就像是在爬陡峭的山坡，一定是件非常吃力的事。

名人都很卑鄙嗎？

Q 從小我們就被教育要有「誠信」、「社會責任感」。但我們的社會裡看到的大多數成功者好像不是這樣，他們彼此利用，不擇手段，利益當頭。您說在企業裡，領導的行為是為了更妥慎用人，還是更妥慎利用他人，從而為己所用？偉大的企業家卡內基成名前都以他人做為墊腳石，正如一個偉人的墓誌銘上所刻的：「這裡躺著的是一個能夠騙比自己更聰明者的人。」這麼多成名的人都這麼卑鄙，我們真的能堅持「誠信」、「社會責任感」嗎？

A 你的思維陷入了一種將事物簡單二分的困境。利用人或更妥慎地用人並不矛盾，真正成功的領導是既能重視部屬的需要，又能將之和企業目標結合；既能協助屬下發揮潛能，又可得到屬下忠誠為公司效命，做到利己達人雙贏的人。

希望你能把握對誠信的執著，千萬不要相信道聽塗說的不

實傳言。很多流傳甚廣的話都是投機者用來欺騙世人的，譬如你所引用的那句：「這裡躺著的是一個能夠騙比自己更聰明者的人。」其實那是一個謬誤。在卡內基墓碑上鐫刻的是"Here lics a man who was able to surround himself with men far cleverer than himself"（這裡躺著的是一個能夠讓比他更聰明的人圍繞在他身邊的人）。某些人或許為了解釋自己的投機動因，卑鄙地篡改了上世紀的偉人卡內基的墓誌銘（再次提醒大家：看到不合邏輯或匪夷所思的網路言論，一定要自己去驗證，千萬不要道聽塗說）。

卡內基以鋼鐵業起家，後來成為美國第一富豪，成功後也成為一位了不起的慈善家，成立了卡內基基金會（Carnegie Foundation）。另外，位於美國紐約、世界著名的卡內基音樂廳（Carnegie Hall），我的母校卡內基美隆大學，也都是他慷慨促成。除了他之外，還有很多名人都是偉大的慈善家，並非都是不擇手段、「利」字當頭。我可以再舉兩個例子，證明成功的人，也可以是有社會責任感的人。

第一位是比爾·蓋茲，他不但是成功的企業家、傑出的科學家，也是位了不起的慈善家。他承諾，去世後將自己95％的財產捐出。我曾看到他在給美國黑人獎學金捐贈時、在印度的村莊捐贈時，流下同情的眼淚。他在中國也做過不少捐贈，但是他不願讓人知曉，因為他不希望被人誤解為他在幫公司做公關。

我一直對「無求品自高」一說不是很理解，直到2004年，我有幸結識了一位慈善家。他當年是東南亞的風雲人物、商場大亨。他做出一項巨大的捐贈，創辦了一個教育機構。但是他不但

不要求該教育機構掛他的名字，甚至奉勸學校先用一個普通的名字來命名。因為以後如果學校經費不足而他又不在人世，學校可以向別的富人募款，從而掛上未來捐款富人的名字。

這樣的胸懷、品德，讓我終於悟出這五個字的真諦。我並不是說我們不可以有欲望，但是無求的人才是品德最高的人。有一句英國古諺是這樣說的："The richest man is not the one who has everything, but the one who needs nothing."，意思是：最富有的人不是財產最多的人，而是欲望最少的人。

如何快速觀察一個人的價值觀？

Q 您說大企業在招聘的時候很重視員工的價值觀是否跟公司的價值觀牴觸，請問您在面試的時候如何很迅速的考察出一個人是不是與你們的價值觀相牴觸，是不是要問很奧妙的問題？

A 這是一個觀察的過程，不需要特意提一些問題。在與應聘者接觸後就會有一些感覺。如果有好的感覺就很好，如果有壞的感覺也不應當就這樣拒絕一個人，而要更深入的接觸和探索，旁敲側擊去了解。比如說有一個同學在面試的過程中作弊沒有被我們發現，然後他很得意地在網路上發表一篇匿名文章，說他在Google面試作弊的過程。當然，Google很會搜尋，這個文章很快被我們找到，我們根據他描述的面試過程推測出這個人是誰，然後拒絕他。

還有一位來申請工作的人，跟我們談條件的時候說「給我這麼多錢我就來」，我們做了很好的評估、給了他很好的起薪，但他卻改變主意，要再答應他其他條件才肯過來。這讓我們感覺

他是為了金錢工作,於是我們沒有錄用他。並不是我們不能給他更好的條件,而是他多次以金錢為唯一的標準來跟我們談條件,我們認為這不符合我們的價值觀,最好還是放棄他。

以上是面試中的一些例子。另外,對應徵者我們還會做背景的調查,比如透過他的同學了解他在學校的情況、問他的輔導員或是他的任課老師等等。我們會花很多工夫,盡我們的能力去確定一個人是否為合適的人選。我們還會招聘很多實習生,很多員工是曾在公司打工過兩、三個月的人。我們透過每天在工作上的接觸去了解他們,這種方式最好。只靠一個八小時的面試和一些背景調查,對應徵者的了解不可能很周全,有時還是會犯錯。

人生的意義和理想

人活著為了什麼?[6]

Q 我從很小的時候就開始思考:生命的意義到底是什麼?我知道這個問題比較沉重,但是我想這個問題對每個人來說都有現實意義。我見過一幅畫,希望大家和我一起想想這幅畫的含義:一個百米跑道上,起跑線上站著一排人,旁邊是裁判,手裡拿著發令槍,大家都做好出發的準備,但是他們每個人都沒有眼睛。我想很多人都能理解這幅圖的含義。們每個人都在忙碌地學習、工作、拚搏,人生就像是條漫漫跑道,我們不知道追求些什麼?我們的目標、生命的意義到底何在?我一直都想得到這個問題的答案,然後我突然悟到它的含義。我把它歸結為一個詞,叫做:體驗。我覺得

生命在於體驗。

開復老師，我想請問你：在你的靈魂和意識中，人生究竟意味著什麼？人活著是為了什麼？是為了體驗嗎？我們應該選擇怎樣的人生目標和理想，才能在度完人生後不覺得後悔？對沒有人生目標的人而言，又該如何制定人生目標？

A 首先我強調一點，人是唯一會尋找意義的動物，這樣的心路歷程十分可貴。不過孔子說「思而不學則殆」，也就是說，光想不學習是危險的。很多大學生都提到過「我們感到很茫然」，或許茫然就是一個尋找自己或尋找意義的過程。青少年處在摸索自我的人生階段，是脫離倚賴的角色、邁向成人的階段，思考人生意義是必要的，但不能偏廢。

生命的意義是什麼？我只能告訴你：第一，我不能幫你回答，因為每個人的生命意義不一樣；第二，如果一個人不知道生命的意義，每天只是追逐金錢、名利，或者是打發時間、虛度光陰，那麼他會活得非常痛苦；第三，在找到生命意義之前，其實生命的意義就在於尋找意義的過程。

下面我舉幾個「生命意義」或「理想」的例子。我的理想是「最大化我的影響力」，也就是希望當我離開這個世界的時候，世界因為有我而更好。如果兩個世界中，一個有我，而另一個沒有我，那麼希望有我的那個世界能夠變得更好。這就是我找到生命意義後的感想。有同學誤以為「影響力」代表的是個人的勢力或權力，或要做驚天動地的事請。其實，我所說的「影響力」與勢力或權力毫無關係，只要人的一生對這個世界有些許貢獻，就對這個世界施加了「影響力」。人生在世，如白駒過隙，

轉瞬即逝，每個人都不想虛度此生。如果在即將離開這個世界的時候，回首往事，心裡能夠有一種「世界因我而更美好」的欣慰和自豪，人生就具有足夠的「影響力」，就是一個有價值的人。

有個朋友認為「人活著是為了幸福」，他覺得只要你幸福了，那你就是一個生活充實、活得有意義的人。畢竟在現實生活中，註定只能有少數幸運的人擁有權力、地位、財富、鮮花和掌聲。但這並不意味著只有他們才能夠品嘗到幸福。事實上，他們之中有部分人過得算不上幸福。每個人都有權利、也能夠擁有自己的幸福！

另一個朋友從小就立志為改變人類而努力。結果，他發現自己沒有能力做到，轉而為改變自己的國家而努力，但他仍然沒有做到，就又更改為自己的城市、為自己所在的小區域、為自己的家庭謀求改變。直到「為改變自己」而努力，他才認識，只有從改變自己入手，才能改變家庭，進而改變小區域、城市、國家，乃至人類全體。努力使自己生活幸福，然後努力感染周圍的人，使他們也都感到幸福。這是每個人都可以做的，也是世界上最偉大、最可貴的事情。

我還有一個朋友認為人生的目標是「讓家人快樂」，也有朋友希望「創立中國立足世界的國際品牌」。我的母親認為，人生的目標是「讓七個子女都成為良好的世界公民」。我父親的理想是「為歷史留下真實的紀錄」。

你找到的生命意義是「體驗人生」，我覺得很好，很真誠，也很有意義。人生苦短，讓自己走過這一生的每一天都能夠感恩，感謝得到機會每天都能學習、進步，感謝能夠享用美好的

食物，欣賞美麗的景色，認識要好的朋友。

　　這些都是好的理想，合適的人生目標，而那些抽象的目標是沒有用的，因為「人生目標」的意義在於它能幫助你做出人生重要的決定（請讀我的「給青年學生的第三封信」）。如果你只有抽象的目標，那怎麼能幫你做決定呢？

　　我們的人生目標必然隨年齡、人生階段的不同而不斷地修正。如果你確定，就應該義無反顧地去追隨這個目標而行動。當然，如果有一天你改變了你的想法，那你當然應該具備足夠的彈性去修改、使它更加完善。

是否要堅持自己的理想？[7]

Q 開復老師，你曾經提到不要追求名利，而要立志追求自己的理想，做自己想做的事情，做自己價值觀需要做的事情。可是事實上我們都生活在一個以名利為主流價值觀的世界中，如果為了清高的理想，而得不到名利，也就得不到那種成就感和主流社會對你的認同感。如果我有一個非主流的價值觀，周圍的人或社會都不認可，那怎麼辦？我們如何保持平和的心態來做這些不平凡的事情？有這種可能嗎？

A 我想對你的問題做一些澄清：首先，追求理想是否代表清高、不平凡？反之愛名利就是低俗、譁眾取寵？這是太簡化的「二分式」思考。導演李安多年前選擇學電影，只是因為熱愛和堅持自己的興趣，在紐約待業六年，只靠太太支撐家庭經濟。他何嘗自命不凡？只是不願放棄自己的理想，在生活中隨波逐流。此外，你說我們生活在一個以名利為主流價值觀的世界，

其實我們生活在一個多元價值觀的世界，主流與非主流也不要簡單地二分，這兩端之間有很多種可能。

我還想對名利方面稍微做點補充。許多人把名利和社會責任、理想對立，好像追求名利就沒有理想，或者追求理想就必須放棄名利。其實，名利本身沒有任何不好，每個人都希望得到名利，也是可以理解的。但是我建議不要把名利當做理想或目標，更不要把名利誤認為一種價值觀。

其實，理想和名利並不是對立的。如果你做的事情符合你的價值觀、興趣和理想，名利確實很有可能成為副產品。在李安的例子裡，他在追求自己的理想時，並沒有放棄名利。當他達到理想時，他也名利雙收。所以，理想和名利是不衝突的。以前美國也有研究證明，最終得到名利的人多半是因為追求理想，而非只是想發財的人。

另外，你問如果有個非主流的價值觀，周圍的人或社會都不認可，那怎麼辦？這是一個很好的問題。如果你的非主流價值觀對你來說真的那麼重要，你應該可以給自己足夠的力量，激勵自己，讓自己透過實現理想克服某些人片面的意見。但是，如果你不能讓自己繼續為理想感到激動，那可能應該再想一想這是不是你唯一真正重要的價值觀？

此外，我想說的是，我們不要把社會當做一個實體。世界上有這麼多人口，也許你做的這件事情不受某一群人的價值觀認可，但是我相信還有另外一群人會認可，我希望你能夠找到那群人。我舉一個很簡單的例子，我在寫給青年學生的第一封信談誠信的時候，曾給很多同事看，徵求他們的意見，他們說：「寫得

不錯，但是千萬不要發表，發表了以後是會得罪人的，最後你得不償失，反而會被當做不務正業、沒事找事的人，甚至可能會傷害公司的形象。」但是我不認同他們的看法，還是發表了。為了避免影響公司，我還補充了一段話，解釋這篇文字只代表自己並不代表公司。最後，我果然看到很多青年同學其實正面臨著如何選擇價值觀的難題，非常需要這樣的幫助。

我的人生計畫[8]

Q 這是我的人生計畫，請指教。我是一名知名大學的女學生，二十二歲，主修機械，不喜歡這個專業，不喜歡搞科研類，想從事與人打交道的工作，如諮詢、管理、客戶服務等。很想自己開公司（夢想，不知道能否實現），特別欣賞口才好的人士，就是性格隨和、幽默、有人緣、樂於助人、有理想、不甘於平淡、渴望成功、對喜歡的事情能全力去完成的人。

現在我很想出去工作，原因如下：首先，長這麼大，一直生活在學校這個「溫室」裡，從高中起就感覺很壓抑，所以特別嚮往外面的世界。沒有親身體驗過社會的殘酷和自己的不足，所以對學習提不起興趣，也沒有一個明確的奮鬥目標，每天只是為了讀書而讀書，為了拿文憑而讀書，所以效率很低，每天都像在虛度光陰，生活沒有熱情，很難受！雖然我也知道，外面並沒有我想像的那般美好，但就是想出去。

其次，長這麼大，竟然不知道自己喜歡什麼！所以我想出去多經歷些，找到自己真正喜歡的專業並為之奮鬥。我不想為了自己不喜歡的東西，而純粹為了文憑再浪費寶貴的青春。

再者，我來自農村，爸爸前年因公去世，兩個弟弟都在讀書，大弟讀高三，成績很好，有望考上名校，小弟讀國三，成績也不錯，我想出去工作來減輕家庭負擔。我最高興的事就是用自己的努力換來家人的幸福和舒適，讓他們過好日子，是我的願望。

下面是我對於以後工作的打算：從基層做起，謙虛向前輩們求教，不會以大學生自居，要和周圍的人融為一體。以積極的心態做事，以老闆的心態看待公司的事，把公司的事情當成是自己的事來辦。建立學習的心態，買台電腦，利用閒暇時間多學些東西，如英語、辦公軟體等；有必要的話，進修一些課程。

人生規劃時間表：23歲，畢業；24歲，找到自己的興趣所在；26歲，從基層做起，虛心吸取前輩的經驗，提升自己的能力（做到副總監或副理）；28歲，爭取能在公司占據重要位置（做到總監或部門經理）；30歲，能獨當一面（最好能有自己的公司）；35歲，繼續進修或深造，比如到外國念MBA，或在國內讀個碩士等。總之，我的問題可總結為以下幾點：

· 為了找到自己的興趣所在，該從哪些事做起？該做哪些努力？
· 上述人生規劃是否太籠統或不切實際？為了實現這些目標，我又要做哪些努力？
· 隨著研究生的擴招，做為大學生的我，對自己的明天應該有些什麼充電計畫？（我已經做好邊工作、邊自學的打算）
· 雖然我很想工作，但做為一個大學生，我非常有危機感，很擔憂明天，能不能給我一些鼓勵和提醒？讓我對明天充滿信心？

上面就是我的一些基本情況，希望你能以過來人的眼光，對於

我的計畫提出中肯的建議和批評。

A 你的表達真率有力，自我分析客觀清楚，字裡行間讀到你散發的能量和熱情，對家庭的責任關懷更顯示了你兼具現代自信和傳統美德。我也欣賞你準備進入社會接受挑戰的勇氣和摩拳擦掌的興奮心情，看你兩位弟弟也如此聰明優秀，你的家庭教育一定相當成功，特別要向你的父母致意。你對自己做了人生計畫，分析成熟且實際，在大學生中相當罕見。

給你幾個建議：第一，在「我學網」上有很多資源，建議你多看看。很多我的想法都曾在我的七封信裡（收錄在《做21世紀的人才》）發表過，還有我的文章裡面也有其他建議（例如如何挑選公司、如何寫申請信等），就不在這裡重複了。

其次，雖然你不喜歡機械，但這是你找工作時的優勢之一。你可以挑一家符合你專業的公司（例如某汽車公司），但是找你有興趣的工作（例如市場、技術支援等），或是先做一個技術工作，再尋求機會轉部門。進入服務業後，因為學工科的人很少願意離開自己的專長進入服務業，所以這方面你有競爭優勢。未來你想做諮詢、客服，專業部分的根基得夠深厚。例如我認識一位進入一家一流投資銀行做分析師的電腦專家，他馬上就成為那裡對電腦和網際網路行業投資分析的專家，因為周圍沒有比他懂更多相關技術的人。

第三，學工科可以培養和鍛鍊邏輯思維的能力。從你這封信可以充分看出你的邏輯思維、計畫能力。雖然你不喜歡你的專業，你的工科沒有白讀。建議你在工作上發揮工科底子的優勢。

第四，念**MBA**或**EMBA**並非必要。現在這些很熱門，過十

年以後不見得公司會那麼在乎。如果你決心要讀，最好能早一
點，比如考慮早一點出國讀個MBA。

　　第五，你的事業計畫做得很好，但是有些缺點。感覺上你
的計畫是拍腦袋想出來的，你應該花更多的時間去諮詢專家、學
長姐，或爭取暑期工作經驗。再者，你的計畫太僵硬，要更有彈
性些。建議你每年做一個分析，並且願意做修改。預測十年後的
事情是很困難的，所以任何長期的計畫都會需要修改。與其把時
間花在十年計畫，還不如把你的第一個目標（找到自己的興趣所
在）做得更實際、可操作些。另外，你可以參考我在第5和第6章
談到的「兩步計畫」職業規劃。

　　看到你的計畫和分析能力，我相信你可以幫助很多同學。
歡迎你常來「我學網」提出其他問題，並且幫助其他學生。

影響力與信仰

Q 李老師，你好。我非常佩服你的人生目標：最大限度地發
揮影響力。說得通俗一點，就是為人民服務吧。可是在我
看來，有這種目標的人必定容易受傷，因為這世界根本就沒有「善
有善報」這條規則。在「人善被人欺，馬善被人騎」這樣的現實當
中，我想你之所以跟我們想法不一樣，是否因為我們的信仰有著非
常重大的差別？你的信仰是什麼？是什麼讓你突破了這些世俗的看
法，放棄了自己的利益？

A 我信仰的核心是「最大化自己的影響力」，從這個觀點來
看，世界上有眾多的人，所以真正最大的影響力是「助人
找到自己的聲音，創造更好的命運和擴大每人的影響力」。我認

為國家的希望在青年學生，也期盼能將這樣積極的人生觀分享給青年學生，讓他們能在「被欺」、「被騎」的受迫、受制心態中見到一些不同的可能，而稍微平衡，進而願意看重自己的影響力而更努力向前。不過，你們都知道我的核心信念除了西方的積極性，還包含了東方的謙卑及樂天知命，就如「有勇氣來改變可以改變的事情，有胸懷來接受不可改變的事情，有智慧來分辨兩者的不同」；也可以說我信仰人要為自己的命運盡人事，但能成與否要聽天命。相形之下，我在乎的不是善報，而是利己利他。

關於「影響力」，首先我要說明的是，「影響力」並不代表個人的勢力或權力，而是讓「世界因為有我而更美好」，對周遭產生影響力，為世界、人類創造價值，成為一個有價值的人。

有些同學認為我這麼說就是要讓大家放棄世俗的理念和自己的利益，所以應該叫做「無私地奉獻」；也有同學認為我是讓大家把自己的利益和「服務奉獻」對立，要做到「自我犧牲地為人民服務」。這些理解都有失偏頗。其實，做到「最大化自己的影響力」和個人利益並不衝突。比如說，工程師在Google做一個很有用的產品，幫助用戶獲取更多的資訊，對世界有重大的影響力，對自己而言，這也是個待遇優厚的職位。或者做為經濟學家，對國家的貢獻和影響力巨大，同時社會也會給個人以相應的社會地位和報酬。在美國一項關於商學院畢業生的調查研究發現，具有理想、希望增加自己「影響力」的人，往往最後也是得到最多財富的人。

有的同學可能會認為我的解釋讓人感覺虛偽或空洞。但我想，無論是「影響力」還是「貢獻」，最重要的是每個人都需要

思索這樣的問題：人生在世的意義究竟是什麼？如果你得到的答案是：「我生存的意義是這個世界因為有我而變得更好更進步」，那你就會得出和我相同的結論。

督促你探詢人生意義與價值的驅動力有很多種：對於富有的人而言，如果你已經擁有名望與利益，便自然而然地開始領悟到人生還需要有更崇高的意義，理解到個人還需要有更重要的存在價值；對於有智慧的人而言，個人的知識背景、特殊的人生閱歷所形成的人生哲學引導你去思考存在的意義；對於任何人而言，家庭或民族傳承下來的信仰，或者你從小所接受的教育，指導著你去思考生命的意義。

所以，擁有信仰是一件好事，而且任何人都可以有自己的信仰。做為推動社會發展的驅動力之一，正面的信仰可以讓一個人的人生更有意義。

如何培養影響力？

Q 我找不到自己的人生目標，你所說的「影響力」這個目標太大了，聽起來太崇高，在現實中該怎麼培養影響力？

A 已經有不少人對我說「影響力」這個目標太大、太崇高了。我想是因為他們誤解了我的本意。「影響力」其實並不是要改變整個世界，只要你所過的每一天都對這世界有點貢獻，無論是在車上讓位給老人，協助行動不便的人過街，主動關心家人，好比童軍所說的「日行一善」，都是貢獻。所謂最大化自己的影響力，就是讓自己盡可能做出貢獻。

我讀大學時有位哲學老師，他在討論人生的意義時用了

很簡單的三個詞：“Make a difference.”，這三個詞講的就是影響力。人在世間幾十年，如果你離開時能體會到「世界因為有我而變得更美好」，那就是有了影響力，就是你“Make a difference.”。自從我認可了這個觀點，很自然的，我下一步應該做的就是如何最大化這種貢獻。

我認識一位老師，有一天她被一位富人嘲笑工作沒有意義（did not make a difference），她是這麼回答的：我每天都可以在課堂上用生動的方法和真摯的情感影響我的學生，引領他們學習知識並不斷取得進步，我每一名學生的前途都不可限量，還有什麼事情比我的工作更有意義呢？

總之，不要把「影響力」當做什麼高不可攀的志向。人人都有影響力，最大化這個影響力就是讓自己對世界、對社會有最大的貢獻。把中國的兩個成語進行比較「獨善其身」和「兼善天下」，乍看之下也覺得後者高不可及，其實當中的精神主要就是看重自己，不要畫地自限。

請用這一代看得懂的話解釋理想

Q 開復老師，我看過你的《做最好的自己》，還推薦給表弟、表妹看。但是，我覺得你對理想和影響力的描述有點空洞。我覺得現在很多人，不管老的還是小的，都非常現實。市場經濟其實摧毀了傳統的道德和價值觀，所以大家說：「愈是不道德的事情愈賺錢」。

除了賺錢之外，什麼是我們這些年輕人的核心價值呢？或者問句很冒昧的話：「我為什麼要回報社會？為什麼要為社會做貢

獻？」請開復老師用我們這一代看得懂的話告訴我們，我們為什麼要有理想、有價值觀？

A 謝謝你率直的提問。其實，理想和價值觀並不是「貢獻、犧牲」的口號。為了自己，你應該擁有自己的價值觀和理想。我可以想出好幾個「這一代看得懂的、現實的」理由：

- 許多人把名利和社會責任、理想對立，好像追求名利就沒有理想，或者追求理想就必須放棄名利。其實，理想和金錢並不衝突。理想並不只是做「助人害己」的犧牲，而完全應該是「利人利己」的。

- 理想不是「犧牲自己的」而是「為自己的」。理想的發掘來自於個人的內心，所以它是最「為自己」的。

- 追求理想的人會活得更快樂、更充實。那些很早發財、退休的人反而會因為人生失去追求和意義，可能活得不愉快。

- 追求理想的人往往會得到金錢做為副產品，而最後比只追求金錢的人更有錢。這是有科學統計資料證明的。

- 如果社會上大多數人都不顧道德地去發財，那整個社會就完了。

【註釋】

1 成長是無止境的，專家楊銳的親身經驗：http://book.5xue.com/9。

2 為成功找方法，別為失敗找藉口：http://book.5xue.com/10。

3 怎樣成功？網站專家黃懷寧對成功提出了建議：http://book.5xue.com/11。

4 這個長長的文章非常棒，作者把自己尋找誠信價值觀的親身經歷寫出來與大家分享：http://book.5xue.com/12。

5 請參見論壇中關於誠信的討論：http://book.5xue.com/13。

6 生命的意義何在？讓專家孫曉光給你一點啟示：http://book.5xue.com/14。

7 專家楊銳建議你，一定要解決終極追求：http://book.5xue.com/15。

8 人的一生該做什麼？專家孫曉光的推薦書將給你答案：http://book.5xue.com/16。

第3章 大學時光不容虛度
如何更有效地學習

　　能成功進入大學的每一位同學其實都很聰明，但在大學學習期間，有的同學卻無法取得好的成績，或是學不到真正有用的知識。我認為，有以下幾方面的原因：

　　首先，有些同學不夠重視大學的學習，忽視學習對今後自身成長和成功的重要性（「大學學習有用嗎？」），或是錯誤地認為，學習成績並不重要（「花時間認真聽講、提高學習成績有必要嗎？」）。其實，大學是人生的關鍵階段，因為進入大學意味著可以放下大學聯考的重擔，開始追逐自己的理想和興趣。大

大學是人生的關鍵階段，與其說上大學是為了學一門專業，不如說是為了「學會如何學習」。

學生可以不再單純地學習或背誦書本上的理論知識，而是有機會在學習理論的同時親身實踐；大學生可以不再由父母安排生活和學習中的一切，而是有足夠的自由處理生活和學習中遇到的各類問題，支配所有屬於自己的

我在大二那年做了一個重大決定，由法律系轉入電腦系。

時間。大學是大多數人一生中最後一次接受系統性教育的地方，也是最後一個打好知識基礎的機會。在這個階段，所有大學生都應當認真把握每一個「第一次」，讓它們成為未來人生道路的基石（「大學新生的困惑」）；在這個階段裡，所有大學生也要珍惜每一個「最後一次」，不要讓自己在不遠的將來追悔莫及（「大四才醒悟太遲了嗎？」）。

其次，在大學裡，學習方法最為關鍵。有的同學進入大學後不知道從哪裡學起（「大學該學什麼？」），或是不懂得讀書的方法（「書讀不進去怎麼辦？」），還有的同學把中學的學習方法帶到了大學（「應試教育在大學中延續」），或是不清楚自學、自修的方法（「如何利用網路幫助學習？」）等等。

我建議大家在大學中養成勤於思考、自發學習的好習慣。在中學階段，老師會一次又一次複習每一課的關鍵內容。但進入大學後，老師只會充當引路人的角色，學生必須自主地學習、探索和實踐。

走入職場後，自學能力就顯得更為重要了。大學生不應該

希望青年學生快樂學習、自主學習。

只會跟在老師的身後亦步亦趨，而應當主動走在老師的前面。例如，大學老師在一堂課裡通常要涵蓋課本中幾十頁的資訊內容，僅透過課堂聽講是無法學通、學透所有知識的。最好的學習方法是在老師講課之前就把課本中的相關問題琢磨清楚，然後在課堂上對照老師的講解彌補自己在理解和認識上的不足。

此外，在大學時期打好堅實的基礎，對同學們今後走入職場極為重要。如果說大學是一個學習和進步的平台，那麼，這個平台的地基就是大學裡的基礎課程。在大學期間，同學們一定要學好基礎知識（「如何學好英語？」、「如何學習電腦？」）。在科技發展日新月異的今天，應用領域裡很多看似高深的技術在幾年後就會被新的技術或工具取代，只有學通基礎知識才能受用終身。另一方面，如果沒有打下好的基礎，也很難真正理解高深

的應用技術。

最後，同學們在大學期間要學會管理和利用自己的時間，並積極克服各種不良習慣。例如，有些學生因為不善於管理時間而在學習上處處被動（「學不來那麼多知識怎麼辦？」），有的同學因為貪玩造成成績不佳，還有的同學無法靜下心學習……。

學會管理時間，與自己的惰性或是習慣對抗，這是每一個追求上進的同學在大學期間的必修課。要脫離那些影響學習的壞習慣，就得珍惜自己寶貴的求學時間，找到自己感興趣的方向，不斷從事有意義並能帶來滿足感的事情。也就是說，同學們首先應當理解「快樂學習」和「自主學習」的道理。

孔子說：「知之者不如好之者，好之者不如樂之者。」如果你對某個領域充滿熱情，就有可能在該領域發揮自己的潛力，甚至為它廢寢忘食。這時候，你已經不是為了成功而學習，而是為了「享受」而學習了。尋找興趣的最好方法是開拓自己的視野，接觸眾多的領域。唯有接觸，你才能嘗試，唯有嘗試，你才能找到自己的最愛。而大學正是這樣一個可以讓你接觸並嘗試眾多領域的場所。

從進入大學的第一天開始，就必須學習化被動為主動，你必須成為自己的主人，必須積極管理自己的學業和時間，因為沒有人比你更在乎你的工作與生活。「讓大學生活對自己有價值」是你的責任。許多同學到了大四才開始做人生和職業規劃，而一個主動的學生應該從進入大學時就開始規劃自己的未來。

大學時光無比珍貴，只有好好珍惜它的人，才會在未來的成功之路上信心百倍！

大學學習的重要性

大學新生的困惑[1]

Q 我是一所知名大學新生，但對自己在大學中要學些什麼、怎麼學還不清楚，請問開復老師對我有什麼建議？

A 進入了21世紀後，世界已是平坦的，你將與全世界青年競爭，但是兩岸的大學院校和世界級知名學府的綜合實力相差較遠，所以你們一定要多努力，以自習輔助學習，多利用校園內的開放性資源，絕不能因為進了名校就自滿。

一般大專院校裡有不少可以幫助學生的開放性資源。一個上進、有自我控制能力、願意自修的學生可以擁有不少督促自己成長的管道，例如：

1. 在理工科系裡，有些年輕教師有較新的學識，而且實際操作能力較強。
2. 在名校裡，你的周圍都是能力強的同學，要利用機會彼此切磋學業和心得。
3. 大學裡的網路條件都還不錯，多利用網路去尋找你需要的資訊。
4. 很多大專院校使用原文書本，也有些學校開始以英語教學，還有些學校請國外老師教學，這些都是很好的現象。
5. 大學社團提供很多人際關係互動的機會，可多加利用。
6. 很多大專院校都有外籍學生或老師，可以多找機會和他們交談。

此外，請參考我寫的「給青年學生的第四封信」（收錄在《做21世紀的人才》第7章），其中有更多非常具體的想法。

花時間認真聽講、提高學習成績有必要嗎？[2]

Q 我現在的成績不是特別理想，要想提高就必須投入大量時間精力，但我還不清楚在大學裡有沒有必要投入很大精力來提高學習成績，特別是上課時跟著老師的講解認真聽講。我現在都是自己在課後找書看，學一些自己感興趣的學科，不怎麼聽老師講課，相信自己的學習能力還不差。我的成績不是差到極點，在班上是中等程度。您那麼強調大學學習的重要性，您怎麼解釋那些在校園裡課業不佳、但踏入社會卻是成功的人呢？這是不是意味著我也不是非要花那麼大力氣拿好成績不可呢？

A 這個世界上絕大多數事情都不是非黑即白的。成績是預測未來成功一個很不錯的參考變數，但不是唯一的變數。不過，對沒有工作經驗的人來說，文憑和成績是最重要的變數。我認為認真聽講學習，提高成績非常有必要，主要原因有四點：

第一，成績對於將來立志申請出國留學、保送研究所或考研究所、找工作的同學來說，還是很重要的。許多企業是透過看文憑和在校成績才能決定哪些學生可以參加筆試、面試。對於專業學習來說，大學四年是一個打下堅實基礎的階段。如果你找到的工作與你大學所學專業完全配合，那麼大學學習對工作非常有幫助；如果你決定讀研究所，那麼你的成績在很大程度上決定了你將被怎樣的學校（無論國內、國外）錄取。那些好的學習、工作機會，在一定程度上都要以你大學時的成績做為敲門磚。

其次，大學裡的課程一般不可能涵蓋到一個領域的所有方面。所以，要在有限的時間裡學到最根本、最重要的知識，老師的作用至關重要。如果你遇到一位教學還不錯的老師，那麼以老師上課教授的知識為重點，你會對某個領域有更全面和基本的把握，比自己漫無目的地看書有效率得多。

第三，考試前短時間內囫圇吞來的知識，肯定掌握得既不深刻，也不長久。我回憶當年在大學裡學習的課程，凡是我認真跟著老師學習的，直至現在，印象都比較深刻；而凡是那些平時蹺課或上課睡覺、臨考前囫圇吞的課程，儘管當時成績還可以，但是考完後大多忘光了。

第四，讀大學最重要的是學習「如何學習」，這才是你終身受用不盡的知識。就算你認為你的課業學習用處不大，或考試考不出真本領，你還是應該為了「學習如何學習」而盡可能把課業的學習做到最好。

不要因為你看到少數成績不好的成功者或創業者，就下了「文憑、成績不重要」的結論。其實，成績和成就是有關聯的，在校功課較好的學生，畢業後一般會找到好的工作，雖然不是百分之百的準確。而那些沒有文憑和好成績的人，將會比較容易失去機會，如果想取得相同的成就，需要更多的努力和機遇才能彌補。你所看到的沒有文憑、好成績的成功者從機率上講絕對是極少數。如果不相信，可以去做個統計，看看排名在「財星500大」的執行長有多少是名校的好學生，再算算多少個名校的好學生中就能產生一位「成功人士」。

大學學習有用嗎？

Q 大學體制內的學習有用嗎？為什麼社會上很多成功的商界人士（包括最富有的蓋茲）並不是大學畢業的呢？如果我想在商界有所作為，是不是該選擇退學創業？我該怎樣學以致用？

A 在大學裡，還是可以學到很多的知識。當然，實際上不是所有學習的知識都是有用的。但是，讀大學最重要的是學習「如何學習」，這才是你終身受用不盡的知識。而這個「如何學習」的能力，只有經過學習才能得到。

大學四年的學習，可能是你一生中最後一次可以全心投入學習的機會。畢業後為了事業、家庭而忙碌，很難再專心學習了。在「我學網」上，無數的大學生在即將畢業時，對於自己沒有把握好大學四年的光陰而後悔莫及。所以，在這段時間，你一定要好好把握。

另外，在大學裡你可以學到許多與人相處的方法，在低風險的情況下練習與人溝通、交流，交到許多真心誠意、不求利益的朋友。所以我認為無論在什麼國家、什麼條件下，你一定要讀完大學。請參見我的「給青年學生的第一封信」。

現今社會很看重大學文憑，所以不讀完大學以後將付出很高的代價。雖然蓋茲沒讀完大學，但是他非常反對大學生退學，甚至希望有一天能回去讀完大學。除了蓋茲等幾個特例，據我所知，世界上最富有的百人中絕大多數是讀完大學的。如果最富有的百人裡有九十個是大學畢業生，而世界上的人口中有10%是大學畢業生，這就表示「讀完大學而成為最富有的人」的機率大概是「不讀完大學而成為最富有的人」的八十一倍。

怎麼擺脫剛上大學的空虛感？

Q 我進大學有一個多月了，雖然認識了很多人，但總有一種空虛感，也不知道是什麼原因！我參加了一些社團和組織，有很多事情需要處理，但覺得事情愈多愈感到無所事事！請問有人可以幫助我嗎？

A 對人而言，相對於「空虛感」的是「滿足感」、「充實感」。上大學是一個巨大的轉變，原來很有規律的生活模式忽然消失了，老師的規定、固定的上課時間、大學聯考的目標在進入大學後都不見了，反而有更多的自主性和時間任由自己安排。對習慣活在框框中的人而言，一旦拿走框框，反而不知如何應對，或者原來前面有紅蘿蔔引導向前，等紅蘿蔔吃到口，馬前進的動力也喪失了，更有甚者，上了大學後對自己原有的夢想感到失望的學生比比皆是，那就更感到空虛迷惘了。所以這是絕大多數大學生都要面臨的挑戰。

大學如我在《做最好的自己》一書中所說的，是人一生中的黃金學習階段，彌足珍貴。學習的核心是「獨立」，因為畢業後就要面對就業，形同徹底從一個不事生產的、享權利的青少年，轉變為一個要開始盡義務的年輕人。獨立包括經濟上能慢慢走向自給自足，至少零用錢不向家人伸手。所以現在就要開始考察市場，了解自己的就業潛力。獨立更是身體上的管理，很多學子出門在外，應該學習如何照顧自己的生活作息，打好身體底子，這點年輕人常常忽視，總覺得老本足夠，任我揮霍。美國人愛好運動和戶外活動，這種習慣值得我們學習。

最後，談到心理的獨立、情感的獨立，這包括能夠自己思

考判斷，了解自己真正的需要，進而在未來面對專業學習、職業生涯的多重選擇時，利用這重要的四年所做的嘗試、體驗，協助自己做出較適合的決定。此外，青少年在追尋自我時必然對生命意義有所深思，所以空虛不一定要擺脫，但要從中學習。

怎樣才能善加利用大學的最後一年？[3]

Q 我覺得我們這一代的年輕人好像愈來愈浮躁，整天都在寢室裡瘋狂地玩網路遊戲，要不然就是天天和情人泡在一起，真正立志於有作為的人真是寥寥無幾。您說電腦科系的學生四年應該寫十萬行代碼，但是我們學校電腦科系的學生裡，幾乎八成五的學生寫的代碼不會超過一千行！在這樣的情況下我該怎麼辦？我看了您所有的文章，但卻沒有提到大學生在最後一年中應該怎麼做，才能彌補自己的不足。

A 你的表達似乎有些憤世嫉俗，充滿了對時下年輕人的不滿。你不能苟同其他同學的散漫，但是你不必因為他們而失去你「做最好的自己」的機會。我希望同學們不要等到大四最後一年才思考自己該怎麼走，那時已經要準備就業，蓄勢待發，再考慮這些為時已晚，最好一進大學就開始思考這些問題。

「如果我在大一就確定目標，我相信我現在的成就會更大。」這是一位大學畢業生對大一、大二的學弟妹發出的由衷感慨。這位同學說，大學幾年眨眼就過去了，如果不確定一個實實在在的目標，不制定一個學習計畫，那麼到大四時，即使你各門功課都很優秀，你還是會發覺「學問用時方恨少」。

不過你也不要氣餒，畢業是進入社會大學的開始，你還年

輕，把握最後一年，畢業後再以終身學習的態度，隨時把握機會
充實自己。

大四才醒悟太遲了嗎？

Q 我看了您寫的「給青年學生的第四封信」後，讓我深感遺憾
的是：如果我現在是大一、大二的學生，肯定會重新改掉不
好的習慣、重新給自己找好定位，可是現在我已經大四了，似乎為
時已晚，我應該怎麼去彌補。

A 如果你現在不趕緊下定決心去做，你以後更會感慨萬千。
二十一歲還算年輕，不要過早悔恨、放棄，從而錯失了一
生的機會。我的信不只適合大一、大二的學生閱讀。在我的「給
青年學生的第四封信」中，我只是說「大四悔恨已無法挽救大學
四年沒有好好學習」，但是要想一生好好地學習，大四不但來得
及，而且還有大半輩子。現今的科技和知識日新月異，所以學會
自修的能力，讓自己畢業後仍能繼續學習、終身學習，才是明智
之舉。

　　除此之外，大四的關鍵決定就是找工作或者繼續深造。這
方面，千萬不要隨波逐流，或是抱著僥倖、消極的態度。要多花
時間弄清楚你的每個選擇，為自己打下基礎，為自己爭取進入好
公司和好研究所的機會。再給你一個建議：無論是就業還是讀
書，都是你繼續學習的好機會。所以在準備和選擇的時候，一定
要考慮到是否能夠繼續學習、成長。如果這一步你能夠走好，可
以彌補過去幾年流逝的時間。

　　"Better late than never."，遲比不做好多了，我們都要學習接

受自己的過去，因為逝者已矣，徒然悔恨，只是削弱自己前進的力量。如果自己沒能先知先覺，那麼後知後覺也比不知不覺來得好，祝福你！

進入大學後是不是所有時間都應該花在學習上？

Q 閱讀李博士的文章，得知李博士的大學學習生活，大二以後都是很充實的，「溝通、社交、領導、演講能力都是讀完博士後才磨練出來的」，我覺得這些在進入社會後很容易磨練，我也想在大學時期學習李博士，以學好「電腦」為重心，但家人要我做很多事，我是否應該按自己的意願去走自己的路呢？

A 「溝通、社交、領導、演講能力都是讀完博士後才磨練出來的」——這是我自己的經驗，但不是我對大學生的建議，因為當時我的做法是不對的。讀大學時，你的時間最多，可塑性也最大，而且大學的環境是開放、允許犯錯的，你應該多學、多嘗試不同的事物。你的家人是對的，「溝通、社交、領導、演講能力」這些方面都應該在大學裡培養，你不要像我讀大學時，只是個書呆子。

我到底該怎麼辦？

Q 我上大學已經一年多了，依然感到十分迷惘。無論是學習、感情還是生活方面都面臨許多困難。去年大學聯考我考得很差，來到了這個北部的三流學校就讀。最初我也想化悲憤為力量，繼續努力拚搏，四年後去考一個好的研究所。然而大學令我太失望了，一點動力也沒。我是學國際貿易的，我還要面對許多數學課

程。其實我的數學基礎不差，但就是不喜歡，於是我對學習漸漸鬆懈了。我以前想拿獎學金，但後來僅希望不被當掉就行了。於是我去學喜歡的東西，最常去的地方是圖書館，看自己喜歡的書。

但我漸漸發現整天閒著沒有事幹十分痛苦，我甚至已經放棄考研究所。剛上大學時我對周圍的同學不屑一顧，因為他們太貪玩，沒有什麼奮鬥目標，整天就是睡覺、上網、抽菸、喝酒，到考試時被當。我也曾試圖去影響他們，但失敗了。大一讀下來，我沒有被當，但同樣在意料中沒拿到獎學金。令我哭笑不得的是我是全班十二個男生中唯一沒有被當的。

我一直處在矛盾中。到底是考研究所還是畢業後馬上找工作？我來自貧困家庭，不想再給家裡增添負擔。我多次想過並嘗試在這個地方找份兼職以減輕家庭負擔，但在這找工作實在困難。我也曾試過投稿，但我發現自己的寫作能力有限。獎學金是我可以減輕經濟困難的一種方式，只要我付出一定的努力就有十足的把握去拿到獎學金。但我始終認為有些東西對我是沒有多少用處的，所以我根本沒有動力去學習某些科目。我真的很矛盾。

感情上我一直碰壁，曾經追過三個女生，但都失敗。我認為找到一種感情的寄託後，或許能從愛情中得到某種動力。我一直在受傷，但我沒有停止追求愛情，我相信真愛能給我帶來很多。

這一年多來，我一直處在極端壓抑的矛盾之中，在理想與現實之間苦苦掙扎。我認為自己很優秀，我擁有智慧、人脈、遠大理想、有一顆熱情而真誠的心，讀過的書、我的經歷比其他同學要多。我擅長演講與辯論，原本是個很有自信的人，但現在感覺愈來愈沒自信了。我有長遠目標，但眼前的矛盾讓我不知所措。現在的

我缺乏一種動力、一個明確的方向。我不想再沉淪下去了。

A 網路上有好幾位像你這樣的年輕人，因現實和理想的落差而無法調整自己的心態，失意後沉淪且一落千丈，令人惋惜。優秀、智慧、擁有人脈、有遠大理想、熱情自信的你，上大學一年多後竟然「閒著沒事幹十分痛苦」，這是誰的責任？沒有動力去學習，卻期待從愛情中得到動力，這恐怕是緣木求魚。

你提出很多有意義的事情：準備考研究所、減輕父母負擔、找兼職工作、拿獎學金、找女朋友。但你準備考研究所還太早，父母的負擔短時間不能改變（我相信你父母寧願多負擔一些，只要看到你上進，而不是減少負擔卻看到你的成績下降），你找不到兼職工作，也找不到女朋友（而且愛情不能解決你現在的問題），那為什麼還要浪費時間在這些自認做不到的事上呢？從你的描述，我看到你唯一有把握，能夠改變的就是得到獎學金。那麼為什麼不把自己有限的時間專注在這件唯一你確信能改變的事情上呢？

你入學時的精神值得欽佩。你告訴自己不能頹廢，要發奮圖強。然後，你發現課堂能學到的知識有限，就把時間花在圖書館。雖然周圍都是頹廢的同學，你依然盡力去爭取獎學金。後來，你明顯被你所在的環境影響了。你把「得獎學金」的目標降低成為「不被當就可以」，然後，你希望愛情能夠填補你的空虛。你的責任心、孝心、上進心都在隨時呼喚你，告訴你不能就這麼頹廢下去。就是這樣，你才進入「我學網」，寫了這封信。

你必須想辦法恢復入學時的心態。你的時間還很多，你還有兩年半。依然可以得到好的成績。想想就這麼虛度四年是否值

得？想想為什麼被周邊的同學影響？你不認可他們，不希望成為他們，但是你正在往他們失敗的路上走。

你提到愈來愈沒自信了。得到自信最好的方法，就是訂定一個有意義的目標，並且讓自己執行。我建議你以功課、成績、獎學金訂定一個目標。

除此之外，建議你看看我的「給青年學生的第四封信」，裡面談到很多如何在一個不是最好的學校學習的建議。你可以養成自習的習慣，找一些值得學習的老師、助教、學長、同學，多運用網際網路。除了學習，你還應該找到自己的興趣，尋找實踐的機會（就算無法找到兼職工作，做一些專案或志工都是值得的）、參加社團、練習溝通能力。

在「我學網」，有很多普通大學的學生上進成功的例子，其中一位得到了微軟的MVP稱號，另一位即將得到國外大學的獎學金。我相信，只要你走好這一步，無論未來就業、出國、讀研究所都會有很好的成就。

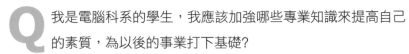

學習方法

大學該學什麼？

Q 我是電腦科系的學生，我應該加強哪些專業知識來提高自己的素質，為以後的事業打下基礎？

A 一位知名教育心理學家嘉納（Howard Gardner）提出多元智慧理論，將智力的類型分為七部分：語言、邏輯（數

學）、空間、音樂、身體（運動學）、人際、個人內在的智力，可見綜合素質是多麼廣泛。除了你說的「知識」外，還有多種途徑，比如體能鍛鍊（包括心肺功能、柔軟度、肌耐力）、音樂欣賞（對節奏、旋律、曲風的了解），或對自己內在狀態的敏感性培養，像寫日記、默想，都是讓我們身心發展更均衡、和諧的條件，自然也算提高自己的素質，為以後的事業打下基礎。

關於具體該學習什麼知識，請參考我的「給青年學生的第四封信」，以下摘錄一段供你參考：

「你需要學習數學（特別是與電腦相關的數學知識）、英語（包括讀、寫、對話）。除了數學、英語這些基礎課程外，要多參加一些團隊合作的課程專案，學會如何與人合作；同時，也要多參與一些實際動手操作的項目，提高自己的動手能力。另外，如果想念研究所，先不要太關注那些大的電腦公司，首先要廣泛涉獵電腦科學的各個領域，尋找你在這些領域的真正興趣和將來可能從事研究的方向。不要為了進大公司而量體裁衣，要儘量廣泛地發掘和追求自己的興趣。只要在自己的興趣上做出了成績，大公司自然會在你後面追你。」

成績不好該如何改進？

Q 我就讀於一所知名大學，對於大學該怎麼過的書讀了不少，您的文章我幾乎全讀了，可是實際操作起來並不是那麼容易。我的成績不夠好，從沒有拿過獎學金。我並不是非要拿獎學金不可，但那至少是我認真學習的憑證。我想學習，我想用功學習，可是上課時還是無法專心，學不到什麼，都靠課餘自己看書應付各

種考試，我真的想改變，可是我沒能做到。

另外，我好像喜歡班上一個女生，我不知道那叫不叫喜歡，我也不知道這種感覺會不會長久，但我會很尊重我的感情，我會慢慢了解她，然後信守自己的選擇。我雖然還不知道什麼是愛，但我知道該應尊重自己的感情。

我的成績令我頭疼，但我不會因此而不學習。我的感受是：在大學中如果只讀書，那並沒有好好地利用學校資源，在大學生涯中徒留遺憾；相對的，如果過於參加社團活動，那上大學的目的也有失偏頗，浪費了最寶貴的學習資源。

我的大學計畫好像亂了，我給自己訂定的目標是使自己忙碌、充實，做一件事之前，我會問自己值得嗎？然後全心去做！我通常不會使自己感到無事可做！想聽聽大家的高見，以期待自己能改進提升！

A 上課沒有效率的確需要改進，這麼做不但浪費你在課堂上的時光，也會使你的學業基礎打不好，造成惡性循環。

如何改進？需要對症下藥。你在學業方面的困惑需要好好分析，為什麼在課堂上學不到東西？是你對這學科沒興趣？老師講得太枯燥？上課習慣性走神？你可以問問周圍的同學。如果他們認為某個老師教得很好，但你聽不進去，那你就要格外注意。如果是沒興趣，對於必修課，你要說服自己；如果上課不專心，反而要付出更多的時間自修。以後選課時可以多打聽，看看哪些科目你比較感興趣、哪些老師是公認比較好的。另外，課餘可以和同學一起切磋，不要都是一個人讀悶書，這樣效果未必佳。

「使自己忙碌」不是很好的目標。我們不要混淆「忙碌」

和「結果」。如果忙碌只是碌碌無為，那並沒有效果。要挑選自己最有效率的時間，專心讀書。只要把該讀的讀好，可以獎勵自己，休息或出去玩，不必讓自己時時刻刻都忙碌著。有時，專心有效地讀一小時書比坐在書桌前發呆十小時還有用。

建議你定一個SMART目標（參見《做21世紀的人才》第2章），有時限，足夠詳細，能夠衡量，可以達到但不是太容易。你在社交和交女友方面都很健康、正常，這些方面不用擔心。

怎樣提高思考能力？

Q 您說遇到問題時要自己思考找到解決方案，但我現在遇到問題時總是希望別人告訴我該怎麼辦，我不想這樣，希望得到您的教導，告訴我怎樣學會思考的能力。

A 這問題反映國內教育不重視從小鼓勵孩子思考，不論是課業還是生活教育，父母、師長都已經準備好答案。孩子沒有機會去質疑、辯證、不同意，這種「制式化」的教育，和西方強調的「啟發式」教育大相逕庭，後者的主旨在於引導你思考。舉個例子，「啟發式」教育不是給你魚吃，而是教你如何釣魚，甚至問你為什麼要釣魚。學會思考，簡單說，就是不要相信簡單的答案、明顯的答案、固定的答案、正確的答案，試著保持自己思考的角度、觀點，而且能說服別人。中國人說「見仁見智」，笛卡爾說「我思故我在」，都強調這種獨立思考的精神和能力。思考的能力基本上分推演和歸納，前者看你是否能舉一反三，把一種學習推廣適用到其他情境中；歸納能力是把千頭萬緒的資訊整理出條理，找到某種規則。

　　思考能力不是依靠「教導」而來的，而是要靠自己磨練培養。我甚至不知如何回答這樣的問題，因為我的思考能力也是鍛鍊出來的，而不是靠「學習某種方法」得到的。如果針對某一個問題，你可以問我如何思考出答案，但是我從沒有想過思考的具體方法。給你幾個建議：

1. 學習的時候，要多問「為什麼」，不要只求考試過關。
2. 針對某一個問題，問問你的老師、同學是怎麼思考的。
3. 多去實踐，經過多次實踐，碰到新問題，你就可以用以前的思考、實踐方式來解決。
4. 不是任何事情都是非黑即白，或一切問題都是按部就班解決的。通常的情況是：最好的計畫就是嘗試很多事情，每一件事情都有成功的機會，而每當一件事成功或失敗後，再繼續調整你的計畫。
5. 學習數學、理工課程，有助於你用邏輯方法解決問題。我相信有些邏輯遊戲也可以幫助提高邏輯思維能力，例如橋牌、象棋甚至更簡單的遊戲，像"Twenty Questions"就看你能不能用二十個「是否」的問題猜到我想的任何事。

讀不下去怎麼辦？

 我總是對看書感到枯燥，用什麼方法才能使我堅持讀書？如何讓自己長期堅持做一件事情？

 就事論事而言，我建議你：首先，除了上課必須讀的書以外，平時主動讀喜歡的書。讀喜歡讀的書，能使人或是在

知識上得到啟發、增進，或在視野、人生經驗上更加開闊、有所拓展，或在心理、心靈得到共鳴、提升，這就像等待看電視連續劇的結果一樣，會讓你愛不釋手。

其次，讀書一定要把書讀懂，以培養出讀懂書以後的成就感和興趣，那麼就不會覺得讀書是白讀。第三，交替讀不同的書，才不會感到枯燥、麻木。就像不喜歡吃蔬菜的人，明白蔬菜是必需的，但是要和肉一起吃才會覺得均衡、回味無窮。

從根本來說，要解決這個問題必須多方考慮。看不下書，如果是針對你的專業書或教材，也許你缺乏對該科系的興趣，因此你要考慮的是如何處理專業與興趣的問題。「我學網」的論壇上許多網友就此已經有很多的討論，相信你會有收穫。

如果是你有興趣的、但仍然看不進去，那麼，問題就是如何選擇適合自己的讀物。一個最流行的誤區是，花很多時間去跟一本不合適的讀物「搏鬥」，但捨不得花時間為自己選擇讀物。我認為一般大學生花在選擇讀物上的時間應該不少於閱讀的時間。有的書只需瞄一眼目錄就夠了，有的則需要細讀深思，甚至做筆記或卡片進行摘錄。你必須為自己找到品質夠高、語言表述足以吸引你的讀物，而這本身就需花不少時間去精心挑選。只有多接觸資訊才能有更多機會去選擇。接觸資訊的途徑有很多，如朋友、同學的推薦、逛書店和圖書館，以及上網。這些途徑可以帶給你各種出版物的資訊，以及課題的研究動態和現狀。你需要耐心從各種無用的、品質不高的、太難或太淺顯的讀物中找到你需要的部分。找到令你受益的書籍後，自然就會享受到專心閱讀的樂趣。

在看書感到枯燥時，可以讓自己稍作休息。寫日記也好，散散步也好，讓自己回歸自然，做真實的自我。另外，運動有助於提高學習效果。德國哲學家康德一旦開始思索問題就一定要出外散步，不論晴天或雨天，「按時出去散步」已成為他每天的例行工作。

如果要長期堅持做一件事情，必須說服自己、認識到這件事的重要，還要有相當的意志力。有人想每天運動或寫日記又怕做不到，或許可先以低標準要求自己，開始時只要堅持鍛鍊十分鐘，或寫兩行字，這就增加了可行性。

對人而言，人生也需要像文章一樣有停頓的逗點，停歇一下，心裡就跟著起了變化，也就能夠從不同的角度來看事情。相對的，凡事都被「堅持」束縛住，日積月累，「文章」失去逗點，就更無頭緒了。

讀了兩百本書都沒收穫，怎麼辦？[4]

Q 我在過去兩年的大學生活中雖然閱讀了兩百多本書，卻仍覺得收穫不多。我要怎麼做才能讓未來的兩年大學生活更充實？也希望您能列一些書目給我。

A 閱讀是要長期培養的習慣，兩百多本是很可觀的數量，但你是如何選書的？你是照興趣挑，還是隨手挑？多少是專業書？多少是大眾讀物？你期待從書中得到什麼？雖然收穫不多，但應該還是有，你願列舉一些推薦給別人看的書嗎？

當你看了兩百多本書仍覺得收穫不多，是否應該考慮你讀書的方式是不是有問題？這些書你雖然看了，但是你真正看懂了

嗎？它們刺激到你的思想嗎？每一本你都能寫一篇心得嗎？或能用短短幾句話綜合你的收穫？如果沒有，你應該回頭把這兩百本書裡最有意義的幾本再看一遍，寫下自己的心得。看透了這些書，再去看其他的。

讓大學生活充實的辦法很多，不是所有人都適合靜態的閱讀式學習，有些人需要在與人的互動中學習，有些人一旦目標確定就能有效學習。你是否去聽過演講、參加過讀書會或曾經從事服務工作來充實自己的經歷？希望你能更廣泛地嘗試不同的方法來充實大學生活。

關於書目，「我學網」中有一些我建議大家讀的書，大家也可以看看美國矽谷的孫曉光所寫的書評「每月一書」。

如何專心看書而不走神？

Q 我平常看書時經常走神，看著看著就開始做白日夢或發呆，效率很低。可能的原因之一是因為沒有壓力，每當臨近考試時，我就不太會走神。有什麼辦法能讓我在平時看書也不走神？

A 研究結果告訴我們，最有效的讀書方式是專心看三十至五十分鐘，然後休息五至十分鐘。你不妨自己稍作記錄，看看自己最佳專注力能持續多久，然後讀書的時候要記得容許自己找到在其間放鬆的方法。走神是我們大腦自動放鬆、調節的機制。「做白日夢」、「發呆」等只要不過度，是大腦必要的空白時刻，十分寶貴。

另外我建議，如果你根據紀錄發現自己專心讀書的時間連三十分鐘都不到，那你不妨給自己一點壓力。據曾有這個問題的

同學說：在準備考研究所的時候，閱讀英語時，總覺得自己效率不高，後來就強迫自己在考試狀態下去讀，把每次練習都當作考試，甚至把它想像成是考研究所的考場，這樣多次以後，閱讀的速度和正確率都有很大提高。

最後，一天二十四小時讀書的效率是不一樣的。對大部分人來說，白天讀書會更專心（但是有些人是「夜貓子」）。還有你一天的精力也會改變，可能睡足午覺或運動完後精神更好，而剛吃完飯時精神較差。所以建議你用精力最集中的一小時讀那些最需要專注的書。

無法專心學習怎麼辦？[5]

Q 我很苦惱，因為我在學習的時候總是注意力不集中，請問要怎樣才能克服這個毛病？

A 培養較佳的注意力有很多不同的方法，你可以試試：首先，排除環境中的干擾因數，如噪音、令人分心的電視、聊天聲音等，或是雜亂無章的空間、污濁不流通的空氣等。

第二，養成好習慣，在整齊清潔的書桌前，有良好的燈光，注意自己的姿勢，甚至學習有些人將課表或學習計畫放在明顯處，以提醒自己。

第三，美國知名教育博士丹尼森（Dr. Paul Dennison）提出要想擁有有效開放的學習，需要具備四種狀態：主動（active）、正向（positive）、清晰（clarity）以及有能量（energetic）。他還建議多喝好水（不是加糖飲料而是純淨的水），以及簡易的大腦體操可以為有效學習做準備。

　　第四，建立逐步增加專注時間的訓練，找到自己專注的幅度，先從二十分鐘開始；還需要找到專注後有效放鬆的方式，比如做深呼吸、做幾個仰臥起坐，喝些水；然後再慢慢拉長間隔。

　　第五，找到輔助學習的方法，有時默念、朗讀、手寫等方式有助於集中精力。最後，客觀評估自己的精神狀態，如果經常熬夜導致精神不濟，或忙著打工，學習必然會受影響。這就需要調整作息，做根本的改變。

複習是記憶之母嗎？[6]

Q 有人說「複習是記憶之母」，所以多背書是好的學習方法，這說法對嗎？

A 首先，複習不等同於背書，複習包括不斷練習。英文諺語「熟能生巧」（practice makes perfect），就是指反覆操作是學習上一個重要的步驟，無論數學、物理和化學實驗，或語文科目的一些基礎技能確實需要一再練習。

　　其次，複習也許可以幫助你在幾天內加深記憶，正確地背出答案，但只背書不理解又有什麼用？況且，一時強制性的記憶最終也會遺忘，只有理解和實踐才能真的幫助你長久記住。

　　如果我們三十歲時的知識是十歲時的一百倍，難道我們三十歲時要花一百倍的時間去複習記憶嗎？

　　美國華盛頓兒童博物館的牆上有一幅格言寫道：「我聽到的會忘掉，我看到的能記住，我做過的才真正明白。」有位同學曾經問過我：「怎麼學習才能真的記住？我每年學完考完，知識好像就還給老師了。您從小學到大學，再到現在，所學過的數學

知識都還記得嗎？」我的回答是：「我學懂的、知道如何實踐的都記得；常用的全部記得；有興趣的記得更清楚，就算有不記得的也可以推算出來；死背的、沒興趣的全忘了。」不只是數學，每一個學科都應該是這樣。

我的經驗告訴我：死背只能考試過關，不能真的獲取一生要用的知識。學習時，不要只是生搬硬套地背誦，要去理解「為什麼」，要保證自己如果有一天忘記公式，也能夠再重新推理出來。學習新的知識時，多看看、想想它和其他知識有什麼關係，如何應用在實際問題上。

應付考試的教育在大學中仍延續

Q 自從我進入大學以來，深深體會到大學所學徹底無用。應付考試的教育在大學仍在延續。我所學的很多專業課程內容很落伍，考試靠臨時抱佛腳，電腦、英語等檢定考試完全是為了找工作增添籌碼。我現在有點後悔上大學，浪費那麼多學費。父母賺錢不易，讓我覺得既心疼又愧疚。

A 你對大學生活的負面評價可能會預言你接下來的苦澀和迷惘，這也將會影響你在大學中對學習和生活等各方面的適應。大學只是進入專業學習大門的第一步，在大學生涯中，其他興趣、人際交流、生活管理的學習同樣重要。你是否能問問自己：「什麼樣的大學生活是較愉快、有趣、有目標的？」「我可以做什麼，讓目前的投資（時間、金錢）少一點浪費？」轉換一下角度和心情，有時候我們會驚訝地發現，看事情的角度很不同了。你對學校的評價可能沒錯，但是不要後悔進大學，因為這是

社會認可你的一個必要環節，是進入社會工作的「敲門磚」，是「不可改變」的事情。好好讀完大學，雖然學費貴了點，但是我相信你的父母是心甘情願的。你可以把你的學費轉換成為努力（好好把書讀完）和孝心（常常和他們聯絡，心中多惦記著他們）。

除了接受那些「不可改變」，令人不滿又無可奈何的事，你也應該試著去改變那些「可能改變」的事，例如提升自己的價值。提升自己的價值，最基本的就是學習自修的能力。自修能力必須在大學期間開始培養。許多同學總是抱怨老師教得不好，自己懂的不多，學校的課程安排也不合理。我通常會勸這些學生：「與其詛咒黑暗，不如點亮蠟燭。」大學生不應該只在老師的身後亦步亦趨，應當主動走在老師的前面。例如，老師在一堂課裡通常涵蓋課本中幾十頁的資訊內容，僅透過課堂聽講是無法把所有知識學通、學透的。最好的學習方法是在老師講課之前就把相關內容琢磨清楚，然後在課堂上對照老師的講解彌補自己在理解和認識上的不足。

從另一方面來說，大學裡有很多可供利用的資源，你是否完全知道並善加利用？比如，你是否主動利用學校的教師資源？有位教授曾經告訴我：「我隨時都在辦公室，我的門一直為學生開著，但是學生為什麼都不來找我？」 除了教授外，學校裡還可以透過助教、同學、圖書館、上網等方式獲取知識。

即使現在你覺得沒有興趣的學科，以後可能是有用的，只是現在你還沒有學會如何去應用。記得當初我也認為高深的數學是沒用的，直到我開始做語音識別和信號處理，才後悔大學沒學

好數學。有些知識就算你知道用處不大，但也是你學習「學習方法」的機會。

說實在的，我很懷念在學校的日子，那段自由的生活也許一生只有一次。就算遇到不好的老師，也不要因此沮喪。大學畢業後的學習全靠自己，所以自習也是一個磨練自己的機會。

我的悟性很差，如何與人競爭？

Q 我很苦惱，因為有人說：「你唯一的競爭優勢，就是比對手更快的學習能力。」然而我的悟性很差，如何與人競爭？

A 首先，當我們看到「唯一」、「絕對」、「必須」這樣的字眼時，要反問自己「就沒有其他的可能性嗎？」其實任何人都可以舉出其他與人競爭的優勢，比如：「從容不迫的學習態度」、「誠懇的反省能力」、「自我修正，改進的能力」等等，所以不要迷信「唯一」。

悟性或理解力可以培養，重要的是鍥而不捨地提問、思考，以及不同角度地嘗試。不要被動接受和背誦知識，多問為什麼，熟能生巧，多練習也是一個途徑。

人生是一場馬拉松賽跑，而不是百米競賽。長跑的關鍵在於：正確的方向與耐力。要贏得長跑，速度不一定要很快，很多人跑得很快，但卻選錯方向，或者中途退出。

「快飛」並不是正確的目標。有些鳥飛得快，有些鳥飛得慢，如果慢鳥一味拚命去追快鳥，只會給自己帶來失望和疲憊。如果方向不對，飛得愈快反而離目標愈遠，也許飛慢一點反而容易調整方向。

　　目標定得愈近愈不容易迷失。制定一個實際、可達到的目標，或許更容易實現。做最好的自己，只要日復一日地飛，今日比昨日更靠近目標，就應該為自己感到自豪。

不開口討論課業好嗎？

Q 我上課從來不提問，老師們在課餘都有為同學們安排解答疑惑的時間，我沒去過，有的同學卻去得很勤。同學向老師提出的問題中有一些我已理解了，但還有很大部分我並沒有想到。很少提問是我入學至今存在很久的問題，有時在學習中我確實發現了一些問題，但我常靠自己解決，對於最後是否理解透澈，我的感覺也是模糊的，也許當時覺得弄清楚了，可是其中一部分當我在新的習題或考試中遇到時解決起來還是覺得吃力。雖然學習方法因人而異，但不提問這個毛病給我帶來的問題挺多的，我現在的成績還不錯，但我覺得還有提升的潛力，請問我是否需要改掉「不開口」的毛病？

A 我建議你一定要多開口、多討論，不但應該多去找老師提問，上課也要多發言，和老師討論，也要和同學討論。如果你只是在課堂上聽課，然後考試考高分，你就會走進「背誦而不理解」的危險地步。如果你給自己「必須要討論」的要求，就會花更多的時間去想你學到的知識，有什麼不理解的地方？有什麼方面是值得討論的？學了以後如何應用？為什麼是這樣？這個知識和那個知識的關係是什麼？這些思考都會幫助你更深入理解你所學的知識。

　　多討論、多發言、多提問，會發現你對學習到的知識理解

更深入了。例如我在公司的新策略或新產品想法，在學校時的新研究方法或我的論文題目，都是在討論之下發掘、完成的。自己拍腦袋想出來的主意很少是最好的，中國人說「謀之於眾」就是這個意思。別人很可能有不同的思維方法，或有不同的背景，能夠從不同的角度來看問題。一番討論之後，大家都有進步。所以如果你能夠把多討論、多發言變成一種習慣，對你以後的事業會很有幫助。

學科學習

如何學好英語？[7]

Q 我知道英語學習很重要，但我現在的英語水平並不好，我如何才能把英語學好？

A 21世紀最重要的溝通工具就是英語。有些同學進入大學後，發現大學的英語教育不如中學那麼突出，就不再加強學習了，或只為了考試而學習，或把英語當作一種謀職技能，甚至還有人認為英語用多了等於崇洋、不愛國。其實，學習英語的目的應該是為了掌握獲取知識和進行溝通的工具。在未來幾十年，世界上傳播最廣泛的新聞、最先進的思想、最高深的技術，以及各國知識分子的溝通語言，大多將使用英語。如果你不想做一個與國際思想脫節的人，學英語是非常必要的。例如在軟體業，不但設計語言是以英語表達，更重要的是一些課本、文獻、參考書、用戶手冊等都是使用英語。

此外，學英語絕不是崇洋。我們正走向世界，我們需要學習西方的先進思想和科學技術，學好英語才能擴大交流。

很多華人留學生在英語考試中的成績不錯，可是到美國上課卻幾乎聽不懂，和外國同學交流就更困難了。如何學好英語？既然英語是重要工具，學習方法就要儘量與工具的使用相結合，不能只「學」不「用」，更不能只用背誦的方式學習。

盡可能看原文書，如果英語不夠好，那就從漢英對照書看起，適當地看一些你感興趣的專業領域論文，可以同時提高英語能力和增加相關領域的知識。不要把學英語當作苦差事，可以用有趣的方式學習，例如學英文歌，這是時下青少年流行的事，或看一些名人對話或小說、劇本，甚至漫畫，以自發的方式記住很多習慣用法和有意思的表達方法。

同時，為了提高英語的聽說能力，最好的方法就是與外國人對話，現在有很多在國內學習和工作的外國人，他們有些為了學中文，也會積極主動地找國內學生練習對話，這是很好的機會。不要害羞，要敢開口。

初學者還可以找英文原版的教學節目和影片學習，有一定基礎的同學應該多看看英語新聞或電影。一部電影在有英語字幕的情況下看一遍，觀看過程中查生字、學習他們的說法和句型，然後隱藏字幕再看幾次，訓練聽力。聽英文廣播也是練習英文聽力的好方法，不要只是將它當作「背景音樂」，而要堅持每天花半小時到一小時去理解所講的內容，如果有必要，還可以錄下來反覆聽。另外，在網路上有許多網站用較生動的互動方法教授英語，包括以遊戲方式進行自我測試、進行雙語閱讀等方法來提升

大家的英語水平。

最後，請參考下面幾個問題中有關口語、背單字、造句、讀英文書方面的建議。

怎樣提高英語口語的水平？[8]

Q 我總覺得自己的英語口語與英語好的人差距很大，我要怎樣做才能提高自己的英語口語水平？

A 我綜合自己的心得和一些網友的建議，給你幾個建議：

第一，掌握正確發音的要訣。單字的發音是根本，有些人單字發音錯誤或不準，導致所說的英語很難被聽懂。英語口語的第一步是找高手校正所有的音標發音，使你做到只要一查字典，就能夠準確讀出一個單字。另一個方法就是學會比較和辨別別人的發音和自己的發音。我常見到一些人明明聽到美國人讀同一個單字和自己讀得不一樣，但就是堅持自己的方法，一路錯到底。語言能力強的人通常聽覺敏銳，容易聽出極細微的差別。比如英語有些長母音對華人是極具挑戰性的。如mat的長母音在華語語音上不存在，多數國人也發不清楚，很容易和met的短母音混淆。

電影「窈窕淑女」中，就表現了語言學專家如何巧妙地把英國下層社會誇張粗俗的口音透過指導修正做到脫胎換骨，同學們可從中學習一些要領。不懂細心觀察比較，是學不好英語的。

提高發音準確性最好的方法是有個外國老師。若不可能，可以錄下英文對話（像TOEFL中考的單句），再一句句錄下自己講的，然後比較、糾正。

　　你可以常看有興趣的英語電視節目，看時最好參考英語字幕，模仿劇中人練習說英語的語調和節奏；錄下自己的發音，與教學錄音帶相比；仔細聆聽老師或英美人士的發音，大聲重複練習，並加以糾正；請教老師發音的方式，在家面對鏡子練習。

　　第二，建立使用正確語法的習慣、避免英語中說。英語語法基礎也很重要。美國的文盲可以不會寫英語，但是英語卻說得很流利，華人學生很難做到這點。所以掌握詞語的搭配、句型、時態很重要，比如不能does、did不分，he、she不分。如果這些基本的語言架構都不能掌握，想說好英語是很困難的。

　　想說好英語就要學會用英語思考。我看到不少青年學生先想中文，然後套用英語，這樣的英語聽起來會很不自然。我的原則是：要求自己不要「英語中說」。一開始，這會局限我的表達能力，但這會自然而然地形成一種壓力，促使我去驗證某種說法究竟是否道地，這也促使我去留意周圍的美國人是如何表達一些想法，然後加以模仿。另外，要擴大閱讀量，閱讀時要記住可以轉化為自己英語口語表達的講法或句型。學語言就是種模仿。

　　第三，降低速度。一些華人留學生說英語時故意說得很快，以為這就是流利，忽略了聽者是否聽得清楚。快有時是自己內心焦慮的掩飾，快速帶過，交差了事。我也聽過學者做學術報告時，英文似機關槍，聽者如鴨子聽雷，完全達不到溝通效果。美國人有很多連音，但這些不是在短時間內就能夠學會或掌握的。連音不是快讀，讀得很快卻把一些該發的音都吞掉，會影響聽眾的理解效果。一開始要說得慢一些，一字一句都要儘量說清楚，把一些基本的發音說清楚，在這個基礎上再訓練連音。

第四，表達多樣化。有些人只會用一種句型表達，比如所有句子都是"I am……"、"I have……"的句型。我也發現很多青年學生或員工在想表達：「今天天氣很熱，是吧？」只會說，"It's very warm, right?"卻不會說，"It's very warm. Isn't it?"其實反義疑問句在中學就學過了，但是會用的學生卻不多。所以，在英語口語到達一定水平以後，就要鑽研如何避免單調的表達方法，以及如何使用更加貼切及多變的表達方法。

留意自己說話時所用的單字、文法和發音；試用新學的單字，不要只用固定熟悉的字詞；自我改正錯誤，再說一遍；運用同義字、相關字或造字，及用手勢表情來幫助表達意思；多自我鼓勵。

第五，多練習。學習英語最好的方式就是多與他人練習。如果在說的時候犯錯，那麼你應該分辨該錯誤是一時口誤還是累犯的錯誤，前者無妨，後者則顯示自己尚未完全學好該部分，仍需努力。了解自己犯錯的原因，注意所犯錯誤的嚴重性。全心接受老師或英美人士對自己錯誤的糾正，稍後再分析原因；注意英美人士對自己所犯錯誤的接受度，是否能理解自己的意思。對話中專心聆聽別人說話，以準備回答；猜想別人下一句會說的話。

如果很少有機會練習，那麼應該在上課時抓住每個機會練習，若老師沒叫你，你也可以在心中默默練習如何回答，然後注意聽別人如何說及老師的回應。下課後，主動找老師練習，或參加英語會話社團與同學一起練習。如果實在沒有機會，不妨自己私下錄音，再自己聆聽、打分。

如果不敢開口說英語，那麼在說以前可以先做準備，自己

練習，然後在腦中靜靜反覆練習。不要期望自己一開始就不出錯，犯錯是學習中不可避免的，但一定要避免惡性循環：愈怕說錯就愈不敢開口，不敢開口就是放棄練習機會，反而更容易犯錯。可以先練習單音，再練習句子，並將發音困難的字記下來，反覆練習。

評估自己的表現，想想下次可如何改進，哪些方法有用，哪些沒有用；尋求對方或老師的回饋、幫助和勘誤；找出問題所在，例如是單字量不夠或句型不熟，還是太緊張；找出以後可以運用的方法，或者寫下學習日記。

第六，形成回饋系統。語言學習是一種輸入、輸出的回饋系統。輸入包括練習語法句型、閱讀英文文章、聆聽別人說話、看原文電影、聽英語廣播等等。輸出是自己練習說、寫。一個好的回饋系統會對輸入進行整理、辨別，和自己的進行比較並模仿。很多青年學生或員工沒有建立起這個有效的回饋系統，做了很多練習題，英文文章看了不少，英語廣播也聽了不少，但是在說和用時還是我行我素。

最後，我要提醒同學們的是：學習英語臉皮要厚，不怕開口，不怕犯錯或被人笑。學語文是細水長流的事，持之以恆尤其重要。

如何有效閱讀英文書？

 我想透過閱讀英文書來學習英語，但又怕效果不佳，我該如何做才能有效閱讀英文書呢？

A 以下是一位網友在「我學網」寫的關於英文著作的閱讀技巧與策略，很適合大學生了解：

首先，練習讀原文書。要想真正提高外語水平，閱讀原版小說是必經之路。正如不是每個人都能成為外語高手一樣，不是每個人都能夠有毅力讀完N本原版小說的。你可以先從漢英對照的版本看起。

選擇書時，要注意挑選那些「看來有點吃力」的書，不要挑太難也不要挑太簡單的。例如說，大一的普通英語水平，如果讀《湯姆歷險記》應該有點吃力（所以合適），但是如果讀《雙城記》或《聲音與憤怒》（*The Sound and The Fury*）就會相當吃力，可能因為挫折感而放棄。

其次，具備基本條件。語法：準確地掌握語法；詞彙：熟練的詞彙要多於兩千五百個，認知詞彙要大於五千個；工具書：一本中英詞典，一本英英詞典，或者用電子詞典代替。詞彙認知學指出，詞彙的記憶效果與詞彙的檢索時間緊密相關，因此詞典是必要的。

第三，選材。仁者見仁，每個人的偏好不同，有人喜歡小說，有人喜歡傳記，有人喜歡古典，有人喜歡現代，只要自己感興趣就行。

第四，做好前期工作。查找百科全書或相應的工具書，了解作者生平、作品，以及世人的評價。建議使用英語百科全書（例如：wikipedia）。

第五，閱讀中的詞彙學習。每天至少閱讀六頁（約一千五百字），在閱讀過程中碰到新單字先做標記，讀完後再查詞

典。把生詞記載在本子上，並及時背誦。

第六，消化反芻。每讀完一章寫一篇英語的讀後感，相當於開卷考試，經常並及時背誦本子上的新單字。

怎樣背單字？[9]

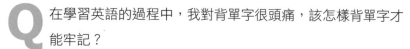

Q 在學習英語的過程中，我對背單字很頭痛，該怎樣背單字才能牢記？

A 我個人比較幸運，在美國長大，所以不必刻意背單字，只要經常使用就可以了。下列幾個建議來自於「我學網」的網友，整理如下。

強背的方法

要大聲朗讀，並反覆練習直到背熟，或者邊寫邊記。有些人學習是聽覺型，有些是觸覺、視覺型，所以要依自己的特性找到適合的學習、背誦方式。接著多復習，在你背完第一遍的八小時之後再復習一遍，二十四小時後再復習一遍，四十八小時後再復習一遍，你可以前後銜接類似滾雪球那樣去復習。

你還可以抄下單字和美文妙句，抄多了自然融會貫通，能夠熟練運用。也可用有趣的方法補充，例如在流行英文歌曲中找到熟悉的單字，用「學歌」的方式加強記憶。找一些可以英語交流的網友，除了E-mail之外，Myspace、Facebook都是全球性的社區，在上面可以找到對華語有興趣的英美朋友。

此外，要「少量多餐」，持之以恆。比如，一天背10到20個單字。這樣一、兩年下來，就會有足夠多熟練的詞彙。把握日

常生活中零碎的時間復習，例如把單字表放到手機上，等車時就可以練習。

按部就班增加詞彙的方法

第一步：明確詞彙量空間。有人強調背字典，但是我覺得一般人沒必要也不合適。應該根據一個詞彙量的目標逐漸學習。我們可以根據教學大綱的要求來確定。比如中學英語，要求詞彙量約830個（再加上157個片語）。大學聯考要求詞彙量是2,832個。至於考TOEFL、GRE，1萬個詞彙量是高分必備，而有2萬個詞彙量當然最好，沒有也不影響閱讀速度。

第二步：看單字。在最短時間內，把所有常用單字瀏覽一遍。不要刻意記憶，但是要認真感覺每一個單字。由於人都有本能集中注意陌生詞彙，瀏覽速度將愈來愈快。以這種方法應付急需，是最有效的。但是一定要用心，否則一點意義也沒有。看單字而不唸出，是為了突破閱讀障礙。在閱讀過程中，往往是默讀影響了閱讀速度。

我們必須整合起視覺刺激，對應思維要求，達到快速閱讀的境界。在未來的應用中，即使是考試、口語和聽力都是較小的部分。大多數人學習英語的目的不是為了應付考試，而是當作工具能夠流暢地閱讀，比如瀏覽外國網站，學習國外先進技術和經營管理方法等。

看單字比背單字有效。這是因為看單字的時候比較輕鬆，不容易疲勞，此外，也很容易達到形成整體單字結構輪廓印象。

第三步：想單字。從瀏覽單字的第三天開始，就需要開始

想單字。這是藉著記憶讓單字不斷在腦子裡浮現。想單字是脫離書本的最好方法，可以在任何空閒的時候進行。要儘量在腦子裡多想幾遍，這樣留下的印象會很深刻，可以經年不忘，就算忘記，由於已經有印象也很容易再回想起來。

剛開始的時候，可以按照詞彙表來回憶單字，也就是讓詞彙表在腦海重現，想單字的速度比看單字快。對記憶來說，看單字是「記」的過程，想單字是「憶」的過程。「記」與「憶」的最有效結合，就是結合「看」與「想」。

一段時間後，可以嘗試將自己記憶的單字加以分類歸納。這時候應該讓單字概念和實際事物對應，形成形象。一般來說，分類歸納的依據是單字的區別和聯繫。找到單字的特點，形成概念群並加以結合，是加強記憶的最佳辦法。建立單字之間的邏輯關係很重要，這樣可以牢記一些較少用的單字。單字的特點有很多，發音、詞根變化、外形差異、內容、使用範圍等等，都是思考的重點。 在想不起來的時候，要及時看書。「學而不思則罔，思而不學則殆」，這是學習的真諦。學習是為了運用，現學現用是最有效的學習方法。

透過運用學習

上述兩種背誦方法是初學者必須學習的，目的是讓你有足夠的基礎。基礎穩固之後，最好的方法是運用，也就是讀、聽、講、寫。運用是多方面、多角度的，在運用的過程中，能真正發現單字和短語的特點和使用環境。也只有透過實際應用，網狀聯繫才可能較準確、較細緻地鋪陳開來，實踐是廣泛聯繫的基礎。

記單字就像認識陌生人，一回生、二回熟。剛開始的時候，由於條件不具備，建議從大量、快速閱讀開始。閱讀材料不需要很難，為了培養速度和感覺，往往是愈簡單愈好。初學者可以看一些國外兒童讀物，趣味短文，如幽默和童話故事。閱讀時要記得：不認識的單字要在還未忘記上下文時查字典。

大量閱讀可以迅速形成整體意念，並在單字的使用環境中做出定格和校正，這時注意力應該轉移到單字在文章中的使用。

如何學習電腦知識？

Q 我是新聞科系的大一學生，但是我覺得自己對新聞缺乏興趣，卻對電腦很有興趣，以後想成為軟體工程師。我想自己學習電腦知識，比如參加一些職業培訓班，不知道您有什麼建議？

A 如果你真的考慮做個軟體工程師，需要學習的電腦知識中最重要的是一些大學的基礎課程，例如演算法、資料結構等。這些課最好在大學裡學習，而不是去職業培訓班，他們的培訓目標是就職技能。希望你在學校裡找機會去旁聽一些課程。

同樣重要的是，理論要與日常工作搭上關係，要做實際的設計。這些都是你可以在PC上完成的。電腦知識的學習主要來自於操作。網路上學習也是一個很好的選擇，你可以到麻省理工學院公開課程（Open Courseware）的網站上看看，那裡有英語課程，也有翻譯成中文的課程。

另外，幾個建議如下：

1. 有時當你更進一步了解一個專業後，你的興趣可能會改

變，要彈性調整你的興趣。

2. 學習時如果能善用網路，可以結交更多朋友，必要時還可能會有一群人幫助你，例如參加一些有關技術討論的社區或論壇。我也希望在「我學網」中可以提供更多資訊，不過短時間內，建議去人氣很旺的技術網站學習。

3. 利用暑期多學習和操作。

4. 有一些經驗後，可以主動與Open Source（開源）網站聯繫，從最基本的專案做起，過程中會有許多學習機會。

5. 畢業後，如果有很好的新聞工作機會，而找不到合適的電腦行業，也不妨試試。也許你的電腦背景可以讓你寫出相當優秀而有特色的技術性文章。

電腦科學研究生該如何研讀？[10]

Q 我就要去電腦科學研究所就讀了，希望您給些建議。我應該留意從指導教授那裡具體學到哪些知識？如何深入了解學術界？如何與校外的學術界人士交流、合作？對一個立志投身於學術研究的人來說，讀研究所期間您認為當務之急是什麼？

A 請記住在兩岸排名前面的幾所大學和美國前五十名的大學相比，在師資上還有相當大的差距。雖然兩岸大學生的素質不會比美國最好學校的大學生差。

既然存在這種差距，就必須抱著自習的精神，不要以老師說的為聖旨，多去麻省理工學院公開課程網站，或多看看高德納（Donald Knuth）的《電腦程式設計藝術》（*The Art of Computer*

Programming）這類的書，不要碰到書上的難題就放棄。

在選擇指導教授的時候，建議你最好跟隨一位年輕教師，有國外學術背景的更好。如果沒有這方面背景的老師，只要是肯實際操作、能考慮學生發展前景的指導教授，都很好。

既然你立志從事學術研究，就要避免選擇那些承辦很多非學術專案計畫的老師，否則你的研究所生涯很有可能就是在為他們打工。你可以考慮拿個碩士學位後出國讀博士，如果有這個打算，最好能獨立寫一篇有水準、有分量的論文，不一定要發表，但可以和申請表一起寄給學校。暑期可以申請國內的一些外國企業的研究機構，爭取做研究的機會，最好是能夠發表論文的，這對申請國外的博士班有關鍵助益。

至於挑選科研題目，如果真的沒有優秀的指導教授，不要做太困難或目標太長遠的研究，我建議找一些「先模仿國外的做法，然後再添加一點新想法」的研究，或者「把領域A的某種技術應用到領域B」，這類研究不一定需要名師，只要有中等能力，就有可能做出一些有意義的成果，也能讓你學到不少東西。

在讀研究所的過程中，要積極和別的教授、專家接觸。如果學校聘有訪問學者（例如美國名校回來做客座教授的），或有專家講座，一定要把握每個機會。另外，不要害羞，有問題就發E-mail向專家求教，大部分專家的E-mail都會隨著他的文章刊登出來。

此外，建議你在選擇指導教授前多向一些學長請教，多方了解學校和老師；與畢業學長姐保持聯繫，如果他們出國，也可以向他們請教國外的情況。

非電腦科系學生如何面對電腦技術？

Q 我是一名心理學系的大一新生。對我這種非電腦專業科系的學生是否應該重視電腦方面的技術，以便對未來的研究和就業有幫助？我又該從哪些方面入手？

A 如果你想學介面設計方面的電腦技術，以便應用於心理學的專業，你可以學一些網頁製作的基本知識，例如HTML、Javascript、CSS等製作網頁效果的工具，也可以在學校上電腦方面的基礎課，這方面主要看你的興趣和天賦。

確定自己對這方面的興趣，找一找國外的CHI（Computer Human Interaction）會議記錄，看看麻省理工學院媒體實驗室的工作方向、微軟亞洲研究院研究員王堅和其他總部研究院研究員的工作，找一些值得看的大師文章，如施奈德曼（Ben Schneiderman）、麥爾斯（Brad Myers）等。此外，學可用性方面的知識，有些學校將這方面的課程放在工業工程系上。

看你的學習目標，以後大致有三種可能：

1. 如果想從事電腦相關職業，須自學大量電腦專業知識。
2. 如果希望利用專業知識開發一些專業軟體，可以考慮學習一些類似NET和JAVA的圖形化開發。
3. 如果希望使用電腦幫助自己的工作，可以考慮多嘗試用現有的軟體做到無紙化辦公一類的應用。這方面我推薦多使用Office軟體中適合各種用途的應用軟體。

對文科學習的建議

Q 除了您經常強調的數學、英語、電腦以外，您對學習哲學、
歷史和文學有什麼建議？如果想入門，需要讀些什麼書？

A 家父是一位近代史學家，專攻中國政治人物的近代史，他
的名言是「歷史要超越官方說法」，所以學習歷史時的客
觀立場十分重要。家父五十歲曾至美國史丹佛大學知名的胡佛研
究中心研修一年，記得他每次來訪，第一個要求就是去當地知名
的「東亞圖書館」，第二個要求是去唐人街書店。他提醒我們要
有自己感興趣鑽研的主題。他飽覽群書，也結交很多歐美文史哲
方面的專家，與他們保持書信往來。有一年我姐夫陪他遊歐洲，
在英國他就聯絡了一位當地知名的漢學近代史教授，到自己下榻
的旅館見面討論。家父過世時，他剛改寫完成最後一本有關中國
近代史的著作，我們也將之送到世界各地近百家的東亞圖書館。
簡言之，學歷史要客觀中立、有興趣，要多讀書，和世界接軌。

下面更深入的探討，摘自「我學網」一位歷史系博士生的
見解。

一個歷史系博士生的見解

學文學某個層面來看是要結合歷史，去了解文學史上各國
的偉大經典著作，他們的時代背景，以及作者的生平。美國高
中英文課本介紹了幾本重要著作，包括諾貝爾獎得主的作品摘
要，也簡單介紹了日本俳句的寫法，讓學生稍有跨文化的文學
視野。近來也有很多學者倡導大量閱讀。學文學是很個人的，

文學形式繁多，詩、詞、散文、小說、戲劇，如人飲水，冷暖自知，我很難提供什麼具體建議。

至於哲學，嚴格意義上的哲學，如陳嘉映先生所言，限於古希臘形而上學傳統中的思想樣態，德國古典哲學即為其典型；平常大家說的哲學，其實是思想史，中國（儒、墨、道、法……）、印度（婆羅門教、佛教、印度教）、猶太教、伊斯蘭－阿拉伯是人類歷史上最重要的四大思想形態。

歷史與哲學這兩個學科，上下五千年，縱橫九萬里，積澱人類歷代智慧，指向語言無法言說的化境，不是任何概念化的體系所能包蘊。然而，它又直接通向心靈，以及日常瑣事，所謂「挑水砍柴無非是道」，因此，走近哲學、歷史最方便的法門就是反觀自己的內心，你對未知的好奇、對生命的疑惑、對世界的追問從何處肇端，你的閱讀就應該從何處開始。胡適等前輩曾開過「最低限度必讀書目」，甚為後來者詬病，因開出的書目所體現的無非是「選者的眼光」，世上不存在任何囊括真理的必讀書目。在這裡我不打算重蹈覆轍，只想給你三個建議：

第一，尋找書目的過程，本身就是很好的學習過程，一個大學生用於找書的時間跟他的閱讀時間應該大致持平。找書也是閱讀，你在書店或者圖書館，找到你感興趣的那個書架，瀏覽一下目錄，你就知道這個領域都有什麼人思考過什麼樣的問題、做了什麼研究；翻開一本書，瀏覽目錄及正文，了解它是否吸引你，內容太深還是太淺……然後你自然會區分、選擇你

想精讀、泛讀的書。

第二，「前後左右讀書」。有的書一時可能讀不懂，但你又很有興趣，這時可以挑些有關這本書的思想、作者的研究性、評論性作品，它們必定可以幫助你理解這本書的內容。這個過程將大大擴展你的理解能力。最後，一定要讀原著。

工科學生的「人文素養」[11]

Q 開復老師，您是理工科出身的，請問您怎麼看待工科學生的「人文素養」？又怎麼去界定？要具有人文素養是不是需要修一些文藝類的課，比如音樂、莎士比亞？

A 我很欣賞知名作家龍應台的看法：「人文素養」就是平日對人文領域的修養。有人文素養的人會對人有興趣，認同他人的意見、尊重他人，並且具有持續學習一般知識和訓練思考的能力。人文素養是在涉獵文、史、哲學之後，更進一步認識到這些人文「學」到最後都有一個終極的關懷，就是對「人」的關懷。脫離了對「人」的關懷，你只能有人文知識，不能有人文素養。

人文素養廣義上指的是對科學以外的社會、文史、藝術等多方面的了解和欣賞。人文氣息包括個人閱歷的廣度，將會反映在如何思考問題、言談舉止、表達自己上。

不要把它當作狹隘的「修一些音樂學分」、「上一門莎士比亞」（當然，你如果有興趣學這些也很好，但是不要混淆思維與修課）。你更需要的是學習如何溝通、理解、寫作的能力。要具有這些能力，只要多看書、多和朋友討論問題一樣可以培養。

應該怎樣選擇我要走的路？

Q 這幾天我一直很困惑，因為這個暑假我去姐姐經營的照相館打工，到了那裡才發現自己什麼都不會，不會接訂單，而攝影只是個人的一點愛好，離商業攝影的要求還差一大截。姐姐也是大學畢業，但她說：大學裡學習的東西都沒有用。

我認為在大學裡參加活動能夠自我提升，但是，參加活動浪費太多的時間和精力，會耽誤學業。一位老師說，大學教育可以鍛鍊自己的思維方式，至於辦活動，學生們進了社會，只要留心，即便自己不擅長，當時的環境也會逼迫你在短時間內提升做事的能力。

有個朋友，一直催促我當社團的副手，他說這樣提升自己，有鍛鍊自己的機會，當然很誘人，但是，當我問他社團活動是否影響他的學業時，他說是為了鍛鍊自己的組織能力和社交能力而做，畢業後就直接到他家的企業工作。我很鬱悶，我沒有背景，沒有很好的條件，我的目的是什麼？提高自己的做事能力？顧好學業？我心裡認為，還是把學業顧好。問題是我究竟應該學些什麼呢？

A 大學生應該以學業為主，不要浪費四年寶貴的時間。這段時期是你一生有最多獨立學習時間的階段。學習包羅萬象，有通識和專業兩大類，你應該想想自己的目標，還需培養哪方面的能力。

社會也是個大學，你暑假碰到的問題是很正常的，只要稍微具有工作經驗就能上手，你欠缺的是在職訓練。另外想想，你是否欠缺溝通能力？對商業的基本常識？你欠缺的是不是你需要培養的？

你姐姐說得太極端了。大學不是「職業培訓班」，在照相

館的每一種技能，本來就不能期望在大學裡學到。大學教育最重要的是「學習思考如何學習」，「打好基礎」讓自己能適應社會生活，從事各種不同的工作。「讓大學教育對自己有用」是大學生根本的責任。如果感覺大學學的「沒用」很可能是自己沒有把握自己需要的，並主動去追求，或低估終身學習的必要。

　　培養自己能力的方法很多，打工、參與社團活動、交友都是培養的方法。相信暑假打工的這段日子，對你的未來一定有幫助。在讓學業上軌道的前提下，你可繼續尋找機會提升自己。

如何自修

如何利用網路幫助學習？

Q 網路已經進入到我們的生活中，在這種環境下，您認為大學生要會應用網路幫助自己學習，但我們該怎麼具體做呢？

A 我建議一些利用網路進行學習的具體方法：首先，善用搜尋引擎找想要的資料。例如，在Google的檢索框中輸入你要搜尋的訊息，可輸入中文和英文，來獲取國內和國外的資訊。

　　其次，運用網站提升自己的英語程度，在網路上學英語的資源滿坑滿谷，包括E-books、MP3、英文電影，以及線上字典的網站。運用網路學英語有一些小技巧，例如，如果你不知道如何使用短句"come to one's mind"，你可以試試在Google輸入"come to * mind"。

　　第三，如果想要改善電腦能力，可以上專業網址或頂尖大

學網站，那裡可能有你想要的資料。許多大學都設有開放式課程，最有名的是麻省理工學院。

第四，如果是專業資訊，可以在網路上找論文（Google學術搜尋是最好的工具，可以用英文版找國外論文，或用中文版找國內論文）。找到論文後，如果還有更深入的問題，可以直接寫E-mail給作者，在發表的論文裡，通常都有作者的電郵。

最後，有一些專業相關的網站，如醫療領域有www.ebandolier.com；司法犯罪／教育／社會福利有網站www.campbellcollaboration.org；兒童福利則有childwelfare.com等。建議同學自己建立一個搜尋紀錄表格，列下資料庫／搜尋的關鍵字／找到幾筆／個人評語。養成習慣去核定自己搜尋的結果，對不同網站的使用經驗等，慢慢就會找到好的資料庫，以及有效的搜尋方法。

如何用搜尋引擎找資料？[12]

Q 很多人（包括您）都說要積極尋找自己需要的資料，尤其是用搜尋引擎，但是我在使用搜尋引擎時很多東西都找不到？

A 使用搜尋引擎需要練習、技巧，以及想像力。例如，上星期我女兒的作業需要展示茱麗葉的服裝，但她搜尋了很多詞都找不到。我問她：「想像一下什麼人才會把茱麗葉的服裝照片放到網上？」她說：「萬聖節出租道具和服裝的公司，或者出租道具和服裝給話劇社的公司。」然後我們就用了這方面的關鍵字，比如"Halloween Juliet Costume"；"Shakespeare Costume Rental"；"Juliet Costume Rental"等等。最終，我們在Google圖片

搜尋（Google Image Search）裡找到了很多照片。所以，要搜尋成功，必須能「想像哪些人會把這樣的內容放到網路上？這些人會用什麼關鍵詞？」

另外，除了廣義的搜尋引擎（例如Google、百度），還有許多垂直搜尋工具，在每個特定領域可以搜尋得更精準，例如Google的學術搜尋和生活搜尋、百度MP3搜尋等，還有Google的圖片搜尋。

最後，如果要搜尋英文內容，最好找到合適的、正確的英文單詞或片語，可以用金山詞霸、Google Translate、sunrain.net等翻譯後再輸入，除非你的英語很好，最好不要自己去翻譯。

進大學前的暑假該怎麼安排？

Q 我終於通過大學聯考了，隨之而來的是漫長的三個月暑假，我考上的是管理科學與工程類，因此想先在這個暑期給自己充電。請問您，我應該從哪些方面自習呢？

A 首先，你應該關注你所選擇科系的要求，做好專業學習的準備，這點可以到相關院系的網站上了解一番。其次，英語是大學生活中很重要的學科，所以也可以著手準備。

利用網路，瀏覽開放式課程裡你的科系都在學什麼，然後用搜尋引擎更深入理解這些課程如何應用，畢業後從事哪些職業，如果打算出國，什麼學校最合適。

最後，你可以參考我的「給青年學生的第四封信」，早點開始大學中最重要的七項學習。

請教關於自學的問題[13]

Q 我是一名電腦科學與技術系的大三學生。從大二就開始自學所有的課程，也就是所有的課都不去上，自己安排進度進行學習，雖然有些效果，在班上成績也很優秀，但我總覺得自己花的時間比同學多一倍，要再有所突破似乎不容易。我想問，自學須特別注意什麼？

A 你應該去上課，哪怕老師講得不好，也可以將課堂上學的內容與自學相結合，不要完全自學，那很浪費時間。聽老師講課讓你的視覺、聽覺共同刺激大腦，效率較高，更重要的是，老師知道哪個部分的知識較重要，你可以參考多本名校教材，再結合老師的上課內容來學。

如果覺得有必要，可以課前預習，並記下疑問，在課堂上向老師提問。你需要特別注意，要善於提問；另外，你可以請教一些電腦高手。不要總是鑽牛角尖，死啃書本，要多聽、多問、多交流。自學選擇的教材很重要，你用的是學校的版本嗎？那可要仔細辨別，事實證明不要盡信學校選的教材。注意看教材的前言和序文，把握全書的方向，同時也要看每一章的前言，把握每章的方向。

我建議大學生自習，是希望學生不要以學會課堂上的內容自滿，因為很多學校的課堂教學、課本、教師都不夠好。以自習徹底代替上課，「所有課都不去上」這不是學習的方法。除了自習、上課之外，也建議你和同學討論、切磋，還有上網去麻省理工學院公開課程一類的網站，看看世界最頂尖的大學學生在學些什麼，試試麻省理工學院的作業。

研究所學習

報考研究所時如何選擇指導教授和專業方向？[14]

Q 我想要考研究所，取得一個電腦科學碩士學位，但是報考研究所時，又怕指導教授水平不高，在研究生階段安排一些無意義的課題，所以我對選擇什麼科研項目，以及尋找指導教授方面很困惑，您可以提供一些意見嗎？

A 對於國內的研究生來說，很難有機會從事世界最先端的工作。但你還是可以追求一個很充實的研究生生涯。我建議：首先，如果你讀研究所是為了就業而不是為了做研究，那就直接選擇那些操作性高的課程，例如網路娛樂、軟體測試等，這樣就不必擔心研究計畫沒有意義了。就算許多時間都在替老師打工賺錢，這些計畫還是可以增強你的能力，不過如果你本科不是學這行的，還需補足本科的基礎課程。

其次，如果你還是想做研究，那要多了解每位老師和他所做的課題。先了解哪些老師的研究是受人尊敬的。你可以到Google學術搜尋，了解你的老師的論文引用率有多高。除了中文的Google學術搜尋，也要找英文的，看他有沒有在國外發表論文，文章發表的期刊和會議品質有多高。尋找指導教授時，要多打聽每位教授的具體教學情況：他是否是真正的專家？是否上了年紀，研究思路和方向都很落伍，又很固執做沒用的題目？是否有時間具體指導學生？過去他所指導過的學生對他的評價如何？人品如何？會不會不放學生畢業？真的能做科研還是只能做無用

的專案計畫？他支持你規劃的目標嗎？例如你打算出國，那就查查看他指導過的學生中有多少人拿到碩士學位後成功出國了。

第三，挑選課題時，有些課題是純理論性的。雖然這些課題還是有可能做出有意義的結果，可是一定要確認指導教授的能力。有些課題是純粹模仿國外課題，做這些課題時，首先要重複國外專家的工作，然後在這個基礎上深入推展，其實這種研究風險較低，你也可以從中學到不少知識。建議在接受這種課題時，直接和國外專家取得聯繫。

重複國外專家的工作當然不是為了剽竊他人的成果，而是為了在原有基礎上推進，必須引用他人的工作。國外專家知道你在重複及推廣他的工作，會非常樂意支援你，甚至可能提供他的源代碼給你，至少會回答你的問題。還有些課題是與「流行的交叉學科」直接相關的。這些題目可以做出創新性的成果，而且你無需發明一個新的理論，而是把領域A的理論用到領域B。

雖然國內研究生碰到的專案計畫大多不是處在世界尖端水平，但是依然有不少從中學習的機會，關鍵是你是否知道學什麼，以及怎麼學。

如何選擇研究方向？

Q 我是一名研究生，想在自己的研究領域取得一些成果，寫出高水準的研究論文，我該如何選擇科研方向實現這個目標？

A 我見過國內一些在科技方面的博士論文，大致可以分為以下三類：

1. 自己或指導教授異想天開，紙上談兵，提出的想法經專家一看就知道不切實際。

2. 大部分以國外做法為主，再以一些新的想法加以變換，以證明不是抄襲。

3. 把一種新的理論引用在一個領域或問題上，也就是「交叉學科」。

如果按照價值排列，一般來說，最後一類大於第二類，而第二類又大於第一類。在國內論文中，很少見到具有真正思想的創新元素。並不是國內老師和學生不想創新，而是嘗試去創新的學生往往沒有自覺，沒有看懂別人的論文，另外缺乏良師的指導，最後反而成為我說的第一類論文，也就是最糟的論文。這些學生還不如去做第二、三類的論文。

我對你的建議是：除非你真的很懂這個領域，或者是碰上少見的好老師，或者有高人（例如國外專家）指導幫助，否則最好還是不要往第一類走。第二、三類仍然有它的價值，尤其是當你徹底看懂了前人的工作。一般來說，第三類是最佳的結果，因為也有不少國外的論文也是這樣完成的，其實我的博士論文也可說是這個類型的。

至少你對自己應有的要求是：要在你的論文所涉及的領域中成為國內懂得最多的一個人（見我的「給青年學生的第一封信」）。至於如果要做出真正世界第一流水準的論文，國內大部分的環境都不允許學生有這樣的奢求，但是對有足夠自信和自覺的學生，我也鼓勵他們大膽嘗試。

一頂博士帽能帶來什麼意義？

Q 「讀博等於賭博」的說法在中國大學校園廣為流傳。攻讀博士一年多來，除了生活單調、學術探索艱苦之外，我感受最多的還是生活乃至生存空間的日益逼仄。在學業方面，指導教授不是對學生不聞不問，就是讓博士生做賺錢的差事，至於報酬，自然是遠低於市場價格，給多少全看指導教授的良心，這也是許多學生稱指導教授為「老闆」的原因。另外，我們的研究領域很窄，與碩士生的應用創新不同，博士生要求在理論上有所創新，但往往都是些無用的工作，這就造成就業去向很窄。我們的生活圈子也很窄。

讀書這麼多年以來，我們卻成了在愈來愈窄的人生道路上徘徊的人。很多同學都和我一樣地疑問，誰能告訴我們，出路在哪裡？

A 實際上很多博士生在讀博士之前並沒有認真想過，讀博士是為了做高深的研究，不是為了找工作時加分。另外，要提醒自己做高深的研究時，必須能耐得住寂寞去做學問，能抵禦來自物質世界的誘惑。如果讀博士抱有「一頂博士帽能給自己找工作時加分」的想法，不僅會增加自己學習期間的痛苦，在找工作時發現博士頭銜並沒有多少優勢後會更加失望。

選擇讀博士就等於選擇了在未來三、五年，或者是更長的一段時間，必須遠離花花世界，耐得住寂寞，甚至要無數次承擔失敗或者不被學界認可的痛苦。這就說明了不是每個人都具備成為博士的特質。當你猶豫自己是不是要去讀個博士之前，一定要問問自己這些問題：

1. 你是不是有創新的熱情？因為要取得博士學位，最後就得

看你在某一領域的研究有沒有突破和創新。如果你是個墨守成規，不太富有挑戰精神的人，創新研究就不適合你。

2. 問問自己願意孤獨地追求知識嗎？看到同學發財、出名，會羨慕、甚至感到痛苦嗎？如果你是個物質欲比較強、對賺錢很有興趣的人，或許你該去讀個MBA，或者找份好工作，而不是去讀博士。

3. 你願意花很多時間拚命做研究，即便你知道你正在探究的問題有可能在短時間內無解嗎？如果你是個很在意失敗的人，那麼讀博士可能會使你的人生變得灰暗。

4. 你願意放棄更多的財富嗎？只有當你肯定自己讀博士確實是為了享受做學問、超越前人的樂趣時，才有可能愉快地度過學習生涯。我自己念博士時雖然有獎學金，但日子也不富裕，有時候假期也得出去打工，但每個人在自己不同的生活階段就應該享受不同階段的樂趣，讀博士時就應該過清貧生活，並快樂學習。畢業後也要接受那些讀書比你少的人比你賺更多錢，甚至可能做你的老闆。

5. 你願意向困難的目標努力嗎？我至今還記得在我進入卡內基梅隆大學攻讀電腦博士學位時，當時的系主任說的話：「當你拿到博士學位時，你應該成為你所從事的研究領域裡世界第一的專家。」這樣的要求似乎對大多數剛剛起步的人來說都是高不可攀的，但我正是確立了這樣的目標，在經過五年寒窗、夜以繼日的努力工作後，所期待的結果就自然而然出現了。讀博士不是件輕鬆的事，切忌浮躁的

情緒，要一步一腳印，扎扎實實地工作。也不可受身邊名利的誘惑，而要百分之兩百地投入。也許你會疲勞、會懊悔、會迷失方向，但要記住，你所期待的成功和突破也正孕育其中。

如何找到合適的博士研究課題？

Q 我是一名在校博士生，我如何在現有專業的大方向下找到合適的博士課題去深入研究？如何在一定時間內能發表論文，而且做出創造性成果？美國大學又是如何培養工科博士生的？

A 我認為在國內的大學環境中，要在相當有限的時間內做出真正革命性的創新是不切實際的。所以我建議你多找些跨學科應用題目，例如讓新的統計方法有新的應用，或把一種新的演算法用在一個新領域。多到網際網路上找新的結果和想法，學會使用英文版的Google 學術搜尋，用電子郵件與國外專家和學生交流。

其次，要求在特定時間發表論文，這是很不合理的要求，因為國外期刊單是審稿就要兩年，在國外讀博士就無此要求。

如果你想知道美國學校如何培養工科類博士研究生，請上「我學網」看「十萬個怎麼辦」，尤其是孔祥重教授（H. T. Kung）的那篇文章，也可上一些著名學校的網站看看。

此外，直接發電郵去詢問一些世界公認的專家和教授。以我的經驗，對於這樣的郵件，他們大部分都會很快回覆。

如何衡量一個博士生的研究潛能？[15]

Q 請問您如何衡量一個博士生的研究潛能？僅根據他所發表論文的數量嗎？

A 我讀博士時，所長告訴我：你應該成為你論文題目所涉及領域裡世界第一的專家。你在國內讀博士，我想至少應該達到國內之最。所以在發表期刊方面，質與量須並重，質的部分包括原創性、實用性、嚴謹性、周延性各方面。學校方面一般比較重視文章的數量，所以在品質方面你必須自律。

其次，考察一個博士生獨立做研究的能力有很多方面，包括如何選擇研究主題、搜集資訊、求教、大膽假設、小心求證、用科學方法做客觀評估、和他人合作、表達和發表、引用前人結果等。

最後，我覺得博士生待培養的重要潛能是：誠實面對研究限制的能力和自我批判的能力。有一個專有名詞叫做「後設認知」就是除了主觀投入研究之外，還能抽身保持距離地觀看自己的不足。

很多大學只重視清點論文數量，但我想這遠不如前面我所說的幾點重要。有些期刊品質相當低，要看在一流期刊上發表多少論文才真正有意義。

為做好研究課題而延遲口試是否值得？

Q 我在讀博士的過程中遇到一些問題，因為指導教授即將退休，但我希望做好研究課題，如果這樣就無法在指導教授退休前完成口試，乃至需要放棄學位，請問這樣做是否值得？

A 這是一個很好的理想與實際之間發生衝突的例子，我雖然鼓勵每個博士生應有「成為論文題目所屬領域全國之最的專家」的理想，但如果面臨實際問題，不要輕言放棄學位，自己的研究也要設法進行下去，我建議你可以參考以下辦法：

1. 許多學校都有返聘或延聘制度，以便使年屆退休的教授能夠帶完自己的研究生。實際上，大多數教授都樂於延長自己的職業生涯，因此你不妨與指導教授多些溝通。

2. 找一個優秀、實際能力較強的年輕教授，請你的指導教授委託這位年輕教授給你直接指導。

3. 若上述方案不能奏效，你可以考慮中途更換指導教授。你的理由絕對有說服力，很多大專院校也曾有先例。

4. 不要急著畢業。我認識許多讀博士班的朋友為了完成自己的研究，都選擇延遲畢業。原因之二，首先，博士期間的研究成果對未來的職業生涯至關重要；第二，博士期間所能使用的研究資源非常珍貴，畢業之後仍能繼續研究。總之，現在花費心思找一個兩全之策絕對是值得的。

有了滿意的研究課題是非常好的事，應該祝賀你。我的感覺是，你現在的情況應該不致影響你最終取得學位。建議你去教務部門了解一下學校政策，再決定如何應對。

自己喜歡的專業方向不熱門怎麼辦？

身為一名年輕助教，我想繼續深造讀博士，但我感興趣的研究方向（理論電腦科學）在國內不熱門，做這種研究會被人

看不起,而且相關方向指導教授太少,出國又不實際。現在我面臨兩種選擇:在國內讀相近的方向或更熱門專業的博士?還是繼續留在自己的專業方向等待讀博士班的機會?

A 任何科學的基礎理論都是重要的,對理論有興趣的人不多,能耐住寂寞長期投入的人更少。既然你很確定對電腦理論有濃厚的興趣,那你就要執著地做下去,不要在乎別人的想法,也無須隨波逐流地趕熱門。

很多理論方面的工作是很有意義的。比如,如何證明一個程式在某些情況下是正確的,如何證明哪些演算法可以平行計算等。無論你選擇做應用理論,還是純理論,他人沒有權利因此而「看不起你」。你要為你的興趣、為你的成就感到自豪。

你為什麼認為出國不實際?其實在國外有很多一流學校畢業的博士,最終因為不好找工作,而到較差的學校去教書。你只要耐心地一所一所找,去查各個教師的背景,很可能在國外找到一個願意錄用你的學校(排名可能較後),我相信那些學校也有很好的理論方面的教師。

如果留在國內,你也可以找到這個領域的國外老師,靠電子郵件向他提問。幾乎每個教授的電郵都可透過Google學術搜尋找到。還有一些國外知名的專家回到國內來教書,你如果花時間積極地找,一定可以找到很多願意幫助你的教授。

指導教授水準有限怎麼辦?[16]

Q 身為二年級的研究生,我覺得指導教授水準有限,學校領導人也很讓人失望。我對科研漸漸從躊躇滿志到失去興趣。我

是不是還要繼續忍耐做自己不喜歡的研究？我覺得自己思維較慢，特別在一些討論會上，我和人溝通也存在一些障礙，請問要如何改善，才能成為一個有影響力的領導者呢？

A 人在一生中總是要做一些自己不願做的事情，關鍵是這樣的事情要做多久，這樣的事情對今後做自己想做的事情有無幫助。舉個例子，我有個朋友來美國學習電腦，當他從國內帶來的學費、生活費都花光時，只好暫時輟學去餐館打工半年，以積攢一些錢繼續學習。他對在餐館打工一點也不感興趣，可是他堅持做了下來，因為這是暫時的，而且對他追求理想有幫助。

國內某些研究所教學和研究水準不高的現象是存在的，但你這個情況是否是暫時的？讀完學位是否對你將來的就業或研究理想有一些幫助呢？我想答案也許都是肯定的。聽來你一、兩年後就可以畢業，有一個碩士學位對找工作或繼續深造總會有一些幫助。當然，如果你選擇繼續讀博士，千萬別在這個學校讀了。如果你真的對研究感興趣，也打算繼續攻讀博士，我建議你去讀國內一流或美國一流或二流的學校。

關於與人交流的能力和「思維較慢」的問題，提醒你與人溝通的能力十分重要。即使你從事科學研究，這種能力也是不可或缺。默默做科學研究而能夠成功的人很少，因為當今的研究很多是透過團隊合作完成的。思維慢一些不是問題。我認為有三類聰明的人：有些人思維敏捷，但不全面深刻；有些人思維不快，但想得很仔細、周到；當然，也有些人想得快也很細膩。

如果你的思維較慢，我的建議是：避免把很多需要深思熟慮的問題全放在會議上討論或要求當面解決，告訴對方某個問題

你需要慢慢思考後再回答。其次，預先做好準備。比如，在群體討論之前和個別參與討論者溝通，以了解他們的想法，然後回去仔細品味各人的想法，這樣在群體討論時你對問題就比較熟悉了。

時間管理[17]

開復老師如何管理時間？

Q 您每天工作16個小時，如何能夠保持良好的心理狀態、工作狀態、身體狀態？您為何有這麼充沛的精力？我該怎樣管理時間才能發揮自己的潛能，成功扮演更多的角色，做更多的事情？

A 激勵自己、讓自己做得更多，從而發揮潛力的祕訣就是：做你真正感興趣、與自己人生目標一致的事情。我發現我的「生產力」和我的「興趣」有著直接的關係，而且這種關係還不是單純的線性關係。如果面對我沒有興趣的事情，我可能會花掉40％的時間，但只能產生20％的效果；如果遇到我感興趣的事情，我可能會花100％的時間而得到200％的效果。

一天工作16小時，那是我以前讀博士時的幹勁，現在除非偶爾有特殊事件，我不會這麼拚命工作。年輕時拚命工作或許沒有太大關係，但是必須注意身體健康，包括飲食和鍛鍊身體。這點，我沒有做得很好，這些年來我的身體狀態已經亮了黃燈，如痛風、高血脂的問題，基本上和我的工作、飲食、生活狀態有關。要注意生理時鐘的運行規律，按時作息，勞逸結合，才能在

學習時有最好的生理狀態，不要擔心「時間不夠」而總是熬夜。熬夜工作的時間效率相當低，而且會傷身。

　　要在工作上奮發圖強，身體健康固然重要，但是真正能改變你的狀態的關鍵是心理而不是生理上的問題。真正投入到你的工作中，需要的是一種態度、一種渴望、一種意志。

如何利用有限的時間？

Q 我想多學兩種知識，但是現在時間上怎麼安排都不夠，我該怎麼辦？您除了繁忙的公事，同時也做到了好丈夫、好父親的角色，而且還寫書、寫文章，以及開設網站。您是怎麼做到的？怎樣才能把一天24小時變成36小時？

A 人的一生有兩個最大的財富是：個人的才華和時間。才華愈來愈多，但是時間愈來愈少，我們的一生可以說是用時間來換取才華。如果一天天過去了，我們的時間少了，而才華沒有增加，那就虛度了時光。所以，我們必須節省時間，有效率地使用時間。我的建議如下：

　　首先，知道你的時間是如何浪費掉的。挑一個星期，以30分鐘為單位，記錄每天所做的事情，然後做個分類（例如：讀書、準備GRE、與朋友聊天、社團活動等）和統計，看看自己在哪方面花了太多時間。凡事想要進步，必須先理解現狀。

　　其次，學會使用零碎時間和「死時間」。如果你做了上述的時間統計，發現每天有很多時間流失掉了，例如等車、排隊、走路、搭車等，可以用來背單字、打電話、溫習功課等。大家喜歡用MP3播放器聽音樂，為什麼不把一些學習的內容（英語會

話、生字和錄下來的廣播新聞等）放入你的MP3播放器呢？在國外，現在流行podcast，就是把一些可以用聽來了解的資訊，錄入MP3播放器，在開車回家時聽。前一陣子和同事一起出差，他們都很驚訝為什麼我和他們整天在一起，但是我的電子郵件都可以及時回答？後來，他們發現，當他們在飛機上和汽車上聊天、讀雜誌和發呆的時候，我就回了電子郵件。重點是，無論自己有多忙，事先把那些可以利用零碎時間做的事先準備好，等到你有空閒的時候有計畫地拿出來做。

第三，每天一大早把當天該做的事排好優先次序，按照這個次序來做，並要求自己這天做完最重要的三件事。其實每天都有做不完的事，唯一能做的就是分清輕重緩急。有的年輕人會說自己「沒有時間學習」，其實，換個說法就是「學習沒有被排上優先順序」。有個教時間管理的老師，他上課時帶來兩個大玻璃缸和一堆大小不一的石頭。他做了個實驗，先把小石、砂倒進去其中一個玻璃缸，最後大石頭就放不進去了。而另一個玻璃缸則先放進大石頭，其他小石和砂卻可以慢慢滲入。他以此為比喻說：「時間管理就是要找到自己的優先順序，若顛倒順序，一堆瑣事占滿了時間，重要的事情就沒有空位了。」

最後，運用80％—20％原則。如果利用最高效的時間，只要20％的投入就能產生80％的效果。相對來說，如果使用最低效的時間，80％的時間投入只能產生20%效率。頭腦最清楚的時候，應該從事最需要專心的工作。所以，我們要把握一天中20％的最高效時間（有些人是早晨，有些人是下午和晚上；除了時間之外，還要看你的身心狀態），用在最困難的科目和最需要思考

的學習上。許多同學喜歡熬夜，但是晚睡易傷身，所以還是儘量早睡早起。

學不完那麼多知識怎麼辦？

Q 為了培養自己各方面的能力，我在學習上涉獵廣泛，除了本科系的市場行銷，還修了很多其他專業的課程，結果發現自己在每個領域都不深入。如果繼續學很多其他專業的課程，實在應付不來，但又不願意專注於一種專業的學習，我該如何選擇？

A 什麼都學、什麼都學不好是不行的；但是投入全部精力只專心學一科而荒廢了其他重要的課程，也是不行的。怎麼平衡這兩者，只有你自己可以決定。

首先，想想有沒有可以魚與熊掌兼得的機會？如果你決定學好本科系的功課，而又沒有時間學英語，那你能不能至少用英語或漢英對照的課本「順便」學一下英語？讀原文課本除了有「一石二鳥」的機會外，最好的市場行銷課本往往也是原文本。

如果你決定在目前放棄一些課程，建議你考慮一下自己下一步最需要做的是什麼。如果你想考研究所，那你現在選擇的專業課程需要參考研究所的需求，其他的則可以選擇放棄。

另外，你應該考慮自己的每個選擇是否都是很好的學習機會。例如你大學學的是市場行銷，那麼你應該了解一下教你的老師有實際市場行銷的經驗嗎？還是紙上談兵？他過去得到的教學評價好嗎？由於你的學習時間有限，應該儘量挑選那些你能得到最高回報的學習科目。

你提到「各方面能力」，但是「各方面能力」是什麼呢？

為了「博」而學很多學科的意義不大，嘗試一些自己可能有興趣或未來可能有用的課程比較值得。

克服壞習慣[18]

如何戒掉網遊癮？

Q 我現在真的是徹底迷上網遊，一天最少花十幾個小時。每次上網我都是玩網路遊戲，玩到手發抖了還是不肯罷手，直到錢花光了才甘心。誰能教我怎麼做才能克服自己的壞習慣？

A 近年來，網遊上癮已經成為一個嚴重的社會問題，戒癮卻是一條十分艱辛的路。網遊上癮後浪費金錢還不是最嚴重的後果，最近已經有新聞報導了幾則年輕人不眠不休上網最後暴斃的事件，在美國已經把嚴重沉迷網路遊戲認定為精神疾病，所以網癮最嚴重的後果是造成個人嚴重的健康問題。和所有的上癮行為一樣，網癮也是一種逃避和沉溺，逃避工作、課業、正常的關係、壓力等，沉溺在虛擬世界中。類似於酒癮和藥癮，網癮也可以說是一種慢性自殺。

怎樣才能戒掉這個惡習呢？你已經做了很好的第一步，就是對這個惡習有了正確的認知，並願意開始戒掉它。建議你找一個本子專門記錄，看看每天花多少時間在網遊上，然後對自己做出承諾，逐步減少網遊的時間。切忌一開始就做出過大的承諾，一旦你做不到，就會鬆弛下來，可能會失去信心。一開始最好定一個非常有把握能做到的承諾，例如「每天最多玩十小時」。一

定要做到你所承諾的事，每做到一步就要鼓勵自己一下。慢慢的，你的榮譽感就會積少成多，當你自己有控制能力時，將更有自信，從而可以做更大的承諾。你也可以把自己的承諾告訴朋友和家人，讓他們定期來檢查你的成果。如果這樣還擔心重犯網癮，你可以把錢交給家人或朋友保管，一週只有固定的預算和時間可以上網，並把因此省下來的錢做別的用途。

最後，戒掉一樣行為，要有相應的行為代替，你可以找那些有益但和網遊有相似之處的活動，例如打球或下棋（有輸贏，有團隊合作）、打工（累積錢而不是積分）、學電腦和網路技術。你也可以找一些喜歡的活動，想想在接觸網遊之前，你最喜歡什麼活動？

你要相信自己一定能夠戰勝自己。亨利‧福特曾經說：「無論你認為『我能』或『我不能』，你都是對的。」希望你下定決心，告訴自己「我能」，戒掉這個嚴重的惡習。

如何改掉貪玩的毛病？

Q 我常常恨自己貪玩，但是又很難改變現狀。我也曾嘗試過改正，但都沒能堅持，最終回到原狀，繼續墮落，繼續難受。您說我還有救嗎？

A 你說貪玩指的是什麼？貪玩未必等同墮落，看來你很矛盾，一方面行為是貪玩的，內心卻承受著道德批判，指責自己墮落。想要自助、自救，先把目標設定清楚些吧，貪玩不是那麼罪大惡極，你真正想改變的現狀是什麼？玩是重要的生活調劑，只要能兼顧學業、工作、生活，儘管展現你的玩家本領吧！

　　對於大部分需要改掉壞習慣的人而言，他們只知道墮落、享樂、沉迷，你和他們不同，因為你很清楚知道自己需要改正，這是很重要的優點。

　　就像火箭飛向外太空，花掉最多能源的階段就是脫離地球吸引力的階段，對改正缺點來說，起步也是最難的，因為你要脫離過去的習慣、擁有新的習慣。但一旦你開始新習慣，就像火箭脫離地心吸引力，很快就會感覺到擁有新未來，而且一切都是那麼正常，要做到這些只需要你有足夠的毅力去脫離舊習。

　　起步時，必須下定決心做到，但不必刻意設置難題，可以逐步進行，在每個階段有可衡量的目標：比如告訴自己要做到每天少玩一點，多讀幾分鐘的書或多設計幾段程式。

　　馬克吐溫曾說：「習慣是很難打破的，誰也不能把它從窗戶拋出去，只能一步一步地哄著它從樓梯走下來。」

　　最後，建議你看柯維的《與成功有約》，這本書可以教你怎麼擺脫壞習慣。也希望你在「給青年學生的第四封信」裡的七項學習中挑出一項，並從那一項開始建立好習慣。

怎樣才能腳踏實地？

Q　請問我應該要怎麼做，才能把腳踏實地變成是自己日常做事的習慣？

A　你提問表示你是個有心人。年輕人血氣方剛，容易心浮氣躁；涉世未深，又容易眼高手低，所以踏實是一個多數年輕人都要學習的功課。

　　中國功夫的基本操練是站樁、蹲馬步，一天要練上半小時

到一小時。如果做到了，雙腿有力，下盤穩實。在身體上的腳踏實地也會帶動心理。站樁時一般人五分鐘就難耐雙腿的痠痛，但只要能調氣調息、意守丹田，腿力就一天天地增強。有時候這種每天練功的時間固定下來，就形成了一個健康的習慣。所以要練出心理、精神上的踏實有些抽象，訴諸於身體反而具體得多。能明白這個道理，在身體上實踐踏實後，就可以在生活中建立明確、適合自身情況的目標，制定出詳細的日常計畫，然後一步一腳印地去實現。

其次，做任何事都需要用「心」：「虛心」才不會好大喜功，好高騖遠；「決心」才不會三心二意拿不定主意；「恒心」才能持久，常此以往定能生出信心，慢慢就建立了一個腳踏實地的良性循環。

不做「三腳貓」

Q 我是個不甘落人後的大二學生。但有時候我覺得在學習方面總是被別人牽著走，有時候想出了解決問題的辦法，就想為此拚命，不達目的誓不甘休，但一覺醒來就缺乏熱情了。我常常怨自己太缺乏毅力。拿起書本，學一會兒就煩；想改變自己，又沒有定性。別人都說我是一個對什麼都有興趣、又什麼都不精的「三腳貓」。我整天埋怨自己，就是不能有定性。請問我該如何規劃自己一天的時間？

A 我給你六個建議：首先，別再埋怨自己。怨恨自己是沒有建設性且有害的想法，會抹殺你的自信和積極性。不過，從你既沒定性卻常常怨恨自己，可見還是有定性，只可惜是不健

康的定性。

其次，珍惜你的優點。好奇、有熱情都是值得珍惜的優點。就用這份好奇心慢慢探索，相信在未來，你的好奇心和熱情會成為你的核心競爭力。不過，從過去的經歷，你知道自己沒有足夠的定性，所以以後當你發現新天地時，不要太快感情用事，還是抱著懷疑的態度，多做諮詢。

第三，尋找你真正的興趣。往往我們對有興趣的事情不需要督促就會做好，如果你的方向是你真的有興趣的，「定性」應該相對容易。

第四，接受和理解你需要做的事情。但是在做有興趣的事情前，一定要把手邊必須做的事情做好。有些沒興趣又必須做的事如果不做，以後可能就會失去機會做自己感興趣的事。所以，對一件事，在培養毅力前，先告訴自己為什麼要做這件事。當你理解並深信做這件事是必要時，你就會督促自己。

第五，毅力不是每個人天生就有的，既然認為自己沒毅力，那就先給自己定個目標，慢慢來，不要太急，既然已經意識到這點，那就好辦。一開始不要目標太高，就像爬樓梯一樣，一步一步來。毅力是成才者必須具備的重要素質之一，因此需要重視毅力的培養。日本有媒體總結了種種培養毅力行之有效的方法，包括儘早培養、有意讓自己吃點苦、加強體育鍛鍊等等，你也可以試試。

訂定階段性的目標。從「不做一件事」到「每天做五小時那件事」對大部分人都會很困難。如果你給自己一些可以承受的目標，在達到後再增加，那你就會慢慢形成一種習慣。寧願把目

標先定低一點，但一定要實踐。把自己當作別人，對自己做一個承諾，並且一定要達到自己的承諾。當達到目標時要獎勵自己，給自己一些鼓勵，這樣對你的毅力和自信都會有幫助。

【註釋】

1 你的學習之門往哪兒開？請看網站專家陳真的文章：http://book.5xue.com/17。

2 學習成績究竟意味著什麼，參看論壇討論：http://book.5xue.com/18。

3 真正的大學生是不該如此的，請看專家黃懷宵對大學的闡述：http://book.5xue.com/19。

4 專家孫曉光告訴你讀書的意義：http://book.5xue.com/21。

5 學習的方法有很多種，專家宋新宇告訴你——要帶著問題去學習：http://book.5xue.com/22。

6 參見專家周士淵文章〈挖掘你巨大的記憶潛能〉，http://book.5xue.com/23。

7 參見專家舒騁對學英語的建議：http://book.5xue.com/24。

8 參見論壇相關文章：http://book.5xue.com/25。

9 參見論壇背單詞經驗總結：http://book.5xue.com/26。

10 參見網站關於電腦學習方法的討論：http://book.5xue.com/27。

11 為什麼需要人文素養？參見論壇文章：http://book.5xue.com/28。

12 可參考專家潘碼的文章〈資訊的搜尋和利用〉：http://book.5xue.com/29。

13 參見論壇關於自學的討論：http://book.5xue.com/30。

14 參見論壇相關討論：http://book.5xue.com/31。

15 參見我的文章〈一頂博士帽能帶來什麼？〉，http://book.5xue.com/32。

16 參見論壇中討論如何度過研究生生活的文章：http://book.5xue.com/33。

17 參見論壇中討論關於浪費時間的原因及解決辦法的文章：http://book.5xue.com/34。

18 怎樣克服壞習慣？專家周士淵來幫你：http://book.5xue.com/35。

第4章 走出人際「孤島」
培養溝通合作能力

提高人際交往能力、擁有高EQ，並不如想像中困難。

進入大學時代，同學們第一次有機會接觸到各種類型的人和事，與來自不同地域，性格各異的同儕朝夕相處，有機會參與複雜的人際關係和社會事務。這就為每一位大學生提出了一項新的挑戰：儘快掌握人際交往的技巧，培養自己與人溝通、與人合作的能力，在努力學習專業技能之外，培養高素質的情緒智商（EQ），進一步提升自己，為將來步入社會做好準備。這些「溝通合作能力」以後在事業中會更重要，因為在任何的企業裡，每一項工作都是一個團隊完成的，如果你總是處於「人際孤島」，那麼你在事業中肯定會碰到瓶頸、遇到挫折。等到進入事業階段再學這些技巧就太遲了，何況大學正好提供了一個低風險的學習環境，所以我建議大學生一定要把這方面當作大學四年中最重要的學習之一。

有些大學生在專業領域駕輕就熟，但在人際交往和情商培養方面就顯得障礙多多。例如，有的學生不知道如何在參與校園事務和日常學習之間進行適當的取捨（「學生會幹部的困惑」）；有的學生則被自己過於內向的性格困擾（「不善言談的

我與Google的同事。

人如何交朋友」）；有的同學渴望擁有更多的自信和更強的人際
號召力（「怎樣做更有魅力的人」）；有的同學則因為缺乏自信
而總是鬱鬱寡歡（「如何提高自信」）等等。

其實，提高人際交往能力，擁有高素質的情商並不像想像
中那麼困難。我自己在大學期間也經歷過從性格內向、不善言辭
到充滿自信、勇於展示自我、積極參與人際交往與合作的巨大轉
變。根據我自己的經驗，大家不妨試著從以下幾個方面改變和提
升自己。

首先，充分認識到情商比智商更為重要的道理，在努力學
習專業知識的同時，利用一切機會培養自己的情商。例如：在處
理複雜問題時有意識地要求自己客觀、冷靜地分析自我和環境因
素，從正確認識自身的能力、潛能、經驗等出發，在「自覺」和
「自信」的基礎上選擇最佳的解決方案；在與人相處時更常站

在別人的立場或用別人的角度思考問題，用「同理心」避免人際交往中的猜疑、誤解乃至衝突；在壓力或衝動來臨時多提醒自己「三思而後行」，培養自我控制和自我調整的能力，時刻保持清醒的頭腦，用誠信贏得信任，用自律得到尊重。

其次，透過學習和實踐，提高人際交往的技巧與能力。例如：在保證日常學習的前提下積極參加學校的社團活動、尋找暑期實習機會，或參加社會實踐活動，這些都非常有益於積累社會經驗，在人際交往中接受鍛鍊；利用各種機會拓展自己的人際網絡，嘗試與各種不同類型、不同背景的人進行溝通，多認識那些你認為有特長、有能力的人，這無論是對今天的大學學習，還是對日後的參與工作都大有裨益；透過反覆練習，有方向性地提高自己的傾聽技巧、談話技巧、形體語言技巧和演講技巧，多觀察善於表達的人在類似情形下的處理方式，並讓身邊的朋友幫助自己改進和提高……只要多學習、多實踐，即便是缺乏表達和溝通經驗的同學，也可以很快成為人際交往中「有人緣」、「有號召力」、「有人際魅力」的人。

最後，也是最重要的，我們在人際交往的過程中，一定要

遵循「以誠待人、平等交往」的根本原則。人際交往是一個相互的過程，只有你以誠待人，別人才會以同樣的方式對待你。一開始就抱著猜疑或提防的態度與人交往，只會讓人與人之間缺乏起碼的信任和尊重。在和他人相處時，不要因為自己在某些方面不如他人就感到自卑，也不要因為自己比他人強就傲慢無禮。人與人之間雖然存在差別，但在交往過程中應當是平等和互信的。以樂觀、豁達的心態看待人與人之間的差別，用最為自信和坦誠的心態取得他人的尊重，這才是參與人際交往、提高溝通能力的關鍵所在。

許多同學多年苦讀之後，對這種「軟技能」（soft skills）也許不知如何下手。其實，這些都是我們從小就學會的。前陣子，在網路上有篇文章，標題為：「我們人生所有需要的其實在幼稚園就學會了」，裡面說的正是與人相處之道。贈給大家這篇有趣的文章：

- 所有東西要分享（以誠待人、平等交往）。
- 玩遊戲要公平（公正、互信）。
- 有話好好說，不要打人（溝通能力、情商）。
- 物歸原位（執行力、責任心）。
- 自己弄髒的，自己收拾乾淨（勇於認錯）。
- 不要拿別人的東西（誠信）。
- 傷害到別人要道歉（禮貌、同理心）。
- 走在外面時，要注意交通，要手牽手，走在一起（團隊精神）。

在學生社團中鍛鍊自己[1]

學生階段是否應參加社團活動？

Q 您認為在學生階段是否應該參加社團活動？我應該如何選擇社團？加入以後，又應該注意些什麼問題？

A 一般來說，我非常鼓勵學生透過參加社團來充實大學生活。選擇社團一定要基於興趣，當然也可以嘗試新事物以便更廣泛地探索自己的興趣，這樣才能擴大接觸面，結識志同道合的夥伴。在社團中學習團隊精神和溝通能力，是學生踏入社會前必要的準備。我大學時曾經迷上打橋牌，當時到處參賽，見到無數高手，在這個過程中，我培養了自己的信心，與結交的好友建立起深厚的默契，也為我的大學生活留下了難忘的回憶。

大學裡的社團很多元，有知性方面的，如天文社、演講社、辯論社、橋牌社等；有美育方面的，如管弦樂社、國樂社、書畫社、詩詞社、合唱團等；有運動方面的，如登山社、籃球社、排球社等等。為同學們提供了非常多的選擇，只要用心尋找，總能找到適合的社團。

社團可以看作是一個微觀的社會，參與社團是同學們步入社會前最好的磨練。在社團中，可以培養團隊合作能力和領導才能，也可以發揮你的專業知識。但大家需要注意的是，在社團中不光要展示自己的才能，更重要的是要做一個誠心誠意的服務者和志願者，服務同學和老師，而這些都將成為你寶貴的經驗。在這個學習過程，你可能會覺得不輕鬆，也肯定會遇到挫折，但是不要灰心，因為大學社團裡的人際交往學習是不用「付學費」

的，錯了可以重頭來過。

在學生階段，如果要參加社會活動，必須把握四個標準：力所能及、鍛鍊提高、志願服務、興趣所在。如果你參加的社團活動影響你的學習，就需要做出調整，做到「力所能及」。如果參加的社團活動對你的自身修練幫助不大的話，就要考慮這種活動是否對他人有幫助，自己對服務他人是否有興趣；如果這種活動對他人沒有幫助，或者即使有幫助但自己不感興趣，也可以考慮退出。

一些學校的學生社團氛圍不是太好也是一個不爭的事實，如果看不慣，就不要強迫自己為了學校裡的有關獎勵而參加這樣的社團，你以後會發現學校的這些獎勵對你而言都不是真正重要的東西，因為畢業後面對社會，又是個重新選擇的機會，那時靠的都是自己的「真本領」而不是這些所謂的「虛名」。不要只是為了培養合作溝通能力而參加社團，因為在學習（比如學業的交流或課程實踐項目）中也可以得到相關訓練，所以不要強求自己參加不喜歡的社團活動。

怎樣成為優秀的學生幹部？[2]

Q 我現任學院的經濟管理系學生會主席，但我對自己的主席角色還不適應，請問我怎麼樣才能成為優秀的學生幹部？做為學生幹部的我是應該以服務大眾為目的，還是應該以鍛鍊自我為目的？在學習和工作之間，我是應該先做好學習，還是先處理學生幹部的事務？我應該怎麼處理學生幹部與同學、學生幹部與老師之間的關係呢？老師與同學之間有矛盾時，我又該如何處理？

A 要做好學生工作需要的是責任感、服務的心態、熱情、交流與溝通能力。做為學生會主席，你應該以更高的標準要求自己，先做好你自己，然後再要求你的同伴們做好！你要時時鼓舞人、感召人、信任人、團結眾人，為全學年的學生工作做好詳細計畫。要成為好的學生幹部，建議你做到以下六點：

1. 學生首先應該以學為主。如果你的學生幹部工作影響學習，我建議你先把學習做好。學習不佳的學生幹部往往很難在同學中建立威信，這和業務不強的領導人很難在工作中使部屬信服的道理是一樣的。

2. 不要把自己看成是領導，要把自己看成是志願者和服務者。一個成功的領導者，必然是一個誠心誠意的服務者和志願者。現在很多學校把社會上的「官本位」這一套搬進教室，這對年輕一代有很不好的影響。我一直覺得，「學生幹部」這個名詞應該改一改，其實大家都是一起念書的同學，只有志願服務者，哪有什麼「幹部」和「百姓」之分，同學們對「學生幹部」的認知應該是「幫大家做事的人」。

3. 成為同學與老師甚至與校方交流的橋梁。踏上工作崗位後你會發現，擁有溝通兩個不同群體的能力非常可貴。學生幹部和老師、校方互動時，要學習與權威溝通協商的技巧，既要敢言，又要維護正常的校園秩序，同時理解校方立場，這是很大的挑戰。

4. 很多班級上或社團裡的事情，要民主和透明，讓大家一起

參與決定，儘量發揮大家的積極性。

5. 實實在在，不要搞形式主義。不要為活動而活動，為了宣傳而宣傳，多把精力花在替大家「排憂解難」上。

6. 謙讓。學生幹部往往在很多方面得到優先的機會，要把這些機會與大家分享，不要獨占。這是對一個人廣大胸襟的培養，好的領導要做到與部屬「有福同享、有難同當」，而且要身體力行，不能只是喊口號。

在校期間，要是能夠懂得平衡社會工作和學習的關係，保持優秀的學習成績，讓老師覺得你是他們的好幫手，讓同學覺得你值得信賴，那麼，你就為自己踏入社會做了充分準備。

老師、學校和學生之間沒有本質上的矛盾和對立，從大方向上來說，兩者的目的應該是一致或相近的，兩者之間的矛盾有時也只是對事物的看法和處理方式不同造成的。不要只站在同學的立場上和老師作對，或只站在老師的立場上和同學對立，做為學生幹部，你是校方和同學間的使者，要有使者的外交藝術，增進兩者之間的溝通，才能夠在雙贏的基礎上把事情做好。如果和老師或同學碰到一些矛盾時，具體來講，有以下建議：

1. 和校方或老師有不同想法時，應該在和同學談及之前儘量先與老師溝通。告訴老師，你的這個想法還沒有和其他同學談起，但是想聽取老師的意見和指導。如果你在和老師談及此事以前，已經廣泛鼓動同學們反對校方的措施，那你在校方或老師心目中就會顯得過於激進，而在中國文化中這樣的形象是不易被大家接受的。

2. 提高自己的遊說能力。只是「義正詞嚴」地講大道理在很多情況下並不能被接受，和老師、同學交流的時候應該更常「動之以情」。

3. 選擇正確的「戰鬥」，不要所有事情都去爭取，而要分清主次。其實校方和老師有時的決定也是迫不得已，因為他們也身處於各種複雜的社會環境之中。在這種時候，要理解他們，不要在小事上計較。

4. 要學會和各式各樣的人打交道，對包容各種不同的人。對有些人，你個人喜歡也罷，不喜歡也罷，都需要成功地和他們打交道。首先，你的主觀感受不一定是全對的，你所厭惡的不一定真正值得厭惡。其次，每個人都是在自己獨特的成長環境中形成自己的性格，有些人形成了你看不慣的性格，不是他自己能夠左右的。所以，對這樣的人，你應該落落大方，不妨與其談笑風生，而在心中與之保持距離就可以了。

5. 不要當著很多同學的面和老師爭執，在人多的環境，老師可能為了維護自己的尊嚴，比較難採納你的意見，你可以私下找老師談有不同意見的地方。

為了鍛鍊自己，或為了服務大眾而參加學生工作，都是合理的動機。同時，兩者在很多情況下都是不矛盾的，沒有必要讓這兩個目的對立。你的工作目的是服務大眾，但是過程中你可以鍛鍊自己。幫助、服務他人是長遠的事情，不要「涸澤而漁」。反過來，如果當學生幹部只是為了投機取巧，毫無一心為公的思想，我對這樣的學生幹部很反感。

學生會幹部的困惑[3]

Q 開復老師，我有困惑！我是一名學生會幹部，做學生會工作已經一年多了。最近，我愈來愈覺得壓力大。因為學生會的工作很忙，做為一個主要負責人，有很多事情都要親力親為，這樣一來就占用我大量的時間，使我的課業和身體狀況都變差了。因此，我很想向老師辭去這一職務。但是，我的很多朋友卻認為，如果辭去職務，我將失去很多評選為「優秀」或「進步」的機會，很不值得。目前我和學生會中的同事在合作上也出現了問題，我很不愉快。請問在這個時候，我應不應該離開？

A 首先，課業和健康狀況都變差了，這是警訊，也是你為擔任學生會幹部付出的代價。看來對你而言，成為學生會幹部應該有特別的意義，以致你能夠忍受這麼大的影響。建議你繼續做下去之前，想想以下幾點：

首先，這是不是一個值得留戀的學生會？如果這個學生會有優秀的管理團隊，並且從學校得到的支援較大，大家一起工作非常開心，可以結識更多志同道合的朋友，學習到更多的交際、決策、組織等管理知識，那麼應該留下。但有一個前提，應該在自己能夠完成學習任務的基礎上，再完成學生會的工作。反之，如果進入了一個官僚主義氛圍濃厚的團體，不但消耗自己大量的精力，還影響了對學生而言最重要的學習，我認為是得不償失的選擇。

其次，你為什麼加入學生會？你在學生會想得到什麼？如果你參加社團只是為了得到好的評價、追逐權力，或是為了評選為優等的機會，我建議你多考慮自己這麼做是不是值得？也許你

應該花些時間思考你的價值觀和理想，並且做一個更好的大學學習計畫。如果你參加社團是想學習交流溝通、團隊合作、廣交朋友，這些是很好的理由，但是你因為與同學工作合作不愉快而離開，是不是成了逃避？建議你想想是否該堅持下去，才能達到你加入學生會的目的？除此之外，還有很多良好的理由，例如學習領導力、與優秀的人相處、服務同學和學校等等。

第三，如果這是一個有價值的團體，你也學到很多東西，就要解決平衡時間的問題。如何平衡課業和學生會的工作？首先，你可以想想有沒有方法可以減少你在學生會的工作量。你說自己做為領導者一切都要親力親為，其實好的領導者未必要事必躬親。學生會應該有許多幹部、成員，大家有沒有形成一種分工合作的機制？你有沒有授權給別的同學？做為一個負責人，把握住大方向就好，要學會分工，如果什麼事情都自己做完了，反而會讓自己的部屬有種被冷落的感覺，他們會覺得自己的才華沒被肯定，從而心生意見。還有，你最基本的學習成績應該達到什麼標準？你在學生會最基本的工作是多少？有沒有可能至少兩者都達到最基本的要求？

最後，如果不能兩者兼顧，如何抉擇？如果最後你的決定是無法兩者兼顧，那麼你就要做一個選擇。把兩個選擇可能出現的最好和最壞的結果列出來，做一個客觀的列表。不要忘記，大學時期最重要的是學習。你認為自己在課業中能學習到的更多，還是在學生會能學到更多？如果你選擇學生會，你的學業會受到多大的影響？你在學習上和在學生會工作所要花費的時間和精力只有你自己最清楚。如果你最後選擇放棄學生會的工作，建議你

還是要負責任地找到接班人，做好交接的工作，才能退出。

做學生幹部有用嗎？

Q 我不太喜歡社交，但是我的老師卻強調畢業後人資部門特別看重學生在校的工作經驗或社團經歷，因此我目前也負責一些學生工作，但我很苦惱，覺得浪費太多時間，請您的指點。

A 從純粹功能性的觀點來看，你的老師說的有道理，社交技巧、工作經驗代表處理人際關係能力的高低，還有獨立性、團隊精神、溝通能力，對不喜歡社交的你這些都是大學四年應該充實的項目。你認為你現在的學生幹部工作能夠增強這些能力嗎？如果能，那麼你的確感覺自己在進步嗎？如果答案是肯定的，我會建議你堅持下去繼續做學生工作，因為這些能力將來在實際工作中肯定是有用的。如果答案是否定的，你只是為了將來能找到一份不錯的工作，那你就要自己斟酌，是否值得為此付出時間和精力。

我想，就算社團經歷、學生工作經驗在找工作時很重要，也不需要大學四年每年都做學生幹部，擁有兩年的經驗應該已經足夠了。做一個正直的人、學會為人處世、掌握專業的技術和能力，這些才更能夠成為你將來在社會上立於不敗的硬體資本。

可是從功能性以外的觀點來看，從你自身的感受出發，你能從這些工作中感受到樂趣嗎？學生打工、加入社團很多時候是和個人興趣相關的。我有很多朋友在學生社團中找到第二專長，或結識了終身的伴侶、好友，這種融入同伴中，享受「志同道合」的感覺是千金難換的。

不做學生幹部也心有不甘

Q 我念中學的時候，一直擔任學生幹部，上了大學後我只做了一年學生會副主席、一年主席，因為想花更多的時間在讀書上。但是這樣的日子讓我感到不快樂，我發現自己不是個大智的人，無法消受那孤寂中的美好！我常常反思：這樣的大學生活是否正確？我是不是應該繼續爭取做學生幹部？

A 針對你的問題，我想先講兩個現實生活中的故事。有個男孩，他在中學的時候，由於顯得比同齡人更成熟，所以順理成章地當上了班長和學生會主席，成為同學中的領導者。老師特別信任、寵愛他，讓他組織各種學生活動，並且給予他別的同學都沒有的「特權」。他能夠用成年人的方式跟老師交談，站在老師的角度看待問題和處理問題。他成績中等，但就算是不喜歡他身上濃厚「官氣」的同學也不得不佩服他的組織能力。大學聯考之後，他進了一所很一般的大學，他沮喪地發現，大學生活與他的期望相去甚遠，中學時他得到的重視和特權一去不返。由於他的能力特長似乎局限在一個狹窄的領域內，而且一定要在得到讚賞的順境中才能發揮，因此，他沒能迅速從眾多同學中脫穎而出，最後，他心理徹底崩潰，不得不休學回家。

第二個故事的主角是法國人。二戰爆發後，在希特勒的凌厲攻勢下，法國很快淪陷，一個很有潛質的學者中斷研究工作而從軍。然而不幸的是，他在二戰初期就被納粹俘虜，關進德國監獄。他鍾愛的研究生涯和平靜優裕的生活仿佛已經成為另一個世界的記憶。最為恐怖的是，在蘇聯紅軍攻破柏林之前，沒人知道納粹會對盟國戰俘做些什麼。獄中五年，暗無天日，命懸一線，

直到1945年德國戰敗，他才獲救。在人類理智遭到法西斯主義的挑戰時，他在獄中以一種特別的方式度過他本人和整個世界的這場滔天苦難：在德國監獄的可怕條件下，他奇蹟般地寫完了巨著《地中海史》（*The Mediterranean and the Mediterranean world in the Age of Philip II*）的大部分篇幅，他後來說，這是「對我度過的悲慘時光的直接回擊」（a direct existential response to the tragic times I was passing through）。這個人的名字叫布羅代爾（Fernand Braudel），後來成為法國最優秀的歷史學家，年鑑學派的巨擘，他的貢獻甚至影響到今天的中國學術界。

對比兩個故事中的人物在危機中的不同表現，你可以看到：在遭遇重大危機的時候，一個人如果有豐富的精神資源，他就能以勇氣、智慧和堅韌度過最嚴峻的關頭；相反的，一個心靈貧乏的人，最普通的命運起伏也可能摧毀他的精神支柱。

然而，人非生而知之，必待學而知之，豐富的精神資源是要靠自己去學習和領悟才能得到的。你說上了大學後「想花更多的時間用來讀一些書，但是這樣的日子也讓我不快樂，發現自己不是個大智的人，無法消受那孤寂中的美好。」你現在的問題絕非你沒有大智，而是處在心情比較浮躁的階段。可是，你若不能讓自己努力度過這一關，當你面對漫長人生中的起起落落時，你到哪裡去汲取力量和勇氣來化解苦悶、支撐內心呢？

我覺得，做學生幹部的目的應該是為了培養能力，千萬不能把它當作一種權力。在一個有幾千年「官本位」傳統的國家，權力無孔不入地侵入社會的每一寸空間，大學生也難免會受到成人社會的一些影響。然而成人社會中的權力在控制他人的同時，

也扭曲著掌權者自身，享受權力的快感為控制者提供了一種虛假的成就感，而一旦失去權力，已經變得貧乏的內心就失去支撐，不得不面對巨大的失落感。學生幹部中既有品學兼優的好學生，也有受成人社會權力模式影響的小「職業幹部」，個中分寸如何把握，全在一個人是否具備健全的、堅強的人格。

如果你能看到，學生幹部這個角色不是意味著權力，而是服務，那麼無論你做不做學生幹部，服務的機會永遠都有。如果想採取個人服務大眾的方式，那麼幫助身邊任何遇到困難的人都可以；如果想參加某個公益服務團體，現在有很多民間的、自發的公益活動，加入其中既可以鍛鍊自己又幫助了他人。

的確，現在有種觀念是把「做不做學生幹部」、「做多高級別的學生幹部」當作衡量一個學生是不是優秀的標準之一，我認為這是價值觀不正確的社會最流行的荒唐見解之一。無論入世或出世，只要是自己喜歡的生活方式，都可以成就精采人生。那麼，成長中應該追尋的是什麼呢？這個問題已經有無數答案，而我最喜歡的答案，來自傅雷先生的描述，那就是做一個「又熱烈又恬靜，又深刻又樸素，又溫柔又高傲，又微妙又率直」的人。

培養溝通合作能力

85%與15%

Q 我曾經在一本刊物上看到過這麼一句話：「一個人的成功85%決定於在社會中的人事關係，只有15%決定於專業知

識和其他的因素。」請問您對這句話的看法為何？

A 這句話是卡內基說的，我認為這句話非常有道理，但是千萬不要把「一個人的成功85％決定於在社會中的人事關係」誤解為「一個人的85％精力都應該放在搞人事關係上」。

卡內基的本意是說：在當今社會，每一個團隊的協調，每一個人與上下級相處的關係，每一次說服別人的過程，每一次和別的公司、合作夥伴、客戶的協作，這些都是人與人之間相處的模式，在每次人與人之間的互動中，每個人都要學會如何表達自己，如何與人溝通、說服別人，如何有同理心、聆聽別人，如何讓人信服、建立團隊精神等等。這些能力確實比專業知識更重要，而且永遠不會被淘汰。

在我給青年學生的七封信裡都分別提到了這方面的內容，建議你看看。同時，閱讀卡內基的書也能學習不少這方面的技巧。很多卡內基的作品在網路上也能找到，他最有名的一本書是《卡內基溝通與人際關係》（*How to Win Friends & Influence People*），你可以找來讀讀。

如何培養團隊精神？

Q 您經常講到團隊精神的重要性，但什麼是團隊精神，做為大學生的我又該如何培養團隊精神？

A 團隊精神就是在一組人共事時，在個人心中完成共同目標的重要性大於凸顯個人表現。我們在世界盃足球賽、一流交響樂團的表演、企業界的研發小組中，都能見到團隊精神的發揚。團隊精神的重要元素包括：對其他成員專業水準的認同、對

團隊一體的共識、清楚自己位置、對自己有充分自信，以及對目標的全然投入。對於一個團體、一家公司，甚至是一個國家來說，團隊精神是取得勝利和實現目標過程中的關鍵性因素。

微軟公司是世界最大的軟體公司，在其中團隊精神特別重要。比如研發Windows 2000時，微軟公司中有超過三千名軟體工程師和測試人員共同參與，共寫出了五千萬行代碼。倘若沒有高度統一的團隊精神，沒有全部參與者的默契與分工合作，這項工程根本不可能完成。

相反的情況也屢見不鮮。到了微軟開發Windows Vista的時候，一項困難工程交派下來，幾位負責人明明知道無法完成，卻不敢告訴大老闆。由於大家都知道工程肯定無法完成，因此大家花費更多的時間去算計怎麼把這項工程的失敗推諉到別人身上，甚至有些負責人開始另起爐灶，準備在原來困難的工程失敗後，證明自己的先見之明。正是這樣的人和這樣的工作作風，導致一個兩年的專案做了四年後宣布重頭開始，並換掉了當時一批沒有團隊精神的負責人，對所有參與者重申團隊精神的重要性。又過了兩年後，在新領導者的帶領下，產品才終於問世。

為了培養團隊精神，我建議同學們在讀書之餘積極參加各種社會團體的活動，在與他人分工合作、分享成果、互助互惠的過程中，你們可以體會團隊精神的重要。

在學習過程中，你千萬不要吝嗇於把好的思路、想法和結果與別人分享，擔心別人比自己強的想法非常不健康，也無助於個人成長。有句諺語說，「你付出的愈多，得到的就愈多」。試想，如果你的行為讓人覺得你專門利己不利人，當你需要幫忙

時，別人會來幫助你嗎？反之，如果你時常慷慨幫助別人，那你是不是會得到更多回報？

　　在團隊之中，要勇於承認他人的貢獻；如果借助了別人的智慧和成果，就應該公開聲明；如果得到他人的幫助，就應該表示感謝。這也是團隊精神的基本體現。

性格太內向的人如何與人交往？

Q 我是一個性格比較內向、不善言談的人，感覺這樣的性格不利於與人交往，平時和人閒聊的時候常會不知道要說些什麼，冷場是常有的事。因此身邊的人認為我很難相處，沒人願意跟我交朋友，這使我感覺愈來愈孤單，學習也不能集中精神，讓我的生活形成了一個惡性循環的氛圍。我想改變這種性格，做一個很會說話的人，有什麼方法可以改變嗎？

A 首先，內向並不是缺點。著名的瑞士心理學家榮格（Carl G. Jung）在其心理學理論中指出：「人可以從不同的事物中汲取能量——外向的人可以從和他人的相處中得到能量，而內向的人可以從獨自的思考得到能量。」內外向的性格都有各自的優點，不必太刻意去改變什麼，內向在某些方面也是有利的，所以內向的人不應該謀求徹底改變自己，而應當慶幸自己擁有這樣的個性，並透過最適合自己的方法得到能量。讓一個很外向的人整天獨自思考，他會覺得壓力很大；同樣的，讓一個內向的人去參加大派對或面對數千人發表演講，他也會覺得壓力很大。因此，我們應當善於發揮己長，以自己擅長的方法得到成功。

　　其次，內向和外向之間並不是非此即彼的關係，而是有一個可以動態調整的範圍。比方說，用1到10共十個數位來標記人的性格，1為極端內向，10為極端外向，那麼，要一個人從內向的2跳到外向的9顯然是不務實的，但要讓他從2跳到4，就不會很困難。事實上，每個人都有屬於自己的動態範圍。例如，我做過兩次「Myers-Briggs測試」，在我做經理人之前，我的「內外向指數」是4，在做了十多年經理人後，我的「內外向指數」是6。也就是說，我可以在較為內向和較為外向的範圍內，根據需要調整自己的性格。所以，每個內向的人都可以在不給自己太大壓力的前提下，儘量往外向的方向發展。

　　我給你一些實踐性較強的建議：

1. 接受並為你擁有的內向性格感到欣慰，從自己的性格中獲取能量。外向者喜歡從執行中學習，而內向者喜歡從思考中學習；外向者喜歡透過討論碰撞出思想的火花，而內向者希望經由靜思達到創新的目的；外向者善於組織人和事，而內向者善於組織思想；外向者善於表達，而內向者善於感悟。

2. 給自己設定一些「較外向但又不帶來太大壓力」的目標，例如，要求自己開會時發言，或一個月主動交一個朋友等等。這些計畫最好有「可衡量的目標」，以督促自己執行。內向的人有時會怕丟臉所以放不開，或者有太重的防備心理，這就需要多練習，每天做一件想做但又有一點「社交恐懼」的事情。

3. 以誠待人。人的感情都是具有反射性的。你若希望別人對你和善，首先要對別人和善；若想別人對你付出真心，首先要對他人付出真心。如果你能待人更真誠點、更主動、更熱心一點，隨時隨地以誠待人、將心比心，你就更容易被人接受和信任。你最終的目標是要與人相處的更好，但這並不代表你必須改變自己的性格。

4. 利用你擅長的興趣、嗜好去認識有共同興趣的朋友，打開話題。或者，針對一些你想認識的人，找一些共同的話題。與人交流時，專注地聽對方講話，讓對方知道你在聽；在適當時間表達自己的意見。不過，注意朋友是終身的支柱，寧缺毋濫，千萬不要交一些所謂的「酒肉朋友」，或與那些不是真心和你交往的人做朋友。

5. 練習和陌生人交談的能力。主動找人講話時，不要那麼在乎「面子」。如果一個人不理睬你，那就繼續找下一個朋友，你不會有任何損失。

6. 參加一些社團，經由社團活動認識別人。在你所屬的團體內去找朋友，如找同班同學一起念書、複習，向他們誠懇求助，找一些共同進餐的朋友，有時我們會驚訝地發現，一旦我們願意開口，身邊願意伸出援手的人遠超過我們想像。

7. 主動、開朗一點。要想結識有趣的人，必須先成為有趣的人；想成為有趣的人，就要主動和別人談有趣的事，不要老是等著別人講話。總是喜歡和人分享有趣事物的人，他

的身旁必定有許多願意傾聽的朋友。不必刻意去「搞好人際關係」，能尊重他人，使人心情輕鬆，自然受人歡迎。

8. 要讓自己更平易近人，學會微笑很重要。在所有的溝通方式中，「笑」的感染力最大。耶魯大學的研究發現，「笑」的力量超過所有其他感情，人們總會反射式地以微笑來回報你的微笑。

9. 主動向別人釋放善意，對幫助過你的人致謝，告訴對方他們在什麼地方幫了你的忙。或許這樣主動向外求助，然後以感謝回饋的方式可以開啟一個交友的良性循環。

10. 與人交流時，多聽少說，傾聽時要專注於對方所說的每一句話，讓對方知道你在認真傾聽，並且表現出你的確在乎對方的想法，在適當的時候坦誠表達你的意見，漸漸地你就會發現很多人都會非常喜歡與你交往。

我要做個有想法的人

Q 我是一個很容易受別人影響的人，因此也很在意別人的話，似乎別人對任何事的看法都會在很大程度上影響我，這讓我困惑不已。我想做一個更有魄力，有想法的人。我該如何讓自己更有想法，在接納別人看法的同時又不被別人所左右？

A 當我們自信不足時，內心的聲音就會微弱，怕別人不接受、不認同自己，只好被別人的眼光、言語左右。首先，你必須培養自信。除了自信之外，如果想讓自己做個更有魄力、更有想法的人，你可以試著用以下方法訓練自己：

1. 學習自我肯定：把別人的說三道四擺一旁，肯定自己是獨一無二的，也擁有獨一無二的生命經驗和眼光。

2. 爭取機會表達自己的想法：要培養自己的見解、想法，有勇氣將自己的思想大聲地表達出來，需要一定的時間不斷練習。用舉手或其他肢體語言讓他人知道你想發言。如果別人都在說話，你感覺插不進嘴，那就等別人呼吸時把握時機插進去。試著從「我有些另外的想法……」開始，不要讓他人打斷你，不要讓他人不理會你的意見。如果你被打斷，你可以理直氣壯地說「請讓我說完」；如果你說了這句話還沒有被理會，重複這句話。

3. 不要自動接受別人的看法：理解自己的原則，知道什麼是不可放棄的。絕對不要同意不符合自己原則的事。你可以提出建設性的意見表示反對，在尊重他人的前提下挑戰他們的意見，表達你的看法；當然你也要傾聽他人的意見，當別人是正確的時候，誠懇接受他人意見。你要知道，對於任何事，每個人的觀點和想法都可能不一樣。

4. 培養表達的技巧：多練習和對方目光接觸，這會讓你慢慢不那麼膽怯，在別人眼裡顯得更有自信。講話時少用那些拖泥帶水的詞，例如：也許、可能、會不會、如果、聽說等等；多用那些有魄力的詞，例如：我認為、我希望、我要求等等。

你也可以去觀摩辯論比賽等活動，學習從不同的立場思考和表達。

怎樣做更有魅力的人？[4]

Q 我平時很難與人結交成為朋友，我覺得這是因為我沒有個人魅力。我想改變這種狀況，請問我要怎麼做才能成為一個更有魅力的人？

A 當我們提到個人魅力，比較傾向於是指對群眾的號召、影響力，像美國的金恩（Martin Luther King）博士、甘迺迪總統或印度的甘地，即是從某個層面來說具備了領導眾人的特質或氣質。想要與人做朋友不是非要具有這樣的個人魅力，與人交友的條件只需要「樂與人處」，而與之相對的另一個極端是社交或人群恐懼症。所以或許你應該進一步探討讓你難與人為友的原因是什麼，是太害羞？太孤僻？太嚴肅？太沉悶？先把目標縮小，練習做自己的朋友，用欣賞的眼光看到自己的獨特之處，再反思，我是個有趣的人嗎？我的生活有樂趣嗎？我喜歡幫助、服務別人嗎？我對人感興趣嗎？如果這些答案是肯定的，你會發現你的朋友就在四周！

所以，我認為，你交友困難的主要問題應該不是你沒有個人魅力，下面是我在「給青年學生的第四封信」（收錄在《做21世紀的人才》第14章）中針對交友問題的五個建議，可能對你有幫助。

第一，以誠待人，以責人之心責己、以恕己之心恕人。對別人要抱著誠摯、寬容的心去相處，自己要抱著自我批評、願意修改的胸懷來自省。與人交往的過程中，你怎樣對待別人，別人就會怎樣對待你。就像照鏡子一樣，你的表情和態度，可以由他人對你的表情和態度上一覽無遺。你若以誠待人，別人也會以誠

待你。你若敵視別人，別人也會敵視你。最真摯的友情和最難解的仇恨都是由這「反射」原理逐步造成的。因此，你想修正別人時，應該先修正你自己；你想別人以怎樣的態度對待你，你就需要怎麼對待別人；你想他人理解你，就要先理解他人。

第二，培養真正的友情。如果你能做到第一點，很多大學時的朋友會成為你一輩子的好朋友或知己，一起求學和尋求自我發展的路上，這段友誼彌足珍貴。不要只去找像你的人或附和你的人做朋友。良友有很多種：樂觀、有智慧、腳踏實地、幽默有趣、激勵你上進、提升你能力、幫你了解自己、對你說實話的朋友等。大學時談戀愛可以教你如何照顧別人，增進同理心和自控，但是一切隨緣，不要為了談戀愛而談戀愛。

第三，學習團隊精神和溝通能力。社團是微觀的社會，參與社團是步入社會前最好的磨練。在社團中，可以培養團隊合作的能力和領導才能，也可以發揮你專業知識。但更重要的是做一個誠心誠意的服務者和志願者，或者在擔任學生工作時主動承擔同學和老師之間溝通的橋梁，鍛鍊自己的溝通能力、服務同學和老師，這些經驗都很寶貴。這個學習過程也不會輕鬆，挫折是肯定的，但不用灰心，大學社團裡的人際交往學習是不用「付學費」的，錯了可以重頭來過。

第四，從周圍的人身上學習。在班級裡、社團中，多觀察周圍的同學，特別是那些你覺得交往能力和溝通能力強的，看他們如何與人相處，比如，如何處理交往中的衝突、如何說服他人和影響他人、如何發揮自己的合作和協調能力，甚至如何表達對他人的尊重和真誠、怎樣表達贊成或者不同意，怎樣不冒犯他人

又充分體現自己的個性……，漸漸地你會發現，注意與人交往的方法對你的人際關係也能發揮意想不到的效果。每個朋友都可以成為你的良師。觀察你的每個朋友，看看他們值得學習的地方，無論是熱心、幽默、機智、博學、正直、溝通、禮貌，以他們做模範。同時，慷慨幫助你的每個朋友，做他們的良師和模範。

第五，培養自身的專長、優勢。有些學生覺得自己沒有什麼特長和愛好，是提升人際交往能力的一個很大障礙，這些人可以去選擇和培養一些興趣愛好。共同的興趣和愛好也是與朋友建立深厚、持久感情的途徑之一。很多在事業上有所建樹的人並不只是會閉門讀書，他們大多會有自己的業餘興趣和愛好。我在微軟亞洲研究院的同事大多有嗜好和特長，比如繪畫、橋牌、體育運動等等，不一而足。

業餘愛好不僅是人際交往的一種方式，還可以讓自己發掘讀書以外的能力。體育鍛鍊可以發揮你潛在的能力，很多體育項目可以培養你和其他同學的團隊合作精神。如果真的沒有什麼興趣愛好，多讀些好書，或者自己感興趣的書，豐富知識、幫助自己思考，因為沒有什麼比智慧和博識更能增添一個人的吸引力。

多聽還是多說

Q 您說在處理人際關係時首先應該善聽；第二，不要強加於人就能夠贏得別人的尊重。但我認為：影響人要多說；在做一個專案的過程中實際上就是你的思路實施的過程，我們怎麼能說不對人施加影響呢？其實大家都在試圖給予對方影響和控制，而且您也說過自己想對別人有影響力，這是不是跟您說的有些矛盾？

A 不要陷入非黑即白的極端思考。關於聽和講，兩者都重要，但人際關係中大家習慣多說，忽略了聽的藝術。當你確定你的話有意義時，沒有機會也要找機會講出來；當你的話只是為了說教或把自己的想法強加於人時，對方將無法感受你的開放和誠意，這時說什麼都是徒勞無功。

「多聽」是我對處理人際關係的建議。人際關係最重要的是得到信任。多講可以讓別人覺得你很優秀（如果你講得好），但是多聽，而且聽進去，並表達同理心，才能得到信任。所以，最終希望影響他人的人不能只講不聽，因為別人更可能是因為對你的信任而被你影響，而不是因為你的優秀而受到影響。

關於影響和控制，我想解釋我說的「最大化影響力」這句話的意思，不是要去控制他人。我希望影響他人，只是為了讓大家能聽清楚自己的聲音，理解自己的興趣，看清自己的理想，我們不應該有控制其他人的欲望，我希望能夠幫助每個人找到自己的「自主權」。提升影響力的關鍵在於，不要把關係建立在企圖控制對方的幻想上，而是理解和尊重。

在做專案時，在團隊裡大家是一個團結的整體，相互間的信任和尊重是很重要的。你的思路好，大家才會接受你的思路，你的協調能力好，大家才會聽你的，而非強迫所致，如此才能讓大家齊心協力把專案做好。

沉默是金嗎？

 在中國傳統思想中有「沉默是金，合宜為重」的觀點，但如果這樣做可能會在現今社會中埋沒自己，無所作為；但若發

揮自己張揚的個性，雖然能把自己推銷出去，鋒芒太露又可能招人嫉妒，您對此有什麼看法？按照傳統思想，是否不用刻意訓練自己的表達和溝通能力？

A 「沉默是金」的含意應該是說，沉默有些時候較言語更有力量，所謂此時「無聲勝有聲」，那是一種只可意會不可言傳的溝通境界。這不是不會表達或怯於表達，溝通中也需要耐得住沉默，用「心」去承受。了解沉默是很大的藝術，如果一個人只會不停咶噪，喋喋不休地推銷自己，那還不如沉穩些，否則不只遭人妒，更可能遭人煩。溝通不是單向的，也不是個人張揚就行的。

如果你有自己的想法，那麼這時候沉默絕不是金，沉默會埋沒你的才華，讓你淪落為一個沒有思想的人。伯里克利（Pericles）曾經說過：「一個有思想但不會表達的人，和一個沒有思想的人是一樣的。」何況，在21世紀的今天，等待別人花時間發掘自己才能的時代早已過去。唯一有充分理由和動機推銷你的人就是你自己。多發表有意義的意見，讓人看到你的貢獻與才華，但切忌為了表現而發表意見，更不要說一些毫無意義的話；另一方面，不要太過張揚，要給別人發言的機會。

如果你讀過我的「給青年學生的第一封信」（收錄在《做21世紀的人才》第12章），你會記得我在文中有這樣的描述：與大多數美國學生相較之下，中國學生的表達能力、溝通能力和團隊精神相對欠缺一些。這也許是由於文化背景和教育體制的不同造成的。今天，我們面對一個正走向高度全球化的社會，生活在群體之中，做出更好的表現，得到更多的和收穫，尤為重要。

　　你還要注意，良好的表達和溝通能力非常重要，不論工作表現多麼優秀，如果不會表達，就無法讓更多人理解和分享，那就幾乎等於白做。所以，在學習階段，你不能局限在一個人的世界，應當儘量學會與各階層的人交往和溝通，主動表達自己對各種事物的看法和意見，甚至在公眾集會時發表演講，鍛鍊自己的表達能力。

如何克服緊張，自在地演講？

Q 我天生有些內向膽小，特別是站在人前演講、朗讀時很緊張。這樣的習慣有七年了，一有演講、朗讀的事情我就逃避。可是我是師範大學的學生，經常要面對這樣的事情。我也在私底下偷偷練習，但總是一上台就緊張到忘了自己該講什麼。我要怎樣才能不緊張？我總想好好表現，可是我愈想完美就愈糟糕，現在我想訓練自己的演講能力，該怎麼辦才好？

A 首先，我們要建立一個認知，就是上台演講、表演時的緊張是極普遍的問題，我也跟大家分享過自己如何克服演講時緊張的經驗。世界上最著名的表演者、歌唱家、球員，都有這種「怯場」的壓力，一旦成為眾人注目的焦點，就會引發如你所說的緊張反應。所以先接受這個狀況，明白這是一個普遍現象，並不是因為你內向膽小才會這樣，再外向自信的人上了台，都會受到這種「怯場」的影響。全世界著名的男高音都會因為擔心緊張而讓演出失常，多明哥的最高紀錄是一場表演中聲音暴了五次。所以人人會怯場，這其中最大的兩個原因是：準備不周全；得失心太重，你說愈想完美愈會弄砸，就是這個道理。如果你知

道上台緊張是一個普遍的問題，就不必那麼凸顯自己的不行和困難，努力以平常心看待自己的緊張並接受它，一旦如此做了，反而能和它和平相處。

要想有好的演講能力，平日需要多準備、練習，不要只是私下偷偷練，要在人前光明正大地練，大方邀請同學、朋友給你回饋，甚至請他們為你錄音、錄影，讓你更有效客觀地評估自己，做出有利的修正。逃避並非上策，不如把逃的力量用來加強自己，使自己能夠迎頭趕上！

演講有許多不同類型，有專業的、大眾的等等，這些演講在表達方式及內容上都有很不同的安排。演講可以從練習中磨練出自己的風格，不過最重要的還是回歸演講的目的，想要給聽眾什麼？有沒有達到目標？演講前好的心態和準備可以大幅降低你的緊張，下面幾個演講技巧能進一步幫助你克服緊張情緒：

你需要具備的心態

1. 要堅信人人都可成為一個優秀演講者。有許多例子證明一個普通的演講者經過練習，能夠成為優秀的演講者。
2. 要理解你的聽眾都希望你成功，他們前來聽講，就是希望能聽到有趣、有意義、能刺激和提升他們思想的演講。
3. 對自己沒信心或沒興趣的演講，能推掉就儘量推掉。

你需要做的演講練習工作

1. 多做練習是最好的準備。自信愈高，表現就會愈好。
2. 練習時，請親人和朋友做觀眾，給予你回饋。如果沒有親友在旁，一面鏡子或你的寵物都可以成為你的聽眾，儘量

想像自己就站在聽眾面前。

3. 錄音、錄影，透過自我批評而進步。每一次演講至少練習兩次，最好一直練習到滾瓜爛熟為止。要確定能夠在時限之內講完。

4. 如果你會腦筋一片空白，那就準備一份講稿，多次練習，在腦海裡多練習幾次。

5. 如果你仍然擔心，那就把筆記帶進場，萬一忘記可以當場查閱。

6. 如果你還是擔心，那就把內容寫下來，然後在現場念。

演講前你需要做的

1. 如果可能，在上台前先和前面幾排的聽眾聊聊天。一方面，可以讓場面更友善，幫助你減輕壓力；另一方面，也可以多給你幾個和善的臉讓你講得更輕鬆。

2. 如果你擔心講得不夠熱情，演講前多喝幾杯咖啡，但如果喝多了會發抖，就不要喝了。

3. 在上台前做深呼吸可以降低血壓和澄清頭腦。也請參考大腦體操中的交叉動作，有意識地藉由放鬆伸展動作，讓左右腦進入較佳的整合。

4. 透過臉部運動放鬆臉上的肌肉，比如張大再閉緊你的眼睛和嘴，不過千萬不要被他人看到。

演講時儘量要做到的事

1. 如果講到一半忘了詞，不要緊張，直接跳到下面的題目，很可能根本沒有人注意到你的失誤。

2. 停頓不是問題，不要總是想發聲以填滿每一秒鐘。最優秀的演講者會利用間隔的停頓把重點更清晰地表達出來。

3. 如果看聽眾的眼睛會讓你緊張，那就看聽眾的頭頂（聽眾不會發現的）。

4. 眼睛直視聽眾，可以隨機地更換注視的對象。不要左右亂看，不要往上看，因為這會讓你看起來不值得信任。

5. 如果看觀眾會讓你感覺緊張，那麼眼睛可以多看那些比較友善的或常笑的臉。

6. 演講最好用接近談話的方式進行，用簡單的語句表達清晰的思路，不要太咬文嚼字。

7. 最好適當地使用肢體語言，做些手勢，不要太死板。

8. 如果你會發抖，不要拿紙在手上，因為紙會擴大你發抖的程度，而把手握緊成拳頭，或扶著講台。

9. 演講時千萬不要提到自己的緊張，或對自己的表現道歉，那只會讓你更沒有自信。

10. 如果能在開場白時吸引到聽眾的興趣，整場演講便會變得更容易和順暢。

「富學生」面對「窮學生」，應該怎麼辦？

Q 我是一名在校大學生，我生活在都市，可是自從上了大學，環境完全變了！過去周圍的同學都是來自城市，和我的家庭差不多。可是在我們這所大學裡，幾乎都是來自農村的同學。剛開始我覺得應該沒有差別，可是事實上不盡如意。由於經濟上的差

異，我一般都買有品牌的衣服，一個星期去餐廳吃一餐。他們好像看不慣我，老損我，說我是什麼有錢人。實際上，我們家根本不算什麼，和大多數城市的孩子一樣，家裡有房子、車子罷了。那些農村的同學平時跟我有說有笑的，可是如果我買件新衣服，或做個新髮型等等，他們就起哄說什麼「有錢人」，沒完沒了！我感覺被愚弄和嘲諷，心裡很不舒服。

我跟他們說過我的感受，可是沒用，只要他們不高興，就又是那句話，真讓我受不了！鬱悶死了。我們班也有幾個城市來的同學，他們乾脆不跟農村來的同學來往，因為很多時候沒有共同語言，結果被說成「傲」。我倒沒有這麼做，但卻不時被說成「有錢人」。我很苦惱，不知道如何和農村的同學相處。您能幫幫我嗎？因為像我們這種學校裡幾乎都是農村同學，如果不跟他們接觸，那就只有被孤立！更何況我希望能真正交到幾個朋友。

A 你的問題點出了在大學中常見的問題：都市與農村同學的隔閡。你努力尋求如何和農村的同學相處的方式，與那些乾脆不與農村同學來往的城市同學相比，你的動機值得讚賞。你體會到在幾乎都是農村同學的學校，如果不跟他們接觸，就只有被孤立的痛苦；你也承認自己需要友情，更願意主動去和所有同學相處。這反映出你有很好的現實感和自覺，值得讚揚。

對於你的困惑，給你幾個建議：首先，將心比心。他們起哄說你是「有錢人」，這是事實啊！相較於他們，你難道不算有錢嗎？這個世界並不都是平等的，或許你的同學有些羨慕、嫉妒，但更可能的是他們長期處在物質較匱乏的環境中，又感覺己不如人，你「不算什麼」的衣裝、髮型已經刺激了他們敏感的

心，你的做法就會被認為是奢侈，甚至是炫耀。建議你在他們面前儘量注意他們的敏感，儘量收斂，不要在他們面前進行有可能被誤認為炫耀的談吐。其實，設身處地，你比他們擁有的資源多很多，為什麼你不能養成勤儉節約的習慣，一方面讓自己廣交朋友，另一方面替父母省點錢？

你怎麼對待別人，別人就怎麼對待你。人與人之間的相處都是反射性的。你要真誠地對你的同學，總是笑臉迎人，不要在意他們的家境或他們過去曾如何對你。你不能改變別人，你只能改變自己。試試看，能不能透過改變自己來改變別人？

當你做到上面兩點後，如果你的同學依然嘲笑你，那麼你可以私下和他們坦誠溝通，解釋你真的沒有炫耀的意思。告訴他們你有多麼渴望成為他們的朋友，而且已經盡力了，你到底要怎麼樣做，大家才能成為真正的朋友？也許他們就會被你的真誠所打動。

如果前面三項都沒有用，那我勸你去找其他朋友。我相信，一個將心比心、坦誠真心的人，一定可以在別的地方找到最適合自己的朋友。

「窮學生」面對「富學生」，應該怎麼辦？

Ｑ 在今天這個貧富差距如此大的社會，我們的大學中也同樣出現了「窮學生」與「富學生」。有時候我們這些「窮學生」見到那些「富學生」就是感覺很不自然，可是，我也知道如果不能從這個陰影走出來，就益發不能自拔，我可不想就這樣過一生！我該怎麼擺脫這個困擾？

A 貧富差距就像年齡、性別差距那樣是不可避免的，但如果以此強調人的不同，甚至用以上標準去區分不同的人，這種「區別心」嚴重時就會成為偏見、歧視，讓人與人之間變得格格不入。我很欣賞你提出這種被狹隘視野造成的人際鴻溝問題，我也相信人與人之間的相知、相重、相愛，可以跨越任何差異。我鼓勵年輕人認識這個社會的差距，但要用尊重、包容、勇氣在異中求同。無論貧富，我們都需要朋友，就像古諺說的：「友誼是最大的財富」。當我們能超越物質一元化的觀點，用更寬廣的視野去看人時，就會發現「愛其同，敬其異」的包容心態是一個進步社會的重要指標。

家庭出身是不能選擇的，我們必須面對現實，但「窮學生」不用自卑，要相信靠自己的努力，可讓生活和事業達到自己想要的標準，只要努力就能改變。「富學生」也用不著沾沾自喜，更不能歧視窮人，因為父母給的終究有限，只有靠自己努力得到的才長久，只有自身練就真本事，才能在社會上生存。愛因斯坦曾經說：「最大的財富，不是你擁有了什麼，而是你貢獻了什麼。」希望富學生、窮學生都以這句話共勉之。

寢室裡的麻煩[5]

Q 剛到大學遇到麻煩是不可避免的，但最麻煩的還是室友關係的處理。平時我是一個樂觀的人，但我現在卻不開心，因為我們寢室有個女生特別過分，總是和大家鬧脾氣，弄得大家都不愉快，其實她人也不壞，就是太嬌氣、太敏感，但這樣的寢室生活真的很壓抑，我該怎麼辦？對我這樣一個很直率，習慣擁有私人空

間的人來講，真不知道該如何處理這樣的室友問題，看到室友的毛病就覺得很不開心，比如說貪小便宜、虛榮、愛發嗲！真不想再忍了，卻怕萬一說出來會傷人！

A 現在的獨生子女們在家都有各自獨立的空間，都不太習慣團體生活，但這也正是培養與人相處、群體觀念和團隊精神的絕佳機會，第一個功課要學會包容異己。大家如果考慮到以下幾點，應該就會覺得問題不是那麼嚴重：

1. 寢室生活是一種學習團體生活的途徑，家和學校這種團體環境是不一樣的，各個初次離家、來自不同環境的年輕人，如此緊密地分享一個空間，而且每個人的性格、習慣都千差萬別，不同的家庭背景和經歷，要學會相互適應，相當不易。

2. 把「弄得大家都不愉快」的責任，放在她一人身上是否公平？為何她能影響全室的人，而你們（甚至樂觀的你）卻不能夠影響她？

3. 解決矛盾要靠對話，壓抑不是辦法。寢室中誰較能溝通、較不情緒化？派這樣的人做代表和她討論，不要積怨，不要讓她反感和反彈，要讓她感受到大家的善意和改善關係或氣氛的誠意，她才會意識到：改變是為了她自己好，也為大家打開友好相處的門。

4. 學會從正面思考，「百年修得同船渡」，想想全國這麼多人，只有你們幾個人相處一室，難道不是緣分嗎？以後想重來一次這樣的生活也不可能了，把握這個挑戰吧！

為什麼大家不找我？

Q 我和一個同鄉同宿舍，但其他室友有事都找她幫忙，卻從不找我，不知道自己哪裡做錯了，其實我的朋友很多，卻得不到室友的友誼，很苦惱，不知道該怎樣處理。

A 分析一下是不是自己多疑了？回想一下有沒有別人找你幫忙的時候？看起來你的同鄉很樂於助人，見賢思齊，拿出雅量真誠地跟她溝通，虛心請教為何她如此受人信賴。她這麼樂於助人，應該也會很願意在這個問題上幫助你。找找自身哪裡有做得不妥的地方，是不是可以更友善一點？是不是可以主動幫助室友？是不是能先求助於你的室友，然後請她們有困難的時候也來找你？有時與人交往牽涉到個性問題，不須強己所難，你有這麼多朋友，一定有許多自己在人際交往方面的長處。

如何培養人際交往能力？

Q 請問一個缺乏人際交往能力的人應該要如何培養這方面的能力？

A 人際交往能力是現代人必須具備的一種能力，因為任何工作的推動不是在「真空」中完成的，而是要靠一個縝密的人際網路，經過溝通、討論、合作才能達到，所以有的學者分析成功的管理人只有15%是依靠專業知識，而85%依靠的是人際能力（people skill）。

好的人際能力包括好的自覺力和他覺力，也就是有足夠的情商，全面看待對自己以及對情境的評估，不是一味地以自我為中心、目中無人；也不是一味地在乎他人眼光，不能自我表達。

五育（德、智、體、群、美）中的群育就是指這種能力，亦即如何跟他人建立平等和諧的關係。

在職場中，人際關係包含垂直關係和水平關係，也就是上下級和同事關係，要培養這方面能力的最好方法就是勇於嘗試和勤於自省，要達到的目標是不卑不亢、相互提攜的關係。

為了培養自己的能力，不妨擬定合適目標。在我「給青年學生的第三封信」裡曾經提到這麼一段話：任何目標都必須是實際的、可衡量的目標，不能只是停留在思想上的口號或空話。制定目標的目的是為了進步，不去衡量你就無法知道自己是否進步了。所以，你必須把抽象的、無法實施的、不可衡量的大目標簡化成為實際的、可衡量的小目標。

這段話對於培養個人人際交往能力也同樣適用。大約十年前，我就曾經把這個方法運用在自己的人際交往方面。當時，我想擴大自己在公司裡的人際關係網路，但「多認識人」或「增加影響力」的目標是無法衡量和實施的，我需要找一個實際的、可衡量的目標。於是，我要求自己「每週和一位有影響力的人吃飯，在吃飯的過程，要這個人再介紹一個有影響力的人給我」。衡量這個目標是否成功的標準是：「每週與一人用餐、餐後再認識一人」。

當然，我不會光看這些基本的「指標」，因為擴大人際關係網路的目的是使工作更成功，所以，我還會衡量「每週一餐」中得到了多少資訊。有很多被我的部門雇用的人就是在這樣的人際網路中認識的。就這樣，一年後，我的人際關係網路有了顯著擴大。

如何擴大社交範圍？

Q 我覺得自己的人際交往能力不夠強，人際圈很狹窄，個人也沒有什麼特長，因此在社團裡不知道怎麼與其他人有效建立聯繫。有沒有什麼實用祕訣或社交技巧能讓我迅速擴大自己的社交範圍？

A 你的問題和「我數學不好，有沒有什麼實用方法可幫助我」一樣，答案也一樣，就是只有靠多做、從錯誤中學習、多練習交往來逐步擴大交往圈。美國有一位知名的心理學家，從小因口吃而不敢與人交往，他後來強迫自己每天到公園主動和三個人開口聊天，用來克服自卑心理，也培養了自己與他人用口語進行溝通的信心。

「社交技巧」是為了完成某些社會性目標，能與人建立關係和共事的能力，包括口語能讓人理解、文字書寫清晰、對時間和財務的適當管理，以及有同理心、能影響他人的能力等。社交技巧是一個相當廣泛的概念，和特長無關，也沒有速成的方法。

影響人際關係的因素包括內在、外在兩方面因素，希望你了解後能更有效處理人際問題。內在個人因素包括本身的特質（內向、外向、緊張焦慮、自在輕鬆等個性）、具備的能力（情緒控制、語言表達等），以及是否有特殊的心理、生理問題／疾病（口吃、中風後失語、憂鬱退縮等）。外在環境因素包括適當的教導（有接受教育、練習與人互動的機會）、學習／模仿對象的提供（我們外在行為常受父母、師長、同儕的影響）。

我再提供一些具體建議：對同學再主動、真誠、熱心一點，同時再多相信自己一點，或許這麼做會讓你的困惑減少一

些。我認為好的人際關係不需要特意去建立或維護,而是需要日常「累積」,時時刻刻多為別人考慮。

我們身邊人緣最好的人一定都是有特長、智慧、熱心助人、詼諧有趣的人。誰願意跟一個內心蒼白、個性乏味的人做朋友呢?因此,人跟人之間的互相認同甚至欣賞,都要具備一個前提,那就是一個人首先要具備能夠被別人認同乃至被欣賞的特質,如幽默、機智、博學、正直、尊重他人……。佛教講「法無定法」,這些特質難有一個統一的方式去獲取,但如果一個人用心揣悟,去摸索屬於自己的道路,以提升自己的智慧、修養和學識,這種方式比那些「交友祕訣」可能更有效。

每個人對於「用心揣悟」的方法一定都有自己的見解,我所能總結的有:

1. 學習別人的經驗,同時自己親自去累積。觀察、總結你身邊「人緣好」、「會處世」的人在人際環境中如何對他人的態度做出反應,又如何巧妙地表達自己對他人的尊重和真誠,怎樣展示禮貌才不會顯得客套做作,怎樣表達贊成和不贊成的立場,怎樣既不冒犯他人又充分展現自己的個性……,你會慢慢發現,有的方法你可以模仿,有的行為你可能學不來,而有些方面你卻可以比他們做得更好。

2. 透過讀書、思考來提升自己的思維能力,豐富自己的思想。沒有什麼比智慧和博識更能增添一個人的魅力。孔子說「友多聞」是益友的條件之一。

3. 建立或者加入一個「社群」,最好是基於共同興趣的一個

小群體。這種有共同興趣的社群是最理想的學習人際交流的平台。

4. 放下身段、放開心胸服務別人，找到你樂於貢獻的對象，為他人服務是一個培養人際能力和自信的最佳管道。

　　「我學網」就是一個小社群，以它為例：在論壇中主動發問當然是實踐溝通很好的方法，除此之外，你還可以做個有心人，看看「精華區」裡過去的問答，留心觀察一些善於表達的網友與人的溝通之道。看見你感興趣的文章，可以分析一下，它的問答好在哪裡？是思路的新穎別致？是徵引事例的貼切有趣？還是語氣的尊重委婉？有了這種分析眼光，你就會穿透「人緣好」這個表面現象，看出人際關係處理得好的人，是如何修練他們的「內功」。

如何在討論中避免無謂的爭辯？[6]

Q 班上常會組織一些同學進行討論會，但有時這個討論會變成「辯論」或「爭辯」，在有些情況下甚至無法進行下去。本來大家組織起來參與討論是為了對知識加深理解，但結果往往很不愉快，因此有時候這樣的討論會就沒人願意來參加，組織不起來。請問您怎樣看待這樣的問題？如果是您，會怎麼做？

A 在我看來，要避免正常的討論變「爭辯」，需要注意以下一些事情：

1. 就事論事。爭辯是因為心存是非好壞，非要爭個對錯，因此在討論時要說明每個人理解的角度不同，無所謂對錯，

容許各人有自己的看法。討論的雙方都要明白，大家討論時要對事不對人。允許對事物持有不同看法，正是民主的表現之一。

2. 尊重他人，注意提出反對意見時的方式和態度。雖然你應該坦率提出你的反對意見，但你提出意見的方式要使對方在感情上容易接受。其中最有效的方法之一，就是在否定對方的同時也要肯定對方意見中合理、正確的部分。

3. 具建設性。如果雙方總是針對彼此的弱點互相攻擊，但又沒有提出建設性的改進建議，就必然會將討論變成一場辯論。要時刻記住：討論的目的是為了加深雙方對某事件的認識，以及推動議題的進行。

4. 心胸開闊。要能夠接受不同意見，把每個反對意見都看作是促使自己進步的機會。如果對方提出的意見正確，就應當採納，並且反思為何自己事前沒有想到這個意見、為何自己走偏了。如果對方提出的意見不正確，那麼在反駁對方之前也提供自己一個進行深層思考的機會，也許會幫助你發現你獨自思考時所沒有發現的問題。我個人的經驗告訴我：當一個人辦事最順利的時候，就是他進步最小的時候；當一個人遇到反對意見最多的時候，就是他收穫最多的時候。

5. 自信。很多防衛是源於一個人自信的缺乏，當看到自己的論點被推翻時，就會自然而然地產生自卑心理，從而為自己強找理由辯護。其實大可不必如此。「聞道有先後，術業有專攻」，更換一個論題，也許正確的人就是你。

　　讓對方順利接受自己的觀點，就好比扶一位老人上一個台階，你能做的只是儘量避免選擇太陡、太高的台階，並在一旁儘量攙扶。我提出的儘量注意自己表達方式和提出建設性意見，其實質就是為對方選擇較平緩、較容易往上走的台階。

　　此外，在實際操作中，我的建議包括：

1. 儘量避免在有很多觀眾的情況下指出對方的謬誤。這並不是說在集體討論的時候不能把問題坦白說出來，而是說如果有適當的機會，可以在集體討論之前與對方進行一對一的討論，私下向對方指出問題，這樣對方可能更容易接受你的意見。

2. 循循善誘，用提問的方式讓對方先認識自己的問題。有時候自己認識到問題所在會比被別人說出來少一些尷尬。

3. 如果真的相持不下，可以徵詢老師或更有資格的人來判斷有關情況的對錯。

　　當然，我衷心希望大家都成為有真才實學的年輕人，希望大家都能夠做到在討論時就事論事、心胸開闊、充滿自信、從善如流。讓別人願意參與討論的方法，首先讓他們覺得和你討論對自己有所幫助，同時，你也要與那些對你有幫助的人進行討論，但沒有必要為了討論而討論。

同學不喜歡我怎麼辦？[7]

　我是一個大二的學生，曾策劃過很多學院的活動，也有不少成就，在本校數萬名學生中小有名氣，但卻因此和本該

相處融洽的同學疏遠了，我應該如何調整自己，才能贏得同學們的支持？

A 就一個十九歲的大二生而言，你顯然具備了相當好的領導潛力，你的問題反映了你內在價值的衝突：出名重要還是友誼重要。有這樣的內在矛盾很好，因為只有如此反思才能看清自己的核心價值。

首先，有個人際關係的不二法則，就是你要得到支持，就要先去支持別人。第二，你用「贏得」支持，在用字上似乎反映了你以「勝利」、「輸贏」定論一切的做法，這恐怕會讓好友們退避三舍，畢竟親近融洽是發自於心而不是如此費力強求的。

你期望進入周圍同學的圈子，但你所說的情況都是在描述自己有多麼優秀、成功、出色，如果你這樣看待自己，那麼你的同學只會認為你過於在乎自己、在乎成功，而不會知道你也在乎他們。希望你能摒棄這種以自我為中心的優越感，擁有謙卑的心胸，並以集體利益為重。如果你認為得到同學的關心非常重要，那你應該先去關心他們，多幫他們做一些事情，多聽少講，不要把注意力全放在自己身上。

我很自卑[8]

Q 我很自卑，不善交談，所以沒有朋友！可是我渴望友誼！進大學一年半了，我沒交過一個朋友！我是個內心很豐富，外表卻很木訥的人！不會表達自己！我很孤獨，想找個人說話，卻不知找誰！我一直都在流浪，渴望被愛，卻沒人來愛！愛情是什麼？我拚命追求它，它卻永遠躲著我！我真的想找個人來陪。

A 看了你的文章，我彷彿聽到你內心的吶喊，也可以感覺到你的痛苦，可是我更希望能讀到你的行動。如果你渴望朋友、愛情，卻只是「坐而言」，不知「起而行」，沒有行動力才是你最需要克服的問題。是什麼阻擋了你？牽絆住你？讓你無法行動？如果是自卑，請用你豐富的內心思想安撫自己，說服自己拋棄自卑這種不良情緒。

文章中的思維有些極端和偏激，如果一個人一年半都沒有交過一個朋友，這就不只是孤獨，實在是太封閉了。要學會用積極、樂觀的心態來面對生活，先得跨出自己封閉的心靈，學習向不同的人表達自己的思想，嘗試與人交談。如果連朋友都沒有卻要拚命追求愛情，就好比走路都不穩了，卻要開始跑步，實在是太著急了，只能欲速而不達。

假如你把愛情看成只是想找個人來陪自己、解救自己孤獨的心，這樣的愛情當然是愈追愈跑了，誰不躲開？試試把愛情看成是對他人的給予，不是索取，或許會有完全不同的結果，也才能發現其美好。

如何對待建議？

Q 對於部屬提出工作上的建議，而現在無法去實現時，是否應該向他解釋，還是不需解釋，只要他去執行就行了？

A 做為主管，如果部屬向你提出建議，首先你一定要讓他明白你理解他的建議，並且考慮過他的建議。如果領導者讓部屬認為意見不受重視，那這個領導者就有可能失去部屬的擁戴。

　　領導者不但要細心傾聽部屬的意見，還要在做出影響部屬的決定前，儘量徵求部屬的意見，這樣部屬才會覺得受重視，而不只是一個無關緊要的齒輪。我並不是說主管一定要照部屬的意見去做，但是領導者應該尊重部屬的發言權和意見。這樣的領導者，就算不採納部屬的意見，也更容易得到部屬的擁戴，因為他對部屬表達了最基本的尊敬。這樣的領導者會發現愈來愈多的部屬願意發言，他也會發現就算最後沒有採納部屬的意見，部屬依然會欣然支持和執行他的決定，也信任他的領導。

　　其實不光是部屬，任何其他人的意見我們都應該傾聽。任何人向你提出建議，無論可行與否，對建議的一方都應該予以回應，這是人與人之間一種基本的尊重與禮節。如果不解釋，有時就會引起誤會，比如，部屬會猜疑你是否對他不尊重，或你有不可告人的原因阻止他發表意見。沒有解釋的拒絕會使對方產生敵意和猜忌，把人際關係搞得更複雜。有了誠心誠意的解釋，被拒絕者才能夠比較心平氣和地接受，心情也不至於被打擊。

培養情商[9]

情商和智商哪個更重要？

Q 您說過對個人而言，如果要取得成功，情商比智商更加重要，我要如何做才能提高情商？

A 我在「給青年學生的第二封信」中曾經介紹過高曼（Daniel Goleman）著名的研究，他的研究證實：情商對

企業領導的重要性比智商更重要九倍。除此之外，我想補充一點：看待任何問題都不要太兩極化。情商和智商都重要，只有一者高而另一者低，絕對不行。我以前的回答應該理解成：「當智商足夠高時，在企業裡的成就主要看情商。」兩者要並行發展，互補而不形成衝突。近年來，還有學者提出道德智商（Moral Quotient）和靈性智商（Spiritual Quotient）的概念，所以評價衡量一個人有很多方面的指標。

情商可以培養，但絕不是靠讀書、考試就能學會，而是經過自我評估、自己設定目標，有恆心地往目標邁進才能達到。

自我評估是去了解自己的情商在哪些方面有欠缺。但因情商在很大程度上是別人如何看待你，不是自己能夠估計清楚的、我建議你要多了解別人對你的看法、多吸收別人的意見，尤其是情商高的人。在美國公司有一種360度意見調查，對員工的上司、部屬、同事間進行多方面的調查。這個調查是匿名的，所以往往能得到更真實的意見。若很多人同意某個人有一個缺陷，那這個缺陷對一個人而言確實可能是嚴重的問題。

雖然在學校裡沒有這種正式而規範性的調查，但同學們仍然可以多聽聽老師、家長，以及其他同學對自己的看法，或想方法得到匿名的建議。發現自己的缺點後，可以挑選合適的目標來培養自己的情商。如果人際關係太差，可以設定一個目標，即每個月結交一個新朋友；如果太含蓄、害羞，可以設定目標為每天上課時至少要發言一次；如果自控能力不好或脾氣太壞，可以請朋友在自己要發脾氣時用約定的「密碼」來提醒自己，從而強制自己儘量平靜下來。你也可以在每一堂課或會議後，請同學、老

師對自己的表現進行面對面的評估。

心理學家曾做過研究，發現人腦經過長期的培養練習，可以增進情商。但我想提醒大家：每個人都有自己的天生性格，因此不適合過分強求自己改變。當你自定的「練習」讓你有無法承受的壓力時，就做得太過了。情商的培養是幫助你成為更好的自己，而不是把你改變成另一個人。我再給你幾個建議：

1. 理解你自己的感情，正確理解自己對每件事的反應和感情，然後進一步理解為什麼你會有這樣的感情。這就是增加自覺意識。

2. 自控，增加管理感情的能力，讓自己能夠更快地從生氣和惆悵情緒中復原。

3. 增加自信和動力，挑戰自己，有計畫地向自己所設定的預期目標前進，做一些較困難的事情，切忌中途因為小挫折就氣餒、放棄。

4. 增進同理心，能夠將心比心，不需別人表態就能體會、理解別人的感情。不是去猜測別人的動機，而只是理解他人的感情。

5. 增進人際關係。當你能理解別人的感情時，就能夠擴大自己的社交範圍，從而讓自己更受歡迎、更能進入一個人際圈，進而幫助整個圈子裡的人。

6. 在溝通方面，充分利用你的業餘愛好。若你喜歡踢球，你可以加入愛踢球的小圈子；如果找不到現成的朋友圈，就留心結識有共同愛好的朋友來組成一個小圈子。共同愛好

是極好的相互理解、相互欣賞的基礎。剛開始時，你需要使自己能夠被人接受、受人歡迎，如果你對身邊的人傾注足夠的真誠和關注，你的心靈將會因為你對不同的人有愈來愈深的了解而變得豐富多元。在這個積累智慧、拓展心靈的過程中，你的個性就會往好的方向變化。

以上幾點都是我在給青年學生的前三封信裡提過的，只要做到這幾方面就能真正增進情商，多與人相處就能多給自己增進情商的機會。我也建議你閱讀高曼有關情商方面的書籍和論文。

如何培養宏觀觀察和決策能力？

Q 我是一名公司的員工，正在接受公司的在職培訓，我想公司提供這種培訓說明公司認為我有潛力成就一番事業，但要做大事就需要宏觀觀察和決策的能力，請問需要如何做才能夠培養這些能力？

A 關於宏觀觀察能力，並非每個人都有這方面的天分，有些人掌控宏觀的能力比別人強，而有些人則是執行的能力比較強。當然，每個人如果透過學習，就能讓自己做得更好。

我提供幾個建議：

1. 把握你現在擁有的機會，在職訓練是最好的學習方式。
2. 多諮詢公司的領導者，用你在實際工作中遇到的問題，向你認為在宏觀方面做得最好的領導者請教，積累經驗。
3. 做事情不要只想著下一步該如何走得順暢，要為長遠的未來鋪路。先構思你想達到的願景，再一步一步做出詳細計

畫。曾經有個著名的冰上曲棍球選手被問到成功的祕訣，他說"go where the puck will be"，也就是不要追球，而要看球的方向、速度，到「球將到達的地方」。

如何快速了解一個人？

Q 我在實際生活中常常感到與人交往的無力，因為不知道別人在想些什麼，也就不知該如何與別人進行有效的交流，如何讓自己了解別人的想法？我尤其希望能夠讀懂別人的「弦外之音」，這是我非常想掌握的技能，因為我感覺自己有時候反應很慢，聽不出別人的話裡有話，請問有什麼好的解決方法？

A 「聽不出別人的話裡有話」不算是反應慢，而是和你的閱歷不夠有關。很多人都有過這種經歷，解決辦法就是按其表面意思領會，別管話中有什麼話。你說自己在與人交往時想要了解對方、有效溝通，我可以給你幾個建議：

1. 三個訓練自己與人有效交流的好方法就是：「練習」、「練習」、「練習」。

2. 要確定自己真正了解別人的想法，只有靠雙方的核對和澄清。英文中常說："Let me make sure I heard you right. What you mean is......"（讓我確認一下自己聽得是不是正確，你的意思是……）；"Let me put it another way."（讓我用另外一種方式表達）；"Did I make myself clear?"（我這麼說清楚嗎？）。是否有「弦外之音」也只有靠核對和澄清才能搞清楚。

3. 試試看"reflective listening"，也就是當對方說完一件事，你做個總結，給對方機會將「話裡的話」說明。例如：「公司允許你坐飛機或火車出差」，而　　「我的理解是公司希望我們選擇最便宜的方式？」

4. 自己說話時不要「話中帶話」。如果你想知道公司的出差政策，就直接問，不要拐彎抹角。如果你「話中帶話」，對方可能也會以同樣方式回答。

5. 培養觀察力和人際敏感度。人是需要交往和互相了解的，交友不能速成，也沒辦法快速了解對方，要順其自然。

如何提高自信？[10]

Q 我總是感覺缺乏信心，不知道自己能不能把事情做好。我覺得自己離父母的期望太遠，見到父母，總是在猜想他們對我感到失望？雖然他們對我很好，但我知道他們不滿意我的成就。這麼一來，我就更加沒有自信。在學校，有些同學也常用異樣眼光看我，尤其在我表現不好的時候。我愈來愈鬱鬱寡歡，上課也不敢開口。我該如何提高自信？

A 你的心結在你的家庭。一個孩子在成長階段中，如果能夠感受到充分的鼓勵、包容、尊重，從父母師長眼中看到的是欣賞、肯定，他的自信就會慢慢茁壯成長。反之，他就會對自己充滿懷疑、否定。這是父母或社會教育需要思考的，我們應該如何培養有自信的孩子？很多年輕人長期受到這種貶抑，缺乏正向的互動。

要解開這個心結，我建議你直接找你的父母，誠懇地對他們說：「我不知道你們怎麼看我，但我常常覺得你們好像對我不滿意，感覺不到你們對我的讚揚，請告訴我，你們認為我的優點有哪些？」有時你會意外發現父母是「愛你在心口難開」，不會讚揚，只會批評，其實你在他們心中留下許多好印象。

我也鼓勵大家每天在起床或睡覺前，寫下在這一天中自己做的足以被人欣賞的事情，比如「我欣賞自己準時到校」；「我欣賞自己雖然精神不好，還是努力上完課」；「我欣賞自己主動欣賞同學」等等。

對於你和同學的關係，要注意自己的交友環境，看看你周圍的人是經常鼓勵支持你，還是故意給你洩氣。另外，你要確認自己是缺乏自信，還是性格上害羞內向。如果是性格上的害羞內向，你可以給自己設定一些目標去完成，例如每個星期交一個新朋友、每次討論時發言幾次等等。

如果不敢發言，可以在說話前問自己，最糟的情況是什麼？講錯話的後果真的很嚴重嗎？降低對自己的標準，練習在適當時插入大家的談話。如果看到自己有了一點一滴的進步，你就要高聲為自己喝彩、為自己加油。

自信的力量來自哪裡？

Q 在「對話」節目裡看到您，主持人問您是否認為自己是人才，您的回答讓我們感到您非常有自信。我想問：您自信的標準是什麼？您自信的力量來自哪裡？怎麼讓這種力量一直保持，甚至影響您的一生？

A 自信是一種感受，我不認為有絕對的標準。如果我對自己的認識很充分，能客觀評估自己的能力、狀況，毫不遲疑地欣賞自己的長處，也開放地接受自己的不足，透過積極學習來拓展自己，這樣就有了自信，與他人的關係也會變得和諧。

我自信的力量來源很廣，其中一部分來自於我的家庭。我的父母很開明，經常鼓勵孩子，給我們自由發展的空間。但同時我的家教很嚴，媽媽要我們誠實，爸爸要我們謙虛實在，這些價值觀奠定了我自信的基礎。

自信不是絕對的，而是基於自覺。當我知道我能夠做到什麼，我的自信就是一種基於理性的判斷，而不是感性的自我膨脹。如果沒有自覺，高估自己的能力，以後你的每個失敗都會給自己帶來很大的損失。所以不要把自己的目標設定得高不可攀，要在一個合理的範圍內。

建議你不要總是定太大、太長遠的目標，多定一些小目標，逐步達到後，不要忘了誇獎、獎勵自己。漸漸的，自信就可以建立起來了。

我害怕成為最後一名

Q 我剛進入一所知名高中，我在國中時，成績一直名列前茅，但在新的環境和團體裡，我看到周圍的同學都很優秀，因此感到壓力很大，擔心成為最後一名。我該如何走出這種心理困境？

A 首先，恭喜你進入一所好學校，這是個好的開始，你應該高興，而不是恐懼。相信你希望自己能積極向上，進入這所學校一定是個正確的選擇。

我的「給青年學生的第三封信」裡有兩句話：「從成功裡得到自信，從失敗裡增加自覺」。

「從成功裡得到自信」的含義是：你可以挑選自己得意的或感興趣的學科，等待或尋找機會發揮自己的才華，以幫助自己建立自信。對「成功」的定義要合適，不要把標準確立得太高，變成對自己的苛求。

「從失敗裡增加自覺」的含義是：不要給自己太大壓力，以平常心看待一切人事。只要你盡了力，就應該滿足、為自己感到自豪。我曾經和清華、北大的校長聊天時，聽他們說學校經常遇到的問題是每個學生都習慣當第一，但事實上只有一個第一，導致很多人覺得自己很「失敗」，但任何一個清華、北大的畢業生都會有很好的出路，包括最後一名，他們完全不必如此擔心。我想這個事例對你來說也是類似的。

從你的信中，我讀到你的患得患失，以及你現在過分珍視自己過去擁有的榮譽，而不是重視上高中本身所應達到的目的，這說明你還不明確自己的目標是什麼。

任何一個身處全新環境的人都會有一定程度上的緊張，擔心自己在新環境中是否能夠「生存」，這種情緒是人類天生的本能反應。更何況你才高一，年輕人潛力無窮，即便現在考最後一名，你依然能夠學到很多知識，以後依然能夠成才！

如果考試成績不理想，你應該認為這讓你有更大的進步空間，換個角度看事情，這個世界和心情都會不同。希望你能在優秀環境中，化壓力為動力，有更好的適應能力和更正面的抗壓方法及自信。

怎樣才能幫助周圍的人？

Q 我是一個普通學校的電腦本科學生，這個暑假我很幸運地找到了一份用C語言程式設計的兼職工作。由於找到這份工作，我的朋友和室友多少都談到我帶給他們很大的壓力。曾經有一位室友問過我：「怎麼樣才可以堅持？」我覺得他們其實還是非常希望自己是一個有能力的人，儘管他們可能平時玩遊戲或做些無聊的事情浪費了時間，但是他們還是有往好的方面發展的心願。我覺得我應該為他們做些事情，但我該怎麼做？

A 你是一個很上進的學生，在很多方面都按照我的建議去實踐，包括「提升自己程式設計的經驗（最好在大學畢業前有編寫十萬行代碼的機會），爭取實習的機會，堅持自己的興趣與專業」等。另外還想給你幾個建議：不要只學那些程式語言和時尚技術的皮毛，一定要把基礎打好（例如演算法、資料結構等），多做練習題〔高德納（Donald Knuth）的《電腦程式設計的藝術》（*The Art of Programming*）很好，看看一些編寫程式比賽的題目也不錯〕），這些基礎知識才是終身受用的（請看我的〈演算法的力量〉一文，這篇文章在搜尋引擎上找一找就可以看到全文）。

關心朋友和同學的想法很好，你可以和他們分享你怎樣做到堅持克制，邀請有心的同學一同努力，這些都是激勵大家的方法。但這是你唯一能做的事，千萬不要奢望「為」他們做什麼事情，一來那樣矮化了你的同學和朋友，彷彿他們是無能的小孩；二來那樣並沒讓他們學習到自我負責。

對於你的朋友，如果你只是建議他們苦讀，可能效果不

大，因為我相信家長和老師肯定已經多次說過同樣的話。你可以建議他們從興趣開始，做一些有建設性的事，無論是趣味性的編寫程式、能賺錢的打工，還是學習編寫遊戲都行。另外，一開始目標定太高壓力會太大，學習成功的機率不大，你可以建議他們從很小的目標做起（一天至少看三十分鐘的書、一天背五個英文單詞等），然後慢慢地養成好的習慣。

你是一個有責任心的人，但我們不能為別人的行為負責。儘管你想儘量幫助周圍的人，但當你已經盡了力，那些你能夠影響的，你都已經影響了，那麼除了你的知心好友，我不建議你在讀書的時候花太多時間和精力去試圖改變你的學校、周圍的環境或更多的同學。你自己的時間有限，能夠影響的人也有限，要分清什麼事情是你可以控制的（比如你自己的學習計畫），什麼事情是你可以影響的（比如好友的學習習慣），什麼事情又是在你的控制之外的（改變更多的學生）。如果你的時間都花在你無法控制的事情上面，你反而會喪失對那些可控制事項的主動權，這對你不公平，對別人也是無效的。

最終，一個人只能改變自己，不能改變別人。也許你幫助朋友最好的方法就是改變自己，經過你的努力得到成功，成為同學們的楷模，使更多的同學今後決定向你學習。

我的困惑

Q 我是一名比較內向的大學生，在生活上遇到了一些困惑，我和身邊的同學好像總有層隔閡，平時在一起感覺無話可談，我也試著努力改善但最終毫無改變。希望有經驗的前輩指點迷津！

A 對內向的人而言，要主動出擊去做好人際關係很難，所以恭喜你跨出了第一步。你想改善的是什麼？目標不妨先設定小一些，如從改善自己的內向開始，你每外展一次就是往改變跨進一步，值得慶祝。

另外，等你感到困惑時才去找朋友就太遲了。平時多找朋友聊聊，可以先找對你比較友善的同學，或你覺得比較合得來的同學，談的話題可以是大家都有興趣的事（平時多留意），也可以聊些新聞、家常。聊天時，如果對方發現你很在乎他，就會讓彼此的友情更深一層。再不然，你就跟同學說：「我最近上了一個很酷的網站，叫做『我學網』，你有沒有去過？」等你跟大家都比較熟悉以後，你的困惑也應該解開了。

一名軍校學員成長的疑惑

Q 我是一名軍校學生，大學聯考時，我懷著對軍人的嚮往義無反顧地報考了我所在的學校。大一時，在摸爬滾打中，在一聲高過一聲的口號聲中，在教官嚴厲的訓斥中，我們由一名地方青年轉變成為一名軍人，也從一名中學生變成了一名大學生。我們明白了軍人的責任與榮譽，學會了忍耐與堅強。在直線加方塊的軍營生活中，我們也學會了如何做好每一件小事，即使連被子也要疊得有稜有角！

現在我大三了，當我將自己與一般大學的學生相比較時，我發現在不同的教育模式下我們之間有很大的差距，有同學將此戲稱為「代溝」。在軍校中我們有嚴明的紀律，所以沒有一般大學生那份年輕人的囂張和衝勁，而變得謹慎小心，什麼事情都要考慮很多。

我想問的是，我們軍校大學生的這種處事方法對於將來有沒有好處？我們應該在哪些方面提升自己？使自己的思維更加開闊？

A 我對軍校不是很熟悉，謝謝你的介紹。從你的介紹中，我覺得軍校學生的優勢是：因為有了嚴明的紀律和嚴謹的作風，大家不會進入大學就鬆弛下來，不會被網路遊戲或其他誘惑吸引而迷失方向，能夠學會做好每件小事，不會夢想「速成」而不把基礎打好。

在軍校的環境裡成長，身體與心理的承受能力都比我們這些平民百姓強，更能承受壓力，更能成為一個注重忍耐、堅強、守紀律、講誠信的人。軍人做事講求有魄力，你不用擔心自己會成為一個唯唯諾諾的人。做事小心穩重，凡事深思熟慮後再做決定，這些都將是你以後的優勢。

當然，一般大學生相對軍校生來說也有一定優勢：一般大學更合適創新（創新和紀律有時是有衝突的）；一般大學的學生更容易學習如何培養人際關係（人人平等的觀念在一般大學裡更能夠體現）；一般大學更容易培養學生的熱情和讓學生追逐自己的興趣（而不是把每一個人都塑造成一個樣）；一般大學更容易進行直截了當的溝通（相互之間較沒有階級觀念），如果讀的是較好的一般大學，可能會更快推進未來的事業發展。

軍校、一般學校各有好處。如果你認可軍校的優勢，那這些優勢也就是你的優勢，你應該繼續培養這些優勢，讓它們成為滋潤你事業的養分。建議你看看「我學網」裡「其他資源」內的鮑爾（Colin Powell）對領導力的詮釋，做為一個軍人出身的領導，我想他的建議可能更適合你的成長。

成功的人也不快樂

Q 我有個朋友，無論是工作還是學習都做得很棒。但有天晚上，他打電話告訴我「對自己很失望」，這讓我非常詫異，請問您怎麼看這個事情？

A 人是很複雜也充滿矛盾的，你朋友的例子不足為奇，很多成功的人都會感到對自己失望。如果這種失望未掩蓋他對自己的希望、滿意，也未將他的日常情緒打亂，我們不妨允許他自己內在有一個較嚴苛的聲音；但如果這個聲音成為主流，習慣性地否定、貶抑自己，那就需要調整。

「完美主義」往往是個人建立信心的一大障礙。因為過度執著於非把某某事情做好，或頭腦總是在未完成的工作上打繞，不知不覺間就容易對自己做出負面的評價，失去客觀立場，不會正面讚揚自己已經完成或擁有的部分，進而對自己感到失望。

在你舉的例子中，你的朋友很成功，但是對自己卻感到失望。在「我學網」的論壇裡，你也可以看到很多考入一流大學的同學因為沒有考上更好的學校而感到失落，在很好的大學裡學習成績名列前茅的學生因為畢業求職時進不了頂尖企業而自怨自艾。這些例子生動地描述了「一元化成功」、「零和競爭」帶給社會的一種病態現象。

我承認沒有人（包括我自己）能夠完全不與人相比較，但如果每個人都用這樣的「一元化成功」、「零和競爭」的尺度來衡量一切，那有多少人會感到「快樂」？自己的價值只能建立在取得勝利或領先上嗎？當今社會標榜的「成功人士」，在一百人裡只有兩、三個，但我們看到往往連這兩、三個「成功人士」也

會對自己感到失望、認為自己不夠成功，那麼這個社會還會有多少快樂的人？這個社會是個健康的社會嗎？

我為什麼不快樂？[11]

Q 我是大四生，不久前，我順利和一家公司簽約，薪資還不錯，做為普通院校的文科生，現在的結果已經很好了，可是我依然快樂不起來，整天悶悶的，我也不知道究竟是為什麼，是我太悲觀、太消極嗎？

A 你的問題很特別，也很具代表性，就是當一個人擁有好的工作、收入或成功時，內心仍很不快樂。我很欣賞你的誠實，可見外在的有利物質資源並不一定直接和內心的快樂有關。快樂是內在心靈的事，外在種種未必一定能轉換成內在的快樂。

或許你可以問自己幾個問題。首先，「我內心的渴望是什麼？」美國知名的心理學家馬斯洛說，生活安定、衣食無憂之後，我們心理上還有更高層次的需要，其一是「歸屬」，其二是「自尊」。你有親近的家人、友人嗎？你累了會去哪裡放鬆自己？會找誰談心，並感到充分被了解支持？你親近大自然嗎？你對自己滿意嗎？看重自己嗎？心理需求的最高境界是「自我實現」，就是我所說的志向和熱情。

你也可以問問自己：「期待自己成為一個什麼樣的人？」「如何肯定自己的價值？」除了外在條件的價值，有沒有內在的？比如「我是一個有學習能力的人」；「我是一個勇敢面對問題的人」；「我是一個重視心靈層面的人」。快樂除了是一種內在感受，也是一種能力、一種習慣，是可以學習培養的。有句話

說得好：「快樂不應只是目的地，應該是我們的旅程。」

要學習快樂，你可以先留意它的出現，比如在一週內找到一個開心的情境，想想那時發生了什麼事，你又是如何體會到快樂的滋味。仔細回味，就可以掌握更多讓你輕鬆快樂的元素。久而久之，習慣於不快樂的心情慢慢有了變化，在你大腦的資料庫中就有了一個「快樂檔案」，累積了不同的快樂經驗。你可以花上三到六個月的時間，為自己的快樂做記錄、存檔，一直到它穩定下來。記錄的方式有很多種，可以寫短文、寫日記或畫畫，把感動你的快樂感覺、情緒或經驗畫下來，貼在每天都能看到的地方，以增強記憶。

另外一種方法是回溯，把從小到大幾個特別輕鬆快樂的記憶找出來，好好重溫，同樣也要做記錄，不愉快的事情就像遮住陽光的烏雲，要「撥雲見日」，把陽光般的快樂感覺、記憶找到，將之烙印心中，當「烏雲蓋頂」時，就可以調出這個「陽光檔案」做為內心的支撐。

幽默真有那麼重要嗎？

Q 有人說幽默是人際關係中的潤滑劑，再尷尬的人際問題都可以迎刃而解，如果想把人際關係做好，朋友間歡笑不斷，非它不可。所以，我想問問幽默真有那麼重要嗎？如何才能使自己變幽默？

A 國外研究發現，在逆境中能較快復原的人，具有幽默感這種重要特質；在心理治療中，幽默感也是經常被運用的方法。幽默感是一種能力，代表一種讓人意料不到的新觀點，可以

打破僵局，在痛苦的現實中找到某種宣洩的出口；它也是一種喜感，無論是自嘲或諷人，都能無傷大雅地點出某種困境。

有位心理學專家講過：找一個有錢的朋友不如找一個有趣的朋友。這話的確有道理。生活中有些幽默的朋友，能給平淡的生活增添許多歡笑和樂趣。

幽默重在平時的積累，只有內涵豐富的人才能夠得心應手、不失時機地使用幽默，而且還要有靈活慈悲的心態，否則容易生氣動怒，沒法快速轉換到輕鬆玩笑的境地。總之，除了天生的搞笑能力，要注意修身養性。

老闆出難題怎麼辦？

Q 您在工作中一定有很多壓力，如果老闆給您一項您認為很難完成的工作，您會如何應對？

A 如果老闆給我安排了很難完成的工作，我會讓他知道問題的難度在哪裡，並徵詢他的意見。例如，如果碰到困難，在所有可取捨的因素中，什麼是最重要的，什麼是可以妥協的。如果他認為我的期望和他的要求不符合，那麼我會對老闆說「不」。如果你在工作中不能這麼直接的回答，那你可以委婉地讓你的上司知道難度，並且降低他的期望值。

一旦我的老闆充分理解工作的難度和失敗的可能，那我就會盡力去做，因為我知道他不會有不合理的期望。如果我無法做到完美，我也知道該如何做出妥協。在這種情況下，老闆知道，我會努力工作，如果做得不完美，並不是我沒有盡力，而是困難度較大。

職場中最重要的情商體現在哪裡？[12]

Q 在你給大學生的幾封信中，常強調情商，你認為在職場中最重要的情商體現在哪裡？

A 我認為從情商而言，在職場中要取得成功的關鍵，在於要在自省和自信的平衡之間達到自覺。所謂自覺，就是應當對自己的素質、潛能、特長、缺陷、經驗等各種基本能力有一個清醒的認識，對自己在社會工作生活中，可能扮演的角色有個明確定位。心理學上把這種有自知之明的能力稱為「自覺」，這通常包括察覺自己的情緒對言行的影響；了解並正確評估自己的資質、能力與局限；相信自己的價值和能力等幾方面。過於自信是自負，過於自省又會在工作中畏首畏尾、踟躕不前，沒有承擔責任和肩負重擔的勇氣，也沒有主動請纓的積極性。

另外，職場中最重要的情商是具有團隊合作的精神，這反應在處理垂直的上下關係和水平的同儕關係中。大家視團隊效率為目標，在技術上互幫互學，在工作中互相鼓勵，自然會營造出一種坦誠、開放、信任、相互支援的工作氛圍。

被磨滅的理想

Q 我們懷著心中的理想來到大學，經過幾年的消磨，當初的理想還剩多少呢？雖然還有一段時間才畢業，看看今年的畢業生，想到以後的我們，到時候又會是一種什麼心態呢？的確，為理想奮鬥是一件令人振奮的事情，但我們的理想在多大程度上能夠實現？我覺得為一個沒有可能實現的理想而苦苦追求，那樣只會讓我們陷入空想，這是沒有必要的，還是做個現實主義者比較好。

理想和現實的差距，正是我們努力工作或學習的動力。我建議從下面幾個角度看這個問題：

1. 不要怕失敗。失敗不代表理想的破滅，而是給你有用的回饋，讓你修正理想。客觀判斷一件事情成功的機率，同時調整心態，坦然接受失敗。

2. 不要陷入極端的現實主義或理想主義。現實主義是「當一件事的成功率接近100%我才去做」，如果你接受這個定義，現實主義者能有什麼理想呢？我送你海倫凱勒的一句話：「沒有探險的人生形同白活（Life is an adventure or nothing）。」

3. 樂觀向上。福特曾經說過：「你相信你能或者你不能，你都是對的。」在事業還沒有起步的時候，千萬不可以這麼悲觀，要培養自信、積極向上的心態。人生不如意事十常八九，所以更要珍惜那如意的一、兩件事，才能培養自己的自信與胸懷。

4. 每個目標都應該有時限。一個長期目標看來可能很遙遠，但是如果你把它分解成為一個個可衡量的目標，那可行性就會大增。

例如在1961年，甘迺迪提出「十年內登月」。如果你只看到這個長遠的大目標，你可能覺得「沒有可能實現」，但是如果你開始分解這個問題，並階段性地執行，歷史告訴我們，這個理想實現了。在所有參與者的不懈努力下，上述周密而完善的計畫被一步步變成現實，美國果然在1970年之前實現甘迺迪總統提出

的偉大理想。下面是重大階段的描述：

- 1961年，太空人進入外太空。
- 1962至1963年，太空人環繞地球三圈。
- 1964年，拍攝了近距離的月面照片。
- 1965年，美國太空人在太空漫步。
- 1966年，無人登陸器在月球表面降落。
- 1966年，兩艘飛船成功地在外太空會合。
- 1968年，成功地繞月飛行一周。
- 1969年，人類首次登陸月球。

如果你過去曾經有一個「沒有可能實現的理想」，那你今天應該做的事不是「做一個現實主義者」，而是「找一個有可能實現的理想」，或把你的理想逐步轉換成可行動的、更短期的，而不只是遙遙無期的夢。也建議你看看我的「給青年學生的第三封信」。

天才重要還是勤奮重要

Q 有人說「天才不是成功的祕訣」，我想在軟體方面有所作為，可是覺得自己與別人相比不夠聰明，我該怎麼辦？是不是靠勤奮就可以做到？

A 有好的先天因素當然會占很大的優勢。兩個一樣勤奮的人，較聰明的那位也許會做得更好。但「勤能補拙」也是沒錯的。一般來說，最聰明的同學成績並不是最好的。

對於「天才不是成功的祕訣」的觀點，我有三點理解：

1. 天才要是不勤奮也沒用。在這科技和知識日新月異的時代，要成功必須與時俱進，努力學習新知識。請參見我的「給青年學生的第一封信」。

2. 在現實社會，智商不如情商重要。天才也必須懂得和別人合作，學習與人溝通，不能做個孤僻自傲的人，否則這樣的人對公司的貢獻不一定是正面的。請參見我的「給青年學生的第二封信」和「給青年學生的第七封信」。

3. 成功是多元化的。更「成功」的定義是：你是否每天都在進步？是否活得有意義？是否活得快樂？用這些定義，成功確實和「天才」或「非天才」無關。請參見我的「給青年學生的第三封信」和《做最好的自己》。

面對挫折和困難[13]

如何面對挫折？

Q 我遇到一個特別大的挫折，讓我一蹶不振，感覺人生失去了意義。請問您遇過挫折嗎？您是如何面對，又是如何從痛苦中站起來的？

A 如果你讀過我以前的一些文章，你就會了解到我過去遇到的挫折不少，以及我從中領悟到的很多經驗教訓。

我曾經是誤人子弟的老師，被學生嘲笑的糟糕老師卻還渾然不知，後來無意中看到他們給我取的綽號，從而喚醒了我，促

使我開始學習溝通和演講的技巧。到了今天，我每年會面對幾萬學生做幾十場演講。

我曾經做過一個很酷但沒有實用價值的技術，最終造成上百人失業的惡果。為了這件事，我至今仍然感覺無比歉疚，直到事過境遷一年後我才完全面對我給他人帶來不幸的事實。但是我從來沒有對任何人隱瞞這件事情，並經常用這個實例規勸學生：「重要的不是創新，而是有用的創新。」這句話今天還刻在麻省理工學院的一塊石板上。

在人生逆境中愈挫愈勇，從挫折中學到教訓，勇敢面對、承認自己的挫折，甚至在挫折中找到出路、意義，這是我在你面對挫折時能給的最好建議。透過下面這個例子，你或許更能理解我的意思。

住在美國西雅圖附近的約翰・貝爾先生在他三十歲時，因心臟病突發而病倒，醫生宣布他只剩下三個月的壽命。這對一個人來說是多麼大的挫折呀！當時束手無策的約翰，坐在自家附近的河邊，注視著流水，想起叔父曾說過，它曾經是一條美麗的河川，每年都可以在這裡看見鮭魚逆流而上，魚群數量龐大，似乎可以讓人踏著魚背渡河。而今呈現在約翰面前的河流卻已經變成工廠傾倒廢棄物的場所，是一條死亡的河川。約翰看著眼前這條悲慘的河川，不禁聯想到自己的人生。

於是，他馬上開始整理這條河川：他做了柵欄將垃圾集中，將磁鐵沉入水中用來吸取金屬類的廢棄物，在河堤上栽種植物來淨化水源。約翰拚命地整治河川，他認為讓死亡的河川再生，就如同搶救自己的生命般重要。

醫生所宣布的三個月期限過去了,他依然健在。約翰的事蹟因此出名,美國各地有許多義工想訪問他。心靈受創的人也加入清潔河川的工作中,很多人回家時創傷已經癒合。一位越戰退伍後,多年來未發一語,得了憂鬱症的老兵,他和約翰一起工作五個小時後,突然坐下來大哭,開始吐露深藏心中的忿怒和不滿,也脫離了他的挫折心態。

在未來的某一天,當你能夠直接面對某個挫折時,你的心態不應該再是悔恨或羞愧,而是看到教訓和經驗,這就表示你已經達到了成熟的心態。

突然不知道活著的目的是什麼

Q 我想請大家看看我這種情況算不算心理問題。最近一段時間我經常莫名其妙地心情沮喪,很低落,有時會想哭。可能和我現在的處境和自己的性格有關,其實我平常還算是個開朗、積極向上的人,但最近變得愈來愈脆弱。

我的性格比較內向,不輕易向別人吐露心聲,所以別人都不知道我在想什麼。也許是因為這樣我才交不到真正的朋友,但又很擔心別人知道我的情況後會笑我或將我的情況告訴別人,我和人交往中總會極力隱藏自己的情況和真實的想法。

這幾個月來,我做什麼事都提不起勁,工作更是敷衍了事。我沒有目標,沒有憧憬。每天行屍走肉般去上班、下班,然後回到宿舍吃飯、上網、睡覺,不停重複這樣的生活。這種感覺很恐怖,我完全體會不到生活的樂趣,有時候覺得很孤獨。我該怎麼辦?

A 你提到的狀況像是憂鬱症的前期，你既然意識到自己的不快樂、孤獨，就要想清楚是否希望改善？是否要諮詢醫生，尋求藥物協助？有時情緒和大腦神經傳導有關，生理部分必須靠藥物來診斷。不要畏懼去看醫生，我們頭痛、感冒都要吃藥，現在心中有這麼大的痛苦，怎能坐視不管？

其次，你問題中有矛盾訊息，如果一向開朗、積極向上，怎麼又會隱藏內在，交不到朋友？或者最近你生活上有重大壓力，導致你如此？

你說無法信任他人、打開自己的心靈，這種自我封閉的傾向和憂鬱有很大關係，情感要交流才會產生動能，學習冒險、信任、分享，才能期待打開心中的鬱結。如果長期關上心門，封鎖情緒，就會進入惡性循環，愈孤獨愈想隱藏自己、脫離社會。

我發現大多數頹廢、失敗、迷失的學生都欠缺一件事情：行動。他們可能是因為自卑帶來恐懼，或是挫折帶來消極。其實，我們的活力、自信來自於行動而不是不作為。如何開始行動？給自己定一個目標，任何目標都可以，比如強迫自己運動、唱歌、寫日記、與人交談……，從生活中小處開始，累積動能。然後盡你所能去達成，持之以恆，每天至少花三十分鐘讓自己有所行動。心理學家研究發現，快樂其實是一種習慣，不論環境怎麼變，情商高的人需要快樂的決心不會改變。當我們能換一種心態去看待自己的處境，並帶著遊戲般的輕鬆愉快心情面對它，將發覺自己的內在力量會變得強大，抗壓應變的能力也大為增強，這個做法正是貫徹「一定要快樂」的決心。

　　若情況一直不能得到改善，自我功能無法提升，我鼓勵你向專業人士求助，也可以找一、兩位可信任的朋友、同事、師長尋找支持，重建對人的信任是走出憂鬱的重要步驟。

我現在的迷惘[14]

Q 我一直是個報喜不報憂的人，遇到不順的事情多是自己扛著，很倔強，不想讓別人（特別是自己的親人）為我擔心。這樣的性格導致我受盡大二時雙重失意的折磨，終於得了病：我有妄想症，而且很嚴重。有時不由自主地把想的事情做出來，完全不受控制，就像野馬脫韁一樣，過後感到身體很虛，一身是汗，身體快要倒了一樣。我每天噩夢不斷，同學看我像怪物一樣，我的煩惱很多……，我想走出來，但不知道該怎麼辦？

A 得了妄想症就要就醫，請精神科醫生診斷治療，利用藥物控制。不要將小病拖成大病，急性拖成慢性。你要儘早找個可信任的醫生或老師談談。

　　習慣跟家長報喜不抱憂的孩子是過於懂事的孩子，出發點是好的，可惜一味壓抑，時間長了、事情多了，久而久之，量變到質變，當那些積蓄的壓抑感累積到一定的程度，就變成了一種負擔。把所有的煩惱和困苦都一個人扛，最終你得了病，說明這已經超過了一個孩子能夠承受的極限。

　　妄想症是虛幻且自閉的，打破這個模式必須回到現實與人接觸。首先你要學會跟好友傾訴，最好能跟同情和理解你的知心朋友交談，把心中積壓多年的苦楚慢慢倒出來。如果一時找不到這樣的朋友，那就嘗試跟自己的媽媽或信得過的大人說，如果有

私密的事情，不願意公諸於眾，也可以給「我學網」上BBS的版主或者你認為合適的人寫E-mail。雖然說網路是個虛擬的世界，但是我現在接觸到的網站都能看到網友真心助人的例子，只要一個人有煩惱，會有無數的人伸出熱情的援手，可以試試看。

學習控制自己的妄想，幻想是你想出來的，你是主，它是客，怎麼讓它反客為主？斷念有幾種辦法，行為派心理學家建議用「突兀法」，比如打自己大腿幾拳；或手上綁條橡皮筋，拉高彈自己幾次；或手上拿個球或橘子，兩手互拋，形成大腦左右平衡。

慢慢改善多年養成的習慣，學會傾訴、釋放、減壓和減輕負擔，人就會覺得輕鬆一些。你只要看到今天比昨天有變化，明天比今天有進步，那你就能形成良性循環，讓大腦裡的內容和記憶不斷更新，這種局面和狀況終將得到改善。

我不想就這樣失敗

Q 我的生活經歷一波三折，很不順利。國中時沒有好好學習，到了考高中的時候由於壓力太大退學了。我不甘於平凡，想過好的生活，想讓爸爸、媽媽不再受累。所以我又重新回到學校，開始艱苦的學習，經過一年的努力學習終於考上知名高中。

可是上了高中的我就像是失去彈性的彈簧，再也拿不出學習的衝勁。我曾試著用各種方法來激勵自己，但最後都失敗了。轉眼間到了高三，壓力更大，最後還是沒能考上大學，而在一所專科學校就讀。

我對自己說到哪裡上學都是一樣的，只要肯努力！可是到了學

校我才發現這並不是我想要的,我覺得在這裡很委屈,我不屬於這裡!於是我再次回到課堂上,努力奮鬥,在這一年,我給自己定了一個目標,一定要考上好的大學,實現對父母的諾言!所以我拚命唸書,但最後由於在考場上過度緊張,只考上一所普通大學。

上了大學後,我再次陷入瓶頸。現在大一剛結束,我真的很苦惱,不想再這樣下去。第一學期我當掉兩科,這學期剛考完,一共考了六科,我很可能六科都當掉。其實我從不蹺課,作業也按時交,只是照別人的寫。我很想學,可是無論怎麼辦都鑽不進課本了,就好像我所有的能力和精力都在那兩年用光了似的。我該怎麼辦?

A 很遺憾,你的學習經歷愈長愈出現難題,甚至有學習障礙,真的是一波三折,很不順利。既然這種困難至今尚未找到解決之道,你必須誠實面對,不妨問問自己,今天的障礙是因為你的不為還是不能?如果是不為,你可以給自己最後一次機會,定一個合適的目標,努力追求。但如果學習亮紅燈不是你不為,而是不能,那麼可能是你設定的目標過高,以致自己不斷經歷挫敗。這樣的人生對任何人來說都是苦不堪言的,最後還賠上了自己的信心。其實念書不一定是唯一的選擇,好好和老師或家長談談,如果實在不行,就不要把時間、精力投資在無法回收的學校殿堂上了。你的父母看到你的壓力和痛苦後,也不至於會強你所難。

人們常說的學習中的「開竅」,其實就是在逐步去掉阻塞思路的惡習和心態之後,對於學習本身有快樂的感悟。因為有了快樂,所以才學習;因為學習方式符合自己的習慣,所以才得心

應手；因為學習是適合自己需求的，所以才樂此不疲。當學習成為一種樂趣、一種自覺的習慣時，也就成為了一種放鬆的形式。這和你文中的痛苦、緊張截然不同。希望你不要勉強自己非要走在念書的道路上，人生苦短，讀書外還有別的路。

沒考上好大學，該怎麼辦？[15]

Q 大學聯考結束了，但我沒考上好大學，進入了一所三流大學，我對學校很不滿意，我該怎麼辦？往後四年是不是就荒廢了？今後我是不是就沒前途了，進不了外商企業和有名的企業了？是不是在國外發展就能好一點？以後要不要再考名校？

A 雖然你對學校不滿意，但是你應該考慮你未來的四年要怎麼度過。你可以不喜歡你的學校，但是你不能不喜歡你自己。如果你哀歎、彷徨，甚至頹廢，將四年浪費了，你將一無所有。如果你在入學時對未來不滿意，從此不上進，四年後，你只會更不滿意。如果你喜歡你自己，在乎自己的未來，你就要告訴自己：「我要從這不完美的地方，度過最充實的四年。老師教不好的，我自己學；課本學不到的，我到網上學。」林肯曾經說：「永遠記住，你自己要取得成功的決心比什麼都重要。」

　　我認為一個人上什麼樣的大學並不是人生的關鍵。當然大學本身的素質很重要，但是如果你有理想、有目標地去努力，不受外界環境的干擾，在什麼大學上學並不是決定因素，現在透過網際網路及其他豐富的資源也同樣可以學習到很多知識，關鍵是你必須上進，學會自修，不要隨波逐流，被周圍不好的因素影響。坦白說，三流大學最不盡如人意的地方就在於學習氛圍不

好。大學四年除了學習課業之外，還有很多重要的學習，例如練習自習的能力、增進情商、透過社團活動等學習團隊合作（我在「給青年學生的第四封信」提出了七點重點）。當你設定你在大學中要達到的目標時，不要忘了注意多方面的成長。

除了學習之外，你應該盡最大努力想清楚你的人生目標是什麼？興趣在哪裡？畢業後想從事什麼職業？我相信對大多數人來說，「進入知名企業」大概不是一個正確的人生目標。在國內還是國外發展，在現階段對你來說也不是主要需要考慮的問題。如果你不知道你的理想是什麼，在國外也會一樣迷惘，出國不能解決任何問題。我建議你對照「給青年學生的第三封信」裡提到的方法仔細考慮一下，找到自己喜歡做什麼、確定有什麼事情能使自己興奮和投入。我在你這個年齡的時候沒有好好考慮過這個問題，現在想起來有些後悔。

你剛剛忙完了緊張的大學聯考，現在正好有時間和精力去好好考慮，因為你自己的問題是沒有人能夠代替你回答的。如果你找到了興趣和方向，並且珍惜時間和學習機會，你依然會享受在大學學習的好機會。一流大學裡浪費光陰、虛度年華的大有人在；三流大學裡踏實進取、最終成為棟樑之才的人也不在少數。

無論你以後的路怎麼走，選擇的主動權還是握在你手中。

失敗後的挫折感

Q 我是一名研一生，最近為導師做了一個電腦控制系統的對外專案。本來我一直做得很好，設計了硬體系統和軟體中的主要演算法，導師也很滿意，但是在一次常規的測試中我竟然將一個

晶片的供電引腳接錯，使整個電路板的很多晶片都燒壞了，讓專案遭受了一定程度的損失。導師雖然原諒了我，但我很自責，我不知道為什麼我會犯這樣低級的錯誤，我應該怎樣走出失誤給我造成的心理陰影？

A 容許自己犯錯是美德，你犯錯的理由可能很多，比如太累、精神不濟，或當時心不在焉、心事重重，或就是單純的不小心。但問題的重點不在怎麼犯錯的，而是為什麼你那麼耿耿於懷，不肯接受自己的無心之過。錯不是問題，而無法從錯誤中得到教訓，並且無法放自己一馬，才是你真正的問題。

完美主義的人是不容自己有一點瑕疵，你的導師都原諒你了，你還苛責自己犯了「低級的錯誤」，這種嚴厲心態反映你刻板、僵化和不人性的思考。錯只分有心或無心，而沒有低級、高級之分。

接受原諒也是美德，懷著謙卑的心情接受導師的原諒吧！如果因此你學會了更寬容、更善待自己，那這個錯誤才真是一個值得珍惜的禮物呢！

為什麼努力不一定有回報？

Q 我不明白為什麼努力不一定有回報，不是「一分耕耘一份收穫」嗎？為什麼上帝給了我希望又給我失望？為什麼有時你最愛的人給你的傷又最深？在這樣不公平的世界上，活著是多麼痛苦呀！

A 努力不一定有回報，但是不努力一定沒有回報。去愛可能受傷，但是不去愛，你將孤獨終身。

　　馬克吐溫曾經說過：「勇於戀愛就像從未被愛傷過，跳舞時要如在無人之境，活著要像住在天上人間。」這是多麼瀟灑的胸懷！

　　甘地也說過：「活著時要像明天就會死去，學習時要像你會永遠活著。」多深切的呼籲！

　　千萬不要因為沒有回報就不去努力，不要因為受傷就不去愛。我們的付出有時與收穫無關，《聖經》裡說：「神未許天色常藍，人生的道路花香常漫。神卻許：工作得息行路有光。」中國人說：「人生不如意十之八九」，台積電董事長張忠謀說正因為如此，我們必須「多想一二」（那一、兩件如意的事情）。這些都提醒我們要有現實感，坦然接受各種世間的試煉，珍惜自己所擁有的。

　　感情上的事情，更是如此，傷害既可做被動詞，也可做主動詞，有的傷害其實是自己給自己的，與別人無關。希望你不要再傷害自己，儘快從這惡性循環中脫離出來。

自殺是為了什麼？[16]

Q 最近幾年，大學生自殺的現象已經有點「常見」的味道，不管是在報紙上，還是在我們的身邊。這些人或許是我們不認識的同學，也有可能是我們認識的。也許我們只是把這看作是一個新聞事件，但那些自殺的大學生中有很多是國家的棟樑呀，而且自殺者真的對不起自己的父母，每當在電視上看到那些失去孩子的父母的無奈眼淚，都會好幾天不舒服，父母愛得那麼深卻得來一片絕望與痛苦。為什麼會這樣？

A 根據社會學家涂爾幹（Emile Durkheim）對自殺的定義：
「自殺乃是求死者明知會產生死亡結果，而採取的消極或
積極的自我毀滅行為。」所以自殺行為是有其發展性和持續性動
態歷程，包括自殺意念、自殺企圖和自殺死亡等一連串與「自
殺」緊扣相連的思緒、情緒和行動後果。

涂爾幹在一個世紀以前說：不同群體的自殺率相當不同。
他說自殺可以說是社群內的一些社會因素所造成的結果，例如：
獨大的宗教、社會對於人們應該與不應該做什麼事情的期望、社
會的壓力與動盪。涂爾幹的想法提醒我們：即便是像自殺這樣相
當私人的舉動，也是在更廣大的社會情境中發生的，恐怖分子的
破壞行動很多伴隨著個人的自我犧牲，即為一例。

根據法醫所報告的自殺死亡案例，有心理和精神相關疾病
者超過三分之二，如果再追溯及蒐集家屬親友的資料發現，有
94%的個案在精神上和心理上表現出異常現象，可見人的精神狀
態、心理活動和自殺有密不可分的關係。

除了個人的脆弱特質，往往自殺者是為了擺脫壓力。這對
個人看似一種解脫，但國外統計，每個自殺身亡的人周圍會有七
至十位親友受到衝擊，自殺者家屬自殺的機率比一般人高出90%
到300%。因此，自殺不但不能終結痛苦，反而會轉化成他人另
一種全新的精神痛苦：長久延續的痛苦和失落。

雖然我們很難理解會把人逼到絕境的內心私密想法和感
受，因此也很難找出引發自殺的最直接因素，但依據精神痛苦和
拒絕協助這兩大表現來看，自殺者當時真的是鑽進了牛角尖，
不能自拔。是否有更多亟待我們研究的生理、心理和社會（Bio-

Psyche-Social）障礙，讓自殺死亡者作繭自縛、陷入困境而無法掙脫？自殺研究權威發現，精神疾病患者是自殺的高危險群，最常見是憂鬱症；對藥、酒上癮；性格異常；精神分裂及精神官能症患者。精神醫學專家們在探討自殺時，也發現憂鬱症是最大誘因，而其家族遺傳機率超過30%。

的確，自殺不是自己一個人的事情，而關係到親友和周圍的其他人，乃至整個社會。自殺是人類潛能的喪失，是愛與親密的喪失，是創造力與希望的喪失；簡言之，是生命中所有珍貴事物的失落。如何才能儘量避免發生這樣的事情？

1. 要使自己保持理智思考的習慣，對事物學習客觀分析，且能站在旁觀者、親人等角度思考，這樣對自己會有所啟發。平時多想自己已擁有的，不要總想失去的。
2. 以性格中的積極因素更妥善保護自己，時常注意自己的心理狀況，留意情緒不穩造成的人格障礙，懂得求助，保持與外界溝通。這是對自己負責，也是對父母乃至社會負責。
3. 培養解決問題的能力，以及在逆境中不放棄、絕望中仍願等待曙光的態度。

全球的自殺比率有節節上升的趨勢，自殺已列入許多國家十大死因之列。全世界每天有1,000人自殺身亡。世界衛生組織早在1982年就把降低自殺率定為1980年代的主要政策目標，1996年再度強調「自殺預防」為重要醫療手段，2003年更將每年9月10日定為「世界自殺防治日」，可見這個議題具有世界性的重要性。家庭、學校、社會要表現出對生命的尊重，推廣生命教育，

比如國外有學校就安排高中生參觀植物人安養中心或不同的殘障機構，讓學生反省健康、生命的可貴，進而珍惜生命。

面臨休學的學生，急需指點

Q 我是一名大三學生，主修生物科技，因為欠繳學費，學校不讓我參加期末考試。我很難過，想休學，但很不甘心，因為已經堅持了這麼久，而且我成績很好，正在準備考法學院碩士班，雖然知道那幾乎是不可能的。我很希望可以找一家公司先簽約，畢業後到那裡工作，由公司負擔我的學費。但不知道可不可能，我沒什麼門路，不知從何下手。

A 首先，在你放棄之前，還是應該多和學校溝通。現在各個學校的情況不一樣，有的學校對待經濟困難的學生有較好的政策，如學生貸款、提供工讀機會等等，老師也比較重視貧困學生，安排國家獎學金、企業獎學金等。你可以與校方再認真溝通一下，我想校方並不想讓你這樣一位優秀的學生失學。也許他們也正在為你尋找解決的辦法。另外，你有沒有可能為學校打工？你的學習成績這麼好，可以當助教或職員。你可以不要求他們發工資，只要求他們同意你去考試。

如果實在需要退學，我認為你一定要有返校的計畫。大學文憑在現今社會裡是非常重要的。你最好能想辦法湊錢或借錢，把書讀完。若不能，就先休學，去找一份（或兩份）工作，儘快把錢賺夠。塞翁失馬，也許你會發現在工作上你可以學到更多學校學不到的東西，也會使你更珍惜未來兩年的大學生活。如果湊夠了錢，一定要回到學校把書讀完（離校時一定要把將來返校的

政策弄清楚）。

　　就算需要退學，也千萬不要放棄希望，積極調整自己的心態，多想想那些好的事：你畢竟來過大學！這兩年是你人生中不可磨滅的經歷，你還可以重新再來，比起那麼多根本沒機會上大學的人你還是很幸運的。大學是人生重要階段，這是個你只要想學，總能學到東西的天堂！它給了你獨立思考、學習的機會，使你可以帶著你在這兩年中累積的知識財富去體驗社會，然後再回來自我調整。

　　最後，希望這封信對未來的大學生也是一個很好的借鏡：在選校時，一定要考慮經濟方面的問題。

【註釋】

1　參見論壇中關於如何平衡社團工作和學習的討論：http://book.5xue.com/36。

2　專家彭凱雷關於社團方面的文章可資參考：http://book.5xue.com/37。

3　參見網站專家春天姐姐對此的看法：http://book.5xue.com/38。

4　參見禮儀專家楊金波對想提高個人魅力的人的建議：http://book.5xue.com/39。

5　春天姐姐告訴你，如何跟周圍的人相處：http://book.5xue.com/41。

6　專家王智教你「和而不同」的藝術：http://book.5xue.com/42。

7　專家陳志文的文章〈為什麼同學跟我過不去？〉，教你如何跟同學友好相處：http://book.5xue.com/43。

8　參見論壇中如何培養自信的討論：http://book.5xue.com/44。

9　什麼是情商？參見論壇的推薦書：http://book.5xue.com/45。

10　參見論壇文章〈曾經幫我增加自信和勇氣的方法〉：http://book.5xue.com/46。

11　專家王建碩告訴你，生活永遠是美好的：http://book.5xue.com/47。

12　參見論壇文章〈職場發展的情商訓練〉：http://book.5xue.com/48。

13 不要怕犯錯，不要怕挫折，專家宋新宇的這個小故事，也許可以增加一點你的自信：http://book.5xue.com/49。

14 如何面對和調適壓力？，專家黃懷寗從心理學角度給你建議：http://book.5xue.com/50。

15 一個非常典型的問題，請參考專家銳泓對相似問題的分析：http://book.5xue.com/51。

16 專家周士淵的親身經歷告訴你，要珍惜自己的生命，勇敢面對挫折：http://book.5xue.com/52。

第 5 章 **未來之路**
職業規劃從入學開始

在「開復學生網」與學生交流的三年時間裡，我發現許多學生直到進入大四才醒悟尚未對進入社會、選擇職業、進入職場工作做好充分的準備。有些同學看到找工作的困難，不停抱怨今天的大學生不再像1980、90年代的大學生是「天之驕子」，因為那個年代的大學生畢業後，各個單位都搶著要，有些學校還要負責分配。其實，他們錯了，今天的大學生才是幸運的，他們可以主動了解不同的工作崗位，應徵自己感興趣的單位，從眾多的機會中挑選自己的未來之路。

如果今天的大學生還抱著二十年前的思維方式不放，一切等著其他人的安排，或者依然使用一成不變的、死板的「階段性規劃」方法，不懂得順應時代要求和追尋自己的真正理想，那麼，他們畢業時必然會碰到各種各樣的不適應，甚至是打擊。我在這裡所說的「階段性規劃」是過去一種非常典型的做法：許多人都把人生簡單地分成兩個階段，讀書時做學習規劃，畢業後

職涯規劃，從入學開始。

再做職業規劃。而學習規劃往往被簡單地概括為「考研究所」、「拿好成績」、「出國」等目標。但是，這種做法混淆了讀書的真實目的——學好本領，充實自我，以便找到最適合自己的職業和工作。

在今天這樣競爭激烈的環境裡，「階段性規劃」等傳統做法僵化了學生對學習和工作的思維方式，妨礙了他們去主動了解和認識時代趨勢，尋找自己的真正目標。一個既對自己缺乏了解，也對社會需要知之甚少的學生，到了臨畢業時，面對未來之路產生種種困惑、憂慮甚至失望就不足為奇了。

本章收集了我與同學們就有關職業規劃問題的問答和探討，主題是「職業規劃，從入學開始」。也就是說，同學們要從進入大學的第一天起，儘早開始自己的職業規劃，用理性的思維和主動的態度，在深度認知、廣泛體驗的基礎上，為畢業時的選擇打下良好的基礎。通常，我把職業規劃分成以下三個步驟。

步驟一：認識自我

尋找自己的理想、興趣、天賦，並積極調整自己。在大學四年裡，我們應逐步找到自己的理想是什麼、興趣是什麼，自己在哪方面可以做得更好。如果暫時還不知道興趣在哪裡，就要保持一種好奇的心態，多嘗試、多自我挑戰，讓自己每天都在進

步。許多同學對一般專業沒有興趣，其實大家也可以在尋找興趣的同時培養興趣。在一個專業中有很多不同的發展方向，你也許會對其中某個方向感興趣。你所學的專業也可能和你最感興趣的專業有跨領域合成的機會，這也是培養興趣的好方法。

步驟二：了解工作機會

我們必須知道，專業方向並不等同於今後的工作內容。美國前教育部長賴利（Richard Riley）曾經說過，2010年最迫切需要的十種工作在2004年根本就不存在。這表明，學生必須不斷更新自己對業界的認識，不斷研究產業發展趨勢、工作前景、國際競爭等等。我建議同學們多花些時間，深入了解一些優秀的企業，看一看在這些企業中的真實工作情況。一定要積極主動地收

在大學四年，應逐步找到自己的理想、興趣、了解自己在哪些方面可做得更好。

集相關資訊、諮詢有經驗的人，爭取參觀企業和到企業實習的機會，多聽企業宣傳或報告會。

要真正了解外面有哪些工作機會，千萬不能拍腦袋決定自己的就業方向，也不能道聽塗說，而是要多諮詢、多實踐，讓自己的規劃更契合實際。最後，在選擇工作時一定要務實。你的第一個工作最好從基層做起。你也一定要清楚，基於自己的能力，自己嚮往的工作機會是有可能爭取到的。

步驟三：職業規劃

當你知道自己的興趣和相關工作機會後，多去嘗試，儘量把自己的興趣、天賦和理想展現在可以發揮潛力的工作機會上，排除那些不相關或不能發揮自己潛力的選擇。之後，你應該靜下心來進行職業規劃。

職業規劃應基於你的理想和興趣，與工作方向務實結合。一方面，要計劃在校期間如何最大化自己進入理想公司的機會；另一方面，不要期望一步登天，職業生涯的計畫要循序漸進，就像攀岩那樣一步一步往上攀登。同學們應該有個遠大理想，但我建議在做實際的職業規劃時，對那些不容易一步到位的目標，最好用「兩步計畫法」：先為自己三到五年後制定一個明確的目標，諮詢並確定該如何達到這個目標，然後分兩步實現目標。例如，先去讀一個相關領域的碩士、先到另外一個部門，或先進入另外一家公司等等，以便最大化你在三到五年後實現該目標的機會。

認識自我，找到興趣和天賦所在[1]

如何找到興趣？[2]

Q 我是一個大三學生，最近很苦惱，因為我對做任何事情都提不起勁，沒有一點興趣，缺乏熱情，特別是對自己所學的專業。想到未來將要面臨的競爭，我很害怕。我應該怎樣培養熱情，發掘興趣，找到自己真正的內在持續動力呢？

A 我想，如果你找到了興趣所在，你就會有熱情。那麼如何找到興趣呢？要多方面嘗試，積極把握機會。以下是我寫的「給青年學生的第三封信」部分內容，可以給你一些啟示：

如何尋找興趣和熱情呢？首先，要把興趣和專長分開。做自己專長的事容易做出成果，但不要因為自己做得好就認為那就是你的興趣所在。為了找到真正的興趣和熱情，你可以問自己：對於某件事，你是否十分渴望一再重複做，是否能愉快而成功地完成它？你過去是不是一直嚮往它？是否能很快學習它？它是否能讓你滿足？你是否由衷從心裡（而不只是從腦子）喜愛它？你的人生中最快樂的事情是不是和它有關？當你這樣問自己時，請注意：不要把你父母的期望、社會的價值觀和朋友的影響融入你的答案。

如果你能明確回答上述問題，那你是幸運的，因為大多數學生在大學四年裡都在摸索或悔恨。如果你仍未找到這些問題的答案，那我只有一個建議：給自己最多的機會去接觸最多的選擇。記得我剛進卡內基梅隆大學博士班時，學校有一個機制，允許學生挑選老師。在第一個月裡，每個老師都使盡全身解數吸

引學生。正因為有這個機制，我才幸運地碰到了我的恩師瑞迪（Raj Reddy）教授，從而選擇了我的博士題目「語音識別」。雖然並不是所有學校都有這樣的機制，但你可以主動去了解不同的學校、專業、課題和老師，然後從中挑選你的興趣。你也可以透過圖書館、網路、講座、社團活動、朋友交流、電子郵件等方式尋找興趣愛好。唯有接觸你才能嘗試，唯有嘗試你才能找到你的最愛。

中國微軟副總裁張亞勤曾經說：「敢於去嘗試的人一定是聰明人。他們不會輸，因為即使不成功，也能從中學到教訓。所以，只有不敢嘗試的人，才是絕對的失敗者。」希望各位盡力去開拓自己的視野，不但能從中得到效益，也能找到自己的興趣。

我寫的「給青年學生的第四封信」裡，也有一些關於這方面的內容：

有些同學問，如何像我一樣找到自己的興趣？首先要客觀。不要把社會、家人、朋友認可和看重的事當作自己有興趣的事。不要將看來有趣、但沒做過的事認定是你的興趣，需要親身體驗後才知道是興趣還是憧憬。興趣不一定就能夠當作職業，喜歡玩網路遊戲不代表你會喜歡或有天賦來開發網路遊戲。有興趣也不代表你有天賦，不過可以儘量尋找天賦和興趣的結合點，譬如你在數學方面有天賦，也喜歡電腦，那麼可以從事電腦理論方面的研究工作。

找到興趣的最佳方法是開拓自己的視野，盡可能接觸眾多的領域。唯有接觸你才有機會去嘗試，唯有嘗試你才能發現你的最愛，這正是大學可以提供的機會。把握在校時間，充分利用學

校的資源，透過圖書館、旁聽、網路、講座、打工、社團活動、朋友交流、電子郵件、電子論壇等方式接觸不同的領域、工作和專家。

當初，如果我只是乖乖地到法律系上課，不去嘗試旁聽電腦課、不去電腦中心打工、不去找電腦系的助教切磋，絕對無法發掘自己對電腦的強烈興趣。同時，在尋找的過程中，我也開拓了自己的視野，並得到不少效益。

不少同學問我對自己所讀的科系沒興趣，該怎麼辦？對大多數的同學而言，轉系不是一個好選擇，而且讀什麼科系並不完全會決定畢業後的工作。所以最要緊的是，應該盡可能嘗試把本科系學精、學好，培養自己的興趣。一個科系裡有很多不同的領域，可以多接觸，也許會碰到真正感興趣的方向。有時，困難或偏見會讓你看不清楚興趣，例如，以前我以為自己很不喜歡演講，但是後來下定決心告訴自己必須學會演講的技巧，經過多年持之以恆地練習，再經由演講成功得到的滿足感，我發現自己很喜歡演講。

除了「愛我所選」之外，也可以嘗試「選我所愛」。經過開拓視野、接觸嘗試，當你發現真正的興趣，這時再去尋覓轉系的可能性、嘗試課外學習、選修或旁聽一些有關的課。你也可以去找一些打工或假期實習的機會，進一步探求畢業後如何能找到這個行業裡適合你的工作。

人生很長，可以同時擁有很多興趣。在發展興趣之外，更重要的是找尋終身不變的志向。有一本書的作者訪問了幾百個成功者，詢問他們什麼是他們年輕時不明白而今天終於明白的事

情？他得到的最多回答是：「希望有前輩告訴我、鼓勵我去追尋自己的理想和志向。」興趣固然重要，志向更重要。例如，我的志向是「發揮最大的影響力」，但是多年來我有許多興趣：語音識別、對弈軟體、多媒體、研究到開發的轉換、管理學、滿足用戶的需求、演講和寫作、幫助更多年輕人……，興趣可以改變，不必把興趣當作你最後的目標。不必斷了任何一條興趣的路，可以平行發展，實在必要時再做最佳的抉擇。

其次，你要接受現實，回歸敬業樂群的態度，發掘出自己獨特的才智。希爾頓（Conrad Hilton）認為，人的才智各有不同：每個人從事的職業可以相同，別為了要花時間找立足之處而煩惱。希爾頓說，他自己就花了三十二年的時間去發掘自己的長處，自己最初也不過是個小職員，但這沒有什麼可恥的。華盛頓起初也不過是個驗貨員，毛姆提筆寫作前讀的是醫學，他們最終都找到了能充分發揮自己才能的事業，從而走向成功。不要因為外在的原因被納入一條固定的軌道，失去了應當屬於自己的天地。別為了暫時不知道自己的長處而猶疑不決，勇敢地去開拓吧！

興趣太多怎麼辦？

Q 您鼓勵我們要先找到自己的興趣，這樣才能找到自己的理想，但對我而言不是沒有興趣，而是感興趣的事太多，而且都不長久，做一做就煩了，我該怎樣做才能找到真正的興趣？

A 興趣多沒什麼不好，但要能從中找到在現實生活中能賴以維生，並成為人生志向的興趣。此外，生活中有自己願意不斷投入時間和精力的興趣、愛好十分重要，這樣可以提高生活

滿意度。國外心理學研究發現，影響快樂的三個因素之一就是能夠渾然忘我地投入到自己的興趣中，這份廢寢忘食的感覺，不限於工作，很多人在工作之外也發現了自己的愛好，比如下棋、音樂、運動等。

興趣容易轉移，因為其中包含了很大的一部分是好奇，如果熟悉程度加深了、好奇心減少了，興趣就有可能轉移，真正一生都不會轉移的興趣極少。所以，在選擇自己所從事的事業時，我更贊成結合興趣和理想來考慮。理想是個更抽象、但相對穩定和長遠的東西，更適合成為自己的航標。如果把人生比作大海航行，那麼理想就是手中的羅盤，永遠指向最終的方向；興趣就如船上的帆，它會變換方向，但為的是把船帶向羅盤所指的方向。如果沒有理想，只有興趣，那你就只能見風使舵、原地打轉；如果只有理想，卻沒有興趣，那麼船就沒有向前的動力。

所以，不要去追求一生不變的興趣，但是可以追求一個一生不變的理想。當興趣轉移的時候，理想可以引領你找到新的興趣和通向目標的動力。比如，我的理想是把影響力發揮到最大，而我的興趣曾經有過語音識別研究、組織研究團隊、產品開發管理、研發網際網路產品、幫助更多年輕人、為中國教育找出路等等。隨著時間的推移，這些興趣有的由強變弱，有的由弱變強，有的甚至是從不喜歡變喜歡。我沒有去追求一生不變的興趣，但是這些興趣都圍繞著「把自己的影響力發揮到最大」這個理想。

另外，找到興趣後，還須注意兩方面問題：

第一，需要容忍度。有時，伴隨一個興趣來的還有很多你不感興趣的相關事務。你要接受這個興趣，就一定要接受那些討

厭的相關事務。比如，一個喜歡軟體發展工作的人，最喜歡的可能是軟體發展中設計和解決問題這部分，但絕大多數的時間卻花在寫程式、調試、修補、測試，他可能並不特別喜歡這些，甚至討厭。但要做一個好的程式師，這些不喜歡的也不得不做。因為離開了那些瑣碎的、基礎的工作，設計就像是空中樓閣，好看但不牢固；同時，理解測試、調試和修補中會遇到的困難，會讓程式師做出更好的設計。

第二，需要毅力。有時，興趣會被暫時的困難所蒙蔽。比如，我曾說過讀博士時的例子：「我在攻讀博士學位時，每週工作七天，每天工作十六個小時，大量的統計結果和分析報告幾乎讓我崩潰。」這些暫時的挫折，會使人產生極大的困擾和打擊。但幾乎在每個行業、做每件事情都會遇到大大小小的困難和挫折，如果因為困難和挫折而轉移興趣，那麼你就會發現很難找到自己的興趣。相對的，如果你能夠克服困難，得到進步，那麼你就會昇華興趣，讓興趣不僅是好奇，還包含了成就感。

在選擇興趣的時候，也必須注意幾件事。首先，要有自覺。不要總是對那些做不到的事產生興趣。此外，不要因為社會、家人、朋友的認可，就把這樣的事當作自己有興趣的事。

其次，要有調整自己的能力和魄力。再舉一個我自己的例子：我曾經以為自己對法律有興趣，但在法律系讀了一年後，發現我並沒有這方面的興趣或天賦，經過考慮，我選擇了自己真正感興趣的電腦科學。

最後，不要太分散你的興趣。因為就算你一星期投入一百一十二個小時，也不夠你同時發展十個興趣。

一心追逐興趣，但卻一事無成

Q 您說我們應該找到自己的興趣，並努力追逐，可是我的問題在於我對興趣的追逐似乎有點走火入魔了。自從進入醫學院以來，我就發現自己痛恨醫學，於是開始嘗試尋找自己感興趣的事，但現在就快要畢業了，我還一事無成。我該怎麼辦？

A 這個問題反映了當我們生活重心失去平衡時，可能面臨的危機，所以凡事如果走火入魔就會有過頭之虞，要想辦法踩剎車。

對大學生來說，追求興趣有下列幾個前提：分清憧憬和興趣；大一、大二時可以多嘗試一些不同的興趣，但是大三、大四就必須開始專注於少數事情；必須做的事絕對不能荒廢，最要緊的事是你應該盡力把所學科目充分掌握好；對你所學科系，應該儘量培養興趣，一個科系涵蓋很多不同的領域，你可以透過全面、深入地接觸，找到真正感興趣的方向。

對於你這樣面臨畢業的學生而言，順利畢業當然是眼前最重要的事。請問你的興趣可做為謀生工具嗎？如果不能，醫學還是應該做為你維生的專業，然後再發展業餘的興趣。醫生最後成為作家、音樂家，甚至從政的例子都不少。我建議你仍然可以花一些時間在你的興趣上，如果能把你的專業和你感興趣的事情結合起來當然最好。

例如你對慈善事業感興趣，可以去做義診；如果你對心理學感興趣，可以把心理學的方法融入你和病人接觸的過程之中；如果你對電腦感興趣，可以編寫醫生使用的工作軟體，或者幫醫院挑選可用的軟體。

找到了興趣就要終身不渝嗎?

Q 您說大學生要選擇自己的興趣,但我們才二十多歲,對社會還不是很了解,如果現在選擇了一種興趣,會不會過了幾十年後發現最初的選擇是錯的,到時還要重頭再來,而選擇錯誤的興趣,不就是一種浪費嗎?您怎麼看這個問題?

A 近來有一本很熱門的書,是大前研一寫的《Off學》(*Off Time*),這本書可以開拓我們的思維,書中認為無論是職涯發展中的專業興趣,或者是業餘的個人嗜好,都是塑造一個人的重要元素,不要只把它定義在狹隘的功能層面。

對人的一生而言,我認為興趣是會改變的,當我說興趣很重要的時候,並不是說你找到一個興趣就要終身不渝,一個人的價值觀和理想應該是比較一致的,但興趣隨時可能會改變。比如,大學時我最喜歡做程式設計,讀博士時我最喜歡做的是語音識別、對弈軟體、人工智慧,後來我又喜歡自然語音處理、多媒體、用戶介面,到了中國我又喜歡幫助年輕學子。

至於說到興趣是否是浪費,我認為答案是否定的。如果這些真正是你的興趣,它們就會帶給你快樂。只要它們能讓你快樂,那就不是浪費。另外,今天跨學科專業已經成為創新主流,所以你的每個興趣都可能成為未來工作中的基礎。例如,我現在發現以前在語音識別上使用的技術也可以用在網際網路搜尋上;我發現多媒體技術不但可以做成很好的娛樂軟體,也可以用在網際網路上的視頻點播系統中;我發現自己讀博士時養成的科學精神使自己在網際網路時代具有了藉資料佐證的優良習慣。有句諺語說:「凡走過必留下痕跡」,希望你能慢慢體會。

興趣可以培養嗎？[3]

Q 我的問題比較現實，像我們這樣剛進大學的學生，如何去判斷自己對所學的科系是否喜歡？我總是無法確定自己是否喜歡一件事。請問興趣可以培養嗎？在培養自身興趣的過程中有什麼需要注意的嗎？

A 一個人對自己的專業喜歡與否受很多因素的影響。我發現，學生受老師影響很大，如果遇到比較有啟發性的良師，往往能刺激學生的求學好奇心。另外，對有些課業如果你有特別的天賦，即便是很難的課，你學起來卻很輕鬆，那麼你也不會不喜歡。

喜不喜歡只有自己才會知道。如果你不確定，我認為情況還是樂觀的，因為要一個人喜歡一件事是可以慢慢培養的，但不喜歡一件事是不需要培養的。我很討厭的事一看就知道我不會做，如果你對一件事情沒有反感，就可以慢慢培養興趣。你也可以看看你的課業裡有沒有你特別喜歡的領域，多做一些嘗試，試試與本科系相關的跨學科領域，慢慢就會找到自己的興趣。

如果你進入一個科系學習，沒有覺得不喜歡，我想你總會在這個科系中找到你喜歡的。比如你在心理學系學習，但你很喜歡電腦，那麼你可以去學習用戶介面設計，透過嘗試跨學科的學習，把兩個科系結合在一起，我相信這是可行的辦法。

關於在科系上的發展，我覺得不要把專業當作職業。電腦科學系畢業的學生可能從事很多職業，例如測試工程師、程式師、技術支援專員、產品經理、解決方案專員等等，你應該先找到一個你嚮往的行業，再去了解從你現在的科系如何能夠進入這

個行業。我建議你多去該公司請教，尋找打工機會，或問問你的朋友、學長姐等等。

　　一個人的興趣當然可以培養，大至棋王林海峰、音樂家馬友友、運動員姚明等的養成，小至一般人自娛的嗜好，都和先天才情、後天努力及從環境中得到的支持有關。父母在教育孩子時，凡事鼓勵孩子嘗試的態度就提供了培養興趣的最佳養分。

　　所以，我認為一個自信、虛心、有良好出發點和動力的人可以培養出自己的興趣，最重要的是要有培養的動力。比如我在「給青年學生的第三封信」中提到演講的例子，由於演講對我的人生目標有著重大的幫助，因此我必須掌握演講的技巧。後來，我發現自己變得很喜歡演講，因為我在演講時會選擇富有熱情的題目，對聽眾能產生較大的影響力。

沒有特長怎麼辦？

Q 請問當您發現自己沒有任何特長時該怎麼辦？尤其是您身邊很多人都多才多藝，而自己卻沒什麼可以炫耀，在這個時候，您追求的是什麼？您會很自卑、很無奈嗎？我現在就是這樣，請問您的想法。

A 特長是相對的，不是絕對的，一般說來一個人不會沒有任何特長。例如，當我加入微軟前，曾在三家公司工作過，一般人看來這並不是了不起的特長，但是我發現微軟其他副總裁大都只在微軟工作過，「曾在三家公司工作」就成了我的特長，我可以把其他公司的管理方式、企業文化、決策機制引入微軟。

　　其次，特長是拿來用的，而不是拿來炫耀的。比如與其他

工科同學相比你的英文最好，那麼來了國外嘉賓時你就可以擔任翻譯；如果你在銷售部門工作且是學電腦專業的，當客戶有技術問題時，你的專業也就成了你的特長，可以發揮作用。

只要用心，每個人都可以發現自己的特長。人的潛力無窮，你可以藉由努力，找到自己的「特長」。你要留心周圍的機會，不要自我封閉，你總能找到一個機會、一個切入點，是你樂於去做的。也許你的才華在某個方面，不要害怕失敗，找到合適的機會，你就會釋放自己的能量，得到成就感。其中關鍵就在於自己能找到興趣和才華的切入點，原則是要懷著敏銳的眼光、平和的心態。一件事情對你而言如果符合興趣、才華和志向三者中的兩項時，就值得你付出時間和精力了。

興趣和天賦的衝突

Q 對自己感興趣的事和有天賦的事該如何區別對待？如果兩者發生衝突該怎麼辦？

A 紐約理工大學的校長張鍾浚曾經對我說：「你會喜歡你所擅長的，你會擅長你所喜歡的。」他說得相當有道理，人應該有95%的時候，自己感興趣的事和有天賦的事兩者是吻合的。因為感興趣的事會讓你願意花更多的時間和精力，從而得到才華；而有天賦的事會給你無比自信，從此產生興趣。若遇到那剩下5%的情況，興趣和天賦兩者不吻合，我的建議是：

1. 尋找兩者的結合點。例如你對數學有天賦但喜歡電腦，那你可以研究電腦理論。

2. 兩者並行。例如用天賦謀生，再把多餘的時間投入感興趣的事。

3. 如果實在有衝突，必須兩者選一，我傾向於追逐興趣，但前提是沒有很大的現實困境，在熱愛的領域有足夠的能力發揮，而且很確定這就是你的摯愛。

對所讀科系沒興趣，該怎麼辦？

Q 進入大學後，我發現自己沒有學習的動力，不光是對自己的科系沒興趣，甚至對學校裡現有的所有科系都覺得沒意思，學校雖然提供轉系機會，我卻不知道該轉到哪個科系。請幫幫我！

A 大學只是提供最多自我發揮機會的地方，它沒有義務，也沒有權利替你做出選擇。你必須自己尋找方向，選擇道路。有這種選擇的權利本不該是一種無奈，有所選擇是很幸福的、有挑戰性的事情。你對所有科系都缺乏興趣，這樣的全面否定態度容易造成自我封閉，豈不是拒絕了任何機會或可能？自己該怎麼辦又豈是別人的責任？這是你必須先自我反省的地方。

既然你暫時找不到更有興趣的科系，我建議你試著「愛我所選」，培養對現有科系的興趣。下面的例子你可以借鏡：

「大一、大二的時候，就把本科系所涉及的各方向入門書籍瀏覽了一遍，雖然一開始我既不喜歡自己的科系，也不覺得它有多好的發展前景（至少從找工作方面來說至今形勢仍然不容樂觀）。我還特意去看了一些我覺得自己可能會感興趣的科系的培養計畫，以及比較感興趣的課程的深入教材，包括原版的外文書籍。在整個閱讀過程中，我學到了很多。大二結束時，有個中學

時代的同學對我說，他仍然不喜歡自己的科系，想學另一門專業，並徵求我的意見。我反問他對他想轉入的科系了解多少？是否知道這個科系的核心課程？看過相關教材，哪怕只是前言。他一味地搖頭。我認為這就是他自身的問題了。」

你說對大學裡所有科系都不感興趣，這個論斷未免下得過早，如果你沒有全面了解這些科系，又怎麼知道自己不會對它感興趣？既然有改變的願望，就馬上去行動吧！

其實你的核心問題在於過度否定的態度、沒有明確的目標。簡而言之，我的建議是：先調整自己的心態，把尋找目標當作自己的目標。值得注意的是：這個目標必須是自己內心想要的，而不是任何人強加給你的，更不是為了好找工作、好混日子，否則只能找到消極的目標。

面對自己所學，以後該從事什麼職業？[4]

Q 我學的是印染科系，一個很多人都不曾聽過的科系，當時我是糊里糊塗進來的，現在還是有點迷惘。我不知道這個科系有怎樣的發展趨勢和前途。不過如果現在要我說喜歡什麼，事實上我也不知道自己的興趣所在。所以這構成我的另一個問題，我將來是否要從事這個行業？我現在該做什麼打算？又該怎樣去打算呢？

A 我建議你以下三件事，首先，試著把這個科系讀好，培養自己的興趣。即使是媒妁之言的婚姻也有很多是幸福的，也許哪天你會喜歡你的科系。

其次，從今天起，多留意自己的興趣，多去嘗試新事物（看我寫的「給青年學生的第三封信」）。如果你發現真正有興

趣的事，再去尋覓轉系機會、嘗試課外學習、選修一些你有興趣的課程。你也可以去了解畢業後如何能找到這個行業的工作，一步步努力。

最後，不要為這事太煩心，好好學習真正對你一生都重要的東西（學習如何學習、打好自己的基礎、學習與人相處的能力等）。另外，多煩心也沒用，這是你在畢業前不能改變的事。

此外，興趣也是需要培養的，你平時的喜好、愛好做的事都算是興趣。可能令你迷惘的是，你還沒有發現自己的興趣。我有個朋友問了和你同樣的問題，他說自己對任何事情都不感興趣。我問他：「你平時做的最多的、最喜歡的事情是什麼？」他的回答很可能讓你暈倒在地，他說：「我最喜歡睡覺，因為睡覺很舒服。」其實這也算是一種興趣。於是我鼓勵他對睡眠做一些研究，比如如何才能提高睡眠品質，減緩疲勞。上個月他到我家，拿我做試驗，結果我真的被他催眠了，而且做了一個很美妙的夢，一覺醒來感覺全身很輕鬆，精神也非常好。也許他以後真能成為美國臨床催眠治療學會會員，或者是美國催眠師學會認證的催眠治療師哦！

行行出狀元，無論你未來從事什麼職業，只要用積極的態度，勤奮、努力、認真地做好每件事，就會成功。

就業了，但還沒有找到興趣

Q 我來自貧困家庭，進入職場工作一年半了，我一直很刻苦地學習，大學畢業後，很幸運地考進某知名大學又讀了兩年，學習另一個專業。從小到大，我一直努力不懈的動力源泉就是給父

母爭氣，期望透過自己的努力幫助父母、改變他們的生活。這一目標強力地支撐著我，讓我一直向上。但現在回想，這過程中，似乎也忽略了「我自己」，忽略了自己到底喜歡什麼，什麼時候最開心，忽略了自己的存在和真實感受。

現在我堅信人一定要找到自己的興趣，才能發揮個人的潛能，貢獻社會。我相信人首先要有一種強大的內在動力，才能夠真正「自主」。我也非常期望能夠實現這種狀態。我現在的困惑是，不知道自己的發展方向？目前的工作說不上喜歡，也不討厭。似乎也沒有太多的機會、時間可以去接觸、嘗試更多，本職的工作已經很忙碌，況且還有現實的生存壓力。同事、老闆都說我的表現很不錯，但我知道，我需要的是能找到一個方向，然後集中力量朝目標發展，以壯大自己。

A 你很幸運，在回饋父母的孝道中你成就了自己，現在擁有一份忙碌的工作，同事、老闆都欣賞你。「為父母爭氣」、「改變他們的生存狀態」是愛父母的表現，也給你成就自己的動機，是件好事。這也是你自主的決定，無須否定過往。

你還很年輕，現在體悟出要找到自己的興趣，還不算遲。每個人都有自己的興趣和人生目標。不要向社會的「一元化」成功看齊，也不一定要有什麼宏偉的目標（有個美滿的家庭、過與世無爭的日子都是很好的目標）。多想想自己的學習過程，什麼時候最有滿足感？多去嘗試新的領域，可以從你的公司有選擇的做起。如果以後換公司，建議你考慮找一家有很多培訓機會的公司，找一家有計畫地培養員工的公司，在這種公司更容易找到自己的最愛（雖然還是要局限於公司內部的選擇）。

我想從事網路遊戲方面的工作

Q 我讀大二了，對未來仍感到迷惘，我讀的科系是資訊安全，成績還不錯，可是我想從事網路遊戲的工作（主要是遊戲程式設計），今後的路該怎麼走？

A 有些學校開設製作遊戲方面的課程和學位，你可以多加留意。但我認為一個大二生最重要的是打好基礎，把電腦學科的基本課程學好，無論以後是製作遊戲或任何其他的工作，這些基礎都是必須的。

不要以為自己學習成績過關，得到老師認可就夠了，國內電腦科系的教育水平還沒有達到國際水平（如果你不確定，就到麻省理工學院的公開課程的網站上做做習題，看你是不是能在所有基礎課程上過關）。

還有，你先要想清楚，到底是對玩遊戲感興趣，還是對製作遊戲感興趣！在學校裡，有很多人想學遊戲製作，但依我看許多同學主要是對玩遊戲感興趣。另外，不要把自己的未來限制得如此狹窄，如果哪天網路遊戲業不再熱門，或者人才過剩怎麼辦？

所以，如果你確定自己對製作遊戲感興趣，那麼我建議你多花點時間在那些不僅僅應用在網路遊戲方面的技術領域——最重要的是繼續將C語言學好，然後將C++、J2EE學好，因為C和C++是所有流行語言的基礎，而J2EE是現在手機遊戲的開發工具。如果你真的對3D製作有興趣，也可以花些時間學習3D Studio Max等工具。

理解機會：諮詢、嘗試、實踐

對所讀的科系沒有癡迷，還要繼續嗎？

Q 我就讀一所知名大學的熱門科系：電腦科學與技術，但是我對所讀的科系並沒有達到癡迷、甚至抱定這就是我一生要貢獻於此的程度，而我又不知道自己究竟喜歡什麼。同時，有許多人對我說電腦行業等我過了三十歲就會失去競爭力。所以我很困惑，是應該繼續走下去，還是再摸索並發現自己最愛的行業投入一生？

A 你已經算是一個幸運兒：身在知名大學，讀熱門科系，又不討厭你的科系。癡迷可能是一個過高的期待，你的科系、工作、興趣都可能會隨著經歷的增加而改變。既然你已經擁有很好的外在條件，我建議你還是先把握這學習的環境和難得的機會吧。

對電腦科學與技術的課程沒有癡迷，不代表你不會對某一種職位、領域或公司感到興趣。電腦科系不只是一個工作，而在電腦不同領域工作的員工又各有各的興趣與專長，例如：做測試的喜歡挑毛病、當經理的有領導的天分、從事技術支援的喜歡幫助人、產品經理可以接觸用戶、架構師喜歡布置全局等等。還有，在電腦行業有各種公司類型，有的做外包，可以理解外國客戶的先進需求；有的從事網際網路，可以即時做供多人使用的產品；有的做企業級軟體，可以幫助企業提高效率；有的做系統軟體，讓工程師能盡情發揮自己的技術。你可以多花些時間，透過多種管道詢問（比如問你的學長或者暑期實習），從而去理解電腦科系中不同的角色和公司類型。

有很多做代工的人可能會告訴你：從事代工是一項壽命較短的工作。我想，主要原因是很多做這項工作的人缺乏自我提升、學習，因此很快就落伍了。我要告訴你的是，微軟最厲害的軟體工程師已經六十多歲了，Google的首席工程師也四十多歲了。所以，只要你有興趣，並且願意投入、不斷學習，以你的科系背景你一定會成功。

對所讀科系興趣缺缺

Q 我就讀的是飛行器動力工程，我們學校這個科系去年是全國第一，就業沒問題，只是我非常不喜歡這個科系，而且又不怎麼賺錢。我喜歡經濟學，只要是賺錢的事我都很喜歡，我想做企業家。能不能給我點意見，告訴我未來的路該怎麼走。

A 既然已經進了這所大學，而且挑了這麼一個相對狹窄的科系，你只有盡力把書讀好，然後再花些時間找尋你真正喜歡的科系，儘量多學些東西，畢業後繼續進修或就業時就一定要挑對方向，挑自己真正有興趣的研究所。你也應該看到，大學所學的科系並不能決定你的一生，蓋茲學的是法律，前任惠普集團董事長兼CEO菲奧莉娜（Carly Fiorina）學的是文學。

不過，你想在考研究所時轉換科系的話，必須多花一些工夫，因為你除了要把本科系讀得「夠好」，還要再尋找另一個科系，花時間學習那個科系的基本知識，做好考試的準備。

身為工科的學生，希望你能好好學習邏輯思維和解決問題的務實態度，這些對你以後的工作或學習都會有幫助。

對於經濟學，我覺得你只是一種直覺，而不是基於深思、

研究得出的結論。既然你已經選錯一次科系，這次一定要研究清楚。你為什麼喜歡經濟？只是為了賺錢？還有別的計畫和目的嗎？如果為了賺錢，你確定讀經濟是最好的途徑嗎？也許你應該從這個全國第一的科系畢業後，出國或考研究所（用這個機會換一個你喜歡的又能賺錢的行業）？或者找一個好的工作，然後再去讀MBA。

除了對科系的探索，建議你好好想想你的理想和興趣是什麼？僅僅基於「賺錢」的理想通常是不能長久並給你帶來快樂的。

在三個感興趣的方向中如何取捨

Q 我近來真的很迷惘！我是一所知名大學的學生，前幾天從應用化學系轉到電腦科學與技術系，我不知道這個決定是否正確。電腦的範圍太廣了，要學的太多，我找不到方向。我不打算考研究所，打算做的工作有網路安全專家、Linux程式師或網路工程師。我在對這三方面都感興趣，很難取捨，又怕到頭來都學不好。在自己喜歡的這幾個方面中，我該如何取捨？

A 你是少數的幸運者，因為你轉系成功了。其實，你不必太擔心你的問題，因為你提到的這三個方向其實都很接近，所需要的基礎知識也很相似。你現在最重要的是踏實地把基礎學好（請讀讀我的「給青年學生的第四封信」和「我學網」中的相關文章）。不必在大學就把這三個方向定下來，更不要奢望在大學畢業時就能成為「專家」。就算你要挑三個方向之一，在學校中三者的課程差別可能不大。

學好基礎之後，你可以從Linux先嘗試起，再學一些網路知識，然後經過實習做一些探索。既然你計劃畢業後就業，就選一些實踐性強的科目和老師。

大學生應該兼職打工嗎？

Q 身為一名大二英語系的學生，我想去打工，但是不太喜歡做發傳單、家教之類的工作，而是希望能做一些跟我所學更緊密結合的事，但我對現在需求最多的口譯工作還不能勝任。您認為大學生是否應該兼職打工？打工是否要和自己專業結合？哪些是有用的打工？

A 如果你希望兼職工作與所學相結合，我比較贊成同學們在大學高年級的時候適當地兼職、打工，因為這是了解社會非常好的途徑。但如果沒有經濟壓力和原因，諸如發發傳單之類的工作就大可不必去做。並非我蔑視這樣的工作，只是相比之下，專心於校內學習和了解你畢業後的就業選擇或許收穫會更大些。

美國大學生許多都需要經濟獨立、自給自足。我個人讀大學時，從大二開始打工，大三後就沒再拿家裡的錢。從正面看，打工有培養獨立能力、提早接觸社會、建立自信等好的影響。但基於你現在的情況，我建議你現在還是在校內學好基礎知識，培養基本技能，這樣，到大三、甚至大四時找到翻譯工作的可能性肯定更大些。另外，如果你目前口譯的能力還不夠，能否先找筆譯的兼職工作？比如，一些機關或小公司需要翻譯國外的說明書資料；哪個老師正在研究國外的東西需要翻譯資料？從家教的角

度來看，如果你生活在大城市，打聽有無外國人家庭的孩子需要學習中文，那也會是個開闊眼界、鍛鍊英語口語的好機會。

當然，打工不是完成大學學業的必需，因為在校大學生的主要任務是學習。所以，如果沒有合適的打工機會也不要緊，關鍵還是要把英語學好。與很多工程類專業相比，英語是一門在校內相對容易掌握的學科。只要有圖書館（書籍）、字典、錄影帶、錄音帶、電視機、收音機，學好英語的條件和因素就十有八九齊備了。

我認為比較好的幾種「有用的打工」包括：

1. 尋找與你所學相關的工作，以幫助你學以致用。
2. 在進入社會前鎖定自己的興趣。有些同學主修A，但是一直覺得自己對B更有興趣，因此就可以利用打工的機會更理解A或B，發覺自己的興趣，尋找未來合適的職業。
3. 去你心儀的企業打工，深入了解和學習它的企業文化；到你尊敬的人所開設的公司打工，向他看齊學習。
4. 用打工來培養自己的人際關係、團隊精神等素質。
5. 增加自己的知識和獨立工作的能力。

對你來說，最完美的兼職可能是在英語報社打工或翻譯，其次是教英語、家教這類工作。有些工作，比如在大街上發傳單、資源回收、體力勞動，除非有經濟方面的需要，最多做一、兩次，體驗過就夠了。不過暑期的時候，可以降低一些標準，因為這時候工作不會影響學習。

到企業實習應該怎樣做？[6]

Q 我馬上會到一家著名的軟體企業實習，請問如果我對實習的專案計畫不感興趣能否更換？如果在實習中遇到技術上的難題，該找誰問？

A 身為一個學生到企業中實習，最重要的兩件事是：（1）把分配給你的工作做好，給人留下美好的印象，為自己造就工作機會；（2）了解企業環境和產品的開發流程，做為畢業後的選擇參考。所以，具體從事什麼專案，關係不大，因為這不是一份永久性的工作。同時，企業分配實習生任務的時候，大多數情況下是哪裡缺人，就把名額分配給哪裡，至於你是否要提出更換專案的請求，如果你的實習期只有短短幾個月，我不建議你這樣做。原因有三：

第一，有些公司或主管會認為你過於挑剔（如果是我帶你實習，我不會這樣認為，但是現實中有人會這樣認為）；第二，最缺人的專案計畫，也許是最能夠讓你實際參與的計畫，有時候你加入一個自己感興趣、但卻插不上手的計畫，反而是浪費時間；最後，實習時間不會太長，目的是幫助你了解企業的環境，並不是讓你確定長期的興趣和發展方向。

至於有問題是否需要問人、如何問，這是很多實習生都會面臨的問題。我的建議是：

1. 要大膽提問，不問就浪費了大好實習機會。
2. 要體諒同事，包括在自己努力閱讀資料、獨立思考以後再問；整理一定數量的問題後再約個時間一起提問；用E-mail

方式提問，以允許對方延遲對你的回答。其中約個時間集中提問很重要，因為很多人不怕幫助別人回答問題，但就怕沒有預先告知而被打斷手中的事情。當然，如果是嚴重阻礙你工作進度的問題，不要有什麼顧忌，馬上提問。

3. 在提問過程中，一定要對沒有聽懂的東西問個明白，不要當時不好意思說不懂，事後再來問。問的同時要做好筆記，以免重複問同樣的問題。

4. 提問的對話要簡短扼要，才不會浪費對方的時間。

5. 提問結束，不要忘了對回答者表示感謝；如果能讓對方知道在他們的幫助下你有了進展，他們會更加欣慰。

最後，還有兩個相關的建議：實習生要主動，不要等待老闆分配任務，如果察覺不知道應該做什麼，要主動請纓；要保持和老闆的溝通，讓他了解你的進度。

在實習或打工中應該學習什麼？

Q 我雖然已經有打工經驗，但感覺在公司打工什麼都學不到，也不能發揮我應有的價值。您認為有哪些方面是我能在實習或打工中應該留心學習的？

A 經驗都是從最簡單的事情中學到的。即使你一畢業就進入與你所學相合的公司，也需要從小事做起，公司不可能一開始就讓你接觸核心業務。何況是實習生？

確實有些實習生的抱怨是：沒有學到真正有用的東西，沒有事情做。很多實習生大部分時間都是混過去的，甚至到後來就

沒有主動性了。

　　坦白說，公司對於實習生的工作安排相對來說的確比較簡單，因為只有短短兩個月的時間，很難給實習生安排一個複雜的專案，而且有很多實習生還缺乏基本的專業知識，所以這樣的實習的確不太好安排。

　　但我認為非常重要的一點是：無論是實習還是第一份工作，你需要學的不是核心技術，也不可能有這個機會，甚至客觀地講，你們暫時不具備這樣的技能，你需要學習的是從細節入手，包括基本的工作技能、體會公司文化、體驗團隊合作、學習溝通技巧，例如如何協助相關人士組織一個會議，保證每一個人都會出席、做好會議紀錄、追蹤會議決定的執行等等。另外，利用這兩個月的時間，多觀察公司的運作、值得學習的領導作風，以及整體的企業文化。這些是你在大學中學不到的，可能也是許多教授不理解的。

　　如果這個企業是你今後嚮往加入的，不要忘記，大部分的企業都會考慮雇用暑期實習生（例如，Google的暑期實習生中，超過90%都得到了畢業後加入Google的工作邀請）。所以，你在實習期的表現對你未來的工作申請有關鍵作用。

　　不要抱怨大材小用，你要認識到社會上比你有本事的人還有許多。你應該在實習中學會處理細微繁雜的事，同時虛心向小組主管多請教，把握機會多發問、多學習。任何公司都永遠缺乏並渴求人才，只不過這個人才必須是可用的、和團隊與公司文化合一的人才。

電子資訊工程的前景如何？

Q 我是一個大一的學生，現在讀的是電子資訊工程科系。可是我覺得這個專業的發展空間不是很大，我對人工智慧比較感興趣，請問這個領域目前的狀況，以及未來的發展情景如何？

A 你才大一，先不要挑專業，最重要的把基礎課程學好。你已經懂得開始計劃自己的未來，並且多請教做諮詢，這是很好的事情。從應用的角度來看，「資訊工程」涵蓋了一切，所以絕不能說它發展空間不大，反而是你在學習時需要在這個領域挑選更細的題目或專業。所以我勸你不應該太快否定它，要更細化地理解這個領域裡有什麼機會，就業的前景如何等。

「人工智慧」反而是比較狹窄的領域，是一個還在研究階段的領域（往往一個「人工智慧」的技術成熟了，該技術就不叫「人工智慧」了）。如果選擇做人工智慧，千萬不要做那些模仿美國幾十年前的符號人工智慧（symbolic AI），而應該選和資料統計相結合的新方向。如果你對這個方向有興趣，可以多學一些有關統計、機率論等的知識。

你也可以詢問一下這個專業畢業後的前景，在美國學習這個專業的畢業生在幾個領域都有很好的工作機會，例如網路（基於資料的分析，幫助一個網站提升它的用戶滿意度或營收）、投資（用挖掘資料的方法，尋找好的投資理財途徑）、信譽分析（幫助銀行分析信用卡或房貸申請者的風險），當然也有進行純學術研究的機會。你可以利用Google Scholar搜尋一些有關的人工智慧期刊、論文，尤其是那些應用方面的和用統計方式做的工作。

做好職業規劃，結合對自我和工作的了解[7]

大學畢業生差別為什麼那麼大？

Q 我今年大四，就要畢業了，面臨就業選擇，感覺比上不足，比下有餘。但讓我非常感歎的是，我們這幾千個同學為什麼考進來時是同一個水平、在同一所大學接受教育，但在畢業走出校門時，同學之間的差別卻那麼大？

A 畢業時，同學之間的差別可能是很多原因造成的（染上壞習慣、不好好學習、沒找到興趣等），通常大學生的通病就是沒有做好「職業規劃」，把讀書的目的簡化為「學歷、成績」，而忽視了學習最重要的目的：找一個好工作。

職業規劃之前要先理解自己的理想、興趣，還要對畢業後的選擇做足夠的諮詢。完成這些工作之後，就可以開始真正制定一個計畫了。有些人職業規劃做得太遠。記得在我的一次演講後，有位同學長篇大論地談自己的職業規劃：兩年之後得到什麼學位，五年之後得到什麼學位，七年之後得到什麼職位，十年之後升經理，十二年之後升總監，十六年之後做副總裁，二十年之後做CEO。這麼長遠的規劃是沒有意義的，我們要立長志，但是計畫做兩步就夠了。

這就是我稱為「兩步計畫」的職業規劃。運用在大學畢業生身上就是：

1. 擬定一個讓你興奮但又務實的三到五年目標，這是「第二步」。

2. 諮詢如果要達到這個目標，「第一步」應該怎麼走？（也許是讀書或工作）。

　　一步計畫行嗎？我認為不夠。比如曾經有位同學說想去某某學校讀書，問我該怎麼做。我問他為什麼要去這個學校，為什麼要出去讀書？他說不知道，反正出國就是了。我接著問他出國讀書做什麼，他回答想進某個企業。最後我建議他去諮詢什麼學校有助於進入這個企業，然後再去諮詢如何進入這些學校。結果，他選了一個更容易進入的學校，後來如願以償地進入了他嚮往的企業。

　　在一家著名風險投資公司工作的一位朋友告訴我，雖然他大學讀的是一所普通學校，但是他下定決心要進入這家公司。經過打聽他發現這家公司由於創始人畢業於史丹佛商學院，所以特別中意史丹佛商學院的畢業生。於是，他又打聽如何進入史丹佛。然後他發現史丹佛重視的是有潛力且多才華的學生。於是，他在讀書之餘，編校刊、當學生會主席、暑期到金融公司實習、到歐洲參加辯論賽。他又在一位著名的企業家麾下做慈善工作，請那位企業家幫他寫推薦信。最後，他創造了進入史丹佛的機會，也創造了進入他夢寐以求的公司的機會。當年，他所就讀的那所大學裡，只有他進入了一流的研究所。

職業規劃用兩步計畫

 我學的是工程科系，但是我對管理方面很有興趣，從小就讀了很多管理方面的書，希望以後能做管理工作。您如何看待

技術和管理這兩者的關係？可否就我的情況提供一些建議？我的職業規劃應該如何做？

A 有關技術和管理的關係，我認為你還是要把技術的基礎打好。我可以肯定告訴你，如果我領導的部門裡所有工程師和科學家認為我只會管理，不懂技術，我很快就會失去他們的尊敬。身為領導，你不必懂得比部屬更多的技術，但你也不能讓他們覺得是在對牛彈琴。

另外，當你步入社會後，第一個工作可能還是技術工作，從基層做起，所以你不能放棄專業技術的學習。既然你對管理有興趣，現在你能夠做的是多與人相處，尋找團隊合作的機會，因為這是管理者必備的基礎能力。但你一定要把技術做得「足夠好」以後再投入，學技術是你「必須做的事」，需要你專注對待。

看了你的「職業規劃」，首先要恭喜你在「認識自我」方面做得相當好。我認為你現在應該透過網路、同學和老師多做一些諮詢的工作，打聽你最嚮往什麼公司？每家公司從技術轉換到管理的可能性有多大？哪些公司成長比較快（成長快的公司會有更多「提升成管理」的機會）？ 在你找到幾家最嚮往的公司之後，你應該再做一個計畫，如何增加自己被錄用的機會。

我建議你採用我稱為「兩步計畫」的方法：從下一步的下一步往回做計畫。

這個「兩步計畫」的想法來自於Google的高級副總裁羅森伯格（Jonathan Rosenberg）。他說：「每週都有兩、三個人來找我，希望我幫助他們做職業計畫。我的回答很簡單：擬定你三到五年能達到的一個『完美工作』，寫你那時可能會擁有的履歷

表。評估你申請那個工作的可能性、你的強項和弱項。把你的分析拿給比你資深的人評估，讓他們幫助你做一個『落差分析』和你的培訓、發展計畫。」

例如，如果你的下兩步計畫是想進入微軟營銷部門做銷售，那麼現在你可以多去諮詢，你可能會發現這個部門從不雇應屆畢業生，但是這個部門需要不少技術人員做售後服務，而且有不少這種技術人員在一段時間後能轉做銷售。那麼你的「第一步」就先申請售後服務的職位，然後再透過努力進入銷售部門。

換工作和換公司是常見的事，只是大部分人是為了賺更多的錢或更高的職位。但我建議你應該用職業規劃來引導自己，而在你的職業規劃中，職業生涯就像攀岩，需要一步一步往上攀，同一時間四肢只能有一肢離開岩壁，否則就要跌落懸崖；職業生涯也像爬山，不應在山腳下徘徊，而應該選擇一條道路，然後一點一點調整，不斷向山頂逼近。只要一步一步來，你可以從技術支援工作轉到技術開發工作，從一個二流企業轉到一流企業，當然也可以從非管理工作轉到管理工作。

用興趣來選擇博士專業

Q 我是一名即將畢業的交大數學系研究生，現在有個問題令我非常困惑。因為我想繼續讀博士，目前有兩個專業可以供我選擇，一個是轉到電腦業，另一個是金融業。

先說說電腦業，我現在的導師向我推薦一個交大專研網路的指導教授（主要方向是遠端教育和E-learning等），可是我的電腦水平很弱，幾乎不懂什麼程式設計，也不知道電腦原理等。我不知道

自己該不該去，我怕自己讀了四年就是忙忙碌碌地趕畢業，發幾篇文章，有關電腦方面的知識什麼也學不到，這樣真的很浪費時間，令人痛苦。總之，我目前這種情況適合去讀這方面的博士嗎？或者我能勝任嗎？

金融方面，是我自己聯繫的一個交大導師，可是我覺得自己有點內向，不善言辭，是不是不太適合做這方面的工作？我們都知道學金融、管理的人幾乎都要能說會道，可是我好像做不到。我該怎麼辦？

A 你只談到兩個科系，沒有說你的興趣；只談兩種學習，沒有談有什麼工作的選擇；只談到自己的不足，沒有說自己的強項。所以，依據你現在的分析，你無法回答這個問題，我也很難幫你出主意。

多想想，你對什麼更有興趣，你最突出的優點是什麼？當一個人可以發揮自己的天賦，又熱愛他的工作或專業時，沒有什麼事是不可突破的。還有，你要想清楚為什麼要讀博士？只是因為喜歡研究還是因為找工作需要有博士學位？不要為了讀博士而讀博士。你應該做一些諮詢，看看如果你選擇了這兩條路，以後的就業遠景如何。

當你了解你的興趣和畢業後的出路以後，你可以做一個「夢想工作」計畫。假設你選了電腦業，寫一份你畢業時擁有的履歷表，再寫一個最好的公司的一份工作（當然，一定是有可能的「夢想工作」），評估你對那個工作申請的可能性，你的強項和弱項，把你的分析拿給比你資深的人評估。然後，再照樣做一個如果選擇讀金融方面的博士的評估。

做完上述工作後，你就可以從中挑一個了。不過，也可能在你的諮詢過程中，你找到了第三個選擇。其實，你為什麼要把自己的未來局限在這兩方向呢？無論選擇哪一個，你都一定要打好基礎，千萬不要濫竽充數，只求拿個博士學位就好。無論選擇哪一個，都要學好與人溝通的能力。

最後，如果你決定去讀博士，選擇指導教授是很重要的，建議你和幾個老師都約個時間，看看哪個老師更願意花時間和你交流，是更好的學習對象。

憑興趣，找專業[8]

Q 我是生物學系大二的學生，記得高中文理分科時，我就很苦惱。因為一直以來，我的各科成績都很優秀，但很明顯的是我很喜歡人文，而且考同樣的高分，我花在文科上的時間要比理科少。後來選擇理科是因為我想多學點，我一直覺得文科的知識可以自學。因為這樣的想法，也因為大學聯考失利去不了很好的學校，我放棄了自己一直想學的經濟和法律，而選擇了生物。當時我覺得經濟、法律這樣的專業一定要在大城市、好學校學，而自然科學相對來說在哪兒學都一樣。

但進了大學我發現一切和我想的不一樣，首先，生物與中學時學的相差甚遠；其次，我一開始就沒想做生物研究方面的工作，這時候卻很迷惘自己到底該做什麼。抱著既來之則安之的想法，雖然我有很好的組織交際能力，在大一第一學期，我放棄了參加任何社團，想好好學習。但第一次，我發現面對那些課本時根本力不從心，成績也不大理想。

我覺得自己用全力在做自己不喜歡、不擅長的事。到了第二學期，我開始廣泛地投入到學校的各項活動和社團，希望找到一個方向。我輔修法律，旁聽文學和藝術課，還曾在本地的媒體做過實習記者，得到很高的評價。我交到了許多朋友，我的組織能力、交際能力很快得到大家的認可。在今年學生會的改選中我以高票當選。但在專業課的學習中，情況卻愈來愈不樂觀。我發現自己不愛看書，只是到期末復習應付考試。

我想要轉系，但本來堅定要走的我現在又有點動搖了。我是有願景目標的人。我一直堅持要學理科，還有一個重要原因是我很想自己做教育工作，而做教育工作的人應該知識面很廣，經歷也比較豐富。我希望能出國學習一段時間，做自己真正想做的事，而不是像學校裡的好多人一樣隨便考個研究所。

A 很遺憾，你的告白似乎是一段放棄興趣與熱情的過程，而且覺得你像陀螺轉個不停，無暇思考，做重大決定時也不請教別人。這種模式才是需要反省和深思的。人生中每個改變都是重大的決定，我們要把各方面因素想清楚，一定要在細心的調查研究之後再做決定。

你需要學會平衡學習和社團之間的關係。因為自己「學不好」而把時間全部投在社團是不妥當的。在「學得足夠好」的前提之下，做社團的工作才是對未來有益的。

什麼是「最重要」的事情就要看你的理想，你的興趣是什麼，還有你的執行計畫。你如果看了我寫給大學生的七封信後仍然覺得迷惑，請看《做最好的自己》一書（但是不要期望書能回答你的問題，任何一個人或一本書只能幫助你自己找到答案，無

法幫你回答）。

　　大學畢業後，許多學生的首選是留學或考研究所。在這方面，我建議不要為了讀研究所而讀研究所，也不要為了留學而留學。讀研究所和留學是方法，但你的目標是什麼？你有興趣做什麼？你想做什麼工作？進什麼公司？讀什麼科系？這些問題一定要先想清楚。有了明確目標，學習才不會白費。有了真正的興趣，才會事半功倍。

　　如果你了解自己的興趣，而實現這個興趣需要留學或考研究所，這才是最好的留學或考研究所的理由。若選擇考研究所，要對自己有自覺，一年的光陰是很大的成本，不要去報考那些沒有希望進入的學校。

　　如果你打算換科系，留學和考研究所也許是大學期間最好的機會。無論是考研究所還是留學，你通常都可以報考任何專業（當然，如果報考與本科相關的專業，考取的機率可能稍大一些）。有一位電腦系的畢業生，到微軟工作兩年後，進入史丹佛大學讀MBA。還有一些人讀文科，經過自習，最終到美國讀理工科碩士。這些換專業的人雖然辛苦，但最後都取得了成功，因為他們是在追尋自己的興趣。

　　所以，如果你找到了新的興趣，那就大膽去申請或報考吧。如果你找到了合適的交叉學科，那就大膽去嘗試吧。雖然轉系後的學習過程會很艱辛，但絕對比工作後再轉方向容易多了。

　　提醒一句，進一步深造時，不要只選學校和專業，也要考慮指導教授、校風等因素。

學會計還是學電腦？

Q 我是個會計系大三的學生，我一直對電腦感興趣，所以又修了一個電腦雙學位。大學畢業後，我還是想考研究所，因為我想更深入地學一些東西。但現在我遇到一個問題，我不知道究竟該選擇經濟還是電腦做為我繼續學習的方向。

坦白說，我在經濟管理方面有天賦，但我更愛電腦一些。可是電腦方面人才實在太多了，我很擔心自己的實力。以後我很想在IT企業裡做有關經濟管理方面的事，但又希望自己是一個懂技術的人，我也認同不懂技術是做不好管理的。現在我不知道下一步路該如何選擇，希望您給我一些建議。

A 雖然有較好的底子在做技術性的管理工作時很重要，但如果你現在去考較好的電腦研究所可能會比較難。如果你對經濟、會計不討厭又有天賦，你可以考慮商學院、經管學院、會計、金融等做為你考研究所的下一步，你的電腦底子會讓你在這些系裡有一定優勢。

說起電腦方面人才多，其實三百六十行，行行人才都多。關鍵在於你對電腦有無興趣，以及有沒有一定的潛力。這個潛力不一定指很高的天賦，但至少這個專業不是你的弱項。如果經過本科雙學位課程的學習，你感到電腦雖然是興趣所在，但學起來很吃力，那我建議在選擇職業的時候就應該根據你的天賦來選擇，只把電腦做為你的業餘愛好或輔助技能。比如，即使進入財務或審計部門，電腦知識和能力對你也很有幫助，很多財會流程都可以用電子資料表格和資料庫實現。

你還可以確認一下，你指的管理是專案方面的，還是市場

營銷方面的。如果你喜歡技術性的管理，我建議你在研究生時偏向技術，尤其是在大學時你學的是電腦雙學位，可能基礎不如第一學位扎實。如果你想從事營銷方面的管理，那麼在研究生時期就可以學習市場學之類的專業（因為營銷和會計還是有區別）。如果你繼續學習的方向還是會計或金融，那麼今後進入公司的財務或審計部門的可能性會更高一些。

我想既懂電腦，又懂經濟和管理

Q 我是一名大學生，面對現在社會上如此激烈的競爭，我覺得自己應該懂得更多的知識。我的最終理想是做一個稱職的「管理者」，因此我想在大學階段做到既懂電腦技術，又懂經濟和管理，請問我該怎麼做？

A 如果「想懂」表達的是你強烈的學習動機，那就試著在學校找尋雙修、輔修或旁聽的機會。只要時間、精力允許，多修課或多自習，先充實這些方面的知識。電腦、經濟專業都是需要投入相當多時間認真學習的。

至於管理，不要期望大學的「管理」學科能真的讓你很快從事管理工作。在「我學網」的精華區中有很多類似的問題和回答，也有不少同學的親身體驗，你可以參考。同時不要期望沒有企業管理實際經驗的管理學教授能教你真正的管理學知識。如果一個學科具有非常強的實務性，而且在業界的待遇和在教育界的相差很大，那麼就不能期望學校裡的教授真的能與時代接軌。當然，這其中也有例外，例如最好的學校的MBA教授都擁有豐富的經驗。

如果你真的想做「管理」工作，那你找工作時應該：首先，挑一個願意培養你的公司和好老闆；其次，找一個能讓你迅速成長的公司或部門；最後，找一個有優良的企業文化和良好管理體制的公司。

你現在可以做的，包括為了做到上面三點而鋪路；其次，培養好的習慣；第三，鍛鍊與人相處的能力，如打工、參與社團等；最後，也最重要的，把基礎課程和大學本科課程學好。

我寫給青年學生的前四封信裡所談到的內容都是立志做領導者的人必須奠定的基礎，你可以找來讀讀。最後，工作幾年後能讀個MBA，是很好的長期計畫之一。

如何才能儘快從不喜歡的工科專業轉到管理工作？

Q 我是一名知名大學機械科系的女大學生，但我並不喜歡這個科系。基於我自己的人生計畫和家庭經濟狀況，我希望儘快找到自己的興趣，早點工作，積累經驗，以期早日進階到企業的管理階層，我該從哪些事情入手呢？

A 給你以下幾個建議：首先，在「我學網」上有很多資源都與你的問題有關，建議你多看看。我有很多關於這方面的想法，在我寫的給青年學生的七封信裡提到過，此外，我的其他留言裡也有一些建議，例如如何挑公司、如何寫申請信等等，這些應該都對你有所啟發。

第二，雖然你不喜歡學習機械，但你的專業在目前仍然是你找工作時的優勢之一。特別是在國外，因為學習理工科的女性較少數，很多機構有保障女性員工名額的規定，以致女性工科就

業的優勢很明顯，所以你若有出國打算可以留意這方面的資訊。你可以挑選一個與你所學專業對應的公司，例如某汽車公司，但在你有興趣的領域中工作，例如市場、技術支援等，當然是最好的選擇。學工科的人很少願意放棄自己的專長而進入服務業，所以在這方面你將有絕對的競爭優勢。

第三，一般來說，學工科的人比學人文的人在邏輯思維方面略強一些。即使你不喜歡你的專業，但我相信你的工科絕對不會白讀。建議你在今後的工作上，發揮你具有工科底子的優勢。

第四，畢業後不要有一步登天的夢想，一切扎實地從基層做起。然後，可以一步步地修正。

第五，如果你立志從事企業管理工作，可以考慮早點讀MBA或EMBA。目前你就可以考慮大學畢業後出國讀MBA。

最後，看來你是個顧家也充滿上進心的年輕女性，所以無論最後在職業生涯規劃上的選擇如何，將來都將面臨家庭、工作「蠟燭兩頭燒」的局面。因為管理工作所負責任較重，工作負荷相對也較大，即便家庭經濟改善，但仍將影響你給家庭的時間和家庭生活的品質。希望你及早看到這種兩難所帶來的挑戰。

如何結合學校學習和實際工作？

Q 我是一名電腦科系的大學生，但我覺得在學校裡學習的內容和實際工作中所需的技能嚴重脫節，請問在學校裡怎樣才能為以後就業做好充分準備？還是我應該退學創業？

A 大學裡很多課程確實急需更新。我曾經深入研究過國內大學的電腦語言課程，覺得學校那一套評估方法本身就存在

問題，比如我認為掌握電腦語言最重要的評估指標不應該是在筆試中考高分，而是實際程式設計能力。不過，有些事情是我們不能夠改變的。當你不滿的時候，一方面你可以試著去改善環境，但更重要的是要做好自我調整、適應環境，不能因為對課程有意見就放棄學習。去適應環境不是「隨波逐流」，而是在這個世界裡生存必須具備的能力。值得慶幸的事，在今天的大學環境中，你完全可以經過自習，為自己未來的實際工作鋪路。

　　大學四年是一個為未來打下堅實基礎的時期。我以前在美國上大學時也覺得課程與實際脫節，直到今天我才發覺那些基礎課其實相當重要。雖然電腦語言和開發平台日新月異，但是很多東西萬變不離其宗，比如資料結構、演算法、編譯原理、資料庫原理等等，這些基礎知識對將來要從事軟體行業的人十分重要。如果拋棄這些基礎課程而盲目追求一些時下時髦的新語言、新技術，這對大學生來說是本末倒置。

　　當然，行業內新的技術也要兼顧。但如果基礎掌握較好，那麼學習這些東西並不困難。比如，如果你的C語言學好了，而且對於編譯原理和電腦語言的基礎知識掌握得很好，那麼拓展到C++或者C#並不難。這些知識甚至到工作崗位上再學都不遲。

　　國內一些老師上課的水平有些良莠不齊，但在學習基礎課方面，自學也能彌補一些差距。建議你有條件的話多讀一些英文的原版教材，相較於國內很多教材，這些原版教材寫得深入淺出，很適合自學，而且可以提高你的英語閱讀能力。如果還有空閒，可以看看網上的開放課程、參加一些程式設計比賽、找一些實習的機會（尤其是可以幫助你得到實踐經驗的實習）。

　　大學就像個濃縮的社會，你會從中學到很多東西，不只是課本知識而已。對於大多數學生來說，放棄大學學習去外界闖蕩是有欠考慮的。大學學習是人生一次難得的機會，是和你的同儕一起成長、成熟的過程；是培養自學能力、開闊眼界、增長知識、發現自己的興趣、打好基礎的最好時機；也是走進社會前培養自己能力最好的機會。

未來的路如何走下去？

Q 我是一名材料科學與工程系的大一學生，馬上要升大二了，心中無比感慨。我就讀學校的材料科系在國內是很強的，但是我不喜歡，一談到水泥、陶瓷、奈米和高分子，我就有非常強烈的反感，我已經很用心學習了，晚上自習到半夜，但成績仍是中等，因為我厭惡這個專業，在學習時是被動的。

　　我很喜歡經濟、金融，夢想能在華爾街工作。我想轉金融工程科系（沒有什麼知名度），但是學校要求如果要轉系，成績排名必須在班上前30%。如果有能力、有興趣學的話，我又何必轉系？學校真是太不因才施教了，我是在用自己的慢馬和別人的快馬比試啊。我很憂慮，甚至想退學，重新參加大學聯考，但那樣會浪費兩年時間，我該怎樣繼續今後的路呢？請指點一二。

A 你的學校不錯，而且你很努力讀書，成績也不算差，因此我建議你不要因為一時的「心血來潮」去重考。難得你的學校有轉系的機會，與其面臨重考的風險，不如努力提升成績，轉入你嚮往的科系。

　　如果轉系失敗，你仍然可以讀完學位。可以去找你的科系

和興趣重疊的領域，例如如何用工科的數學底子來做金融的分析，或者找到在你所學科系公司裡金融方面的打工或學習機會。畢業後就算你的專業是材料科學，你依然可以申請非材料科學專業的工作，或者先找一個本科系的工作，然後在公司內部尋找轉換工作的機會。最後，你還可以經過考研究所轉入你更喜歡的領域。所以，條條大路通羅馬，不必強求轉系。

另外，在轉系之前，你應該確認你對金融方面的確有興趣，不只是一個幻想。例如可以去旁聽一些金融專業的課程，或了解這方面專業人士工作的細節。大學聯考填志願犯錯也許是因為當時沒有時間或資源，但現在不能再犯同樣的錯誤了。

【註釋】

1 參見論壇文章中關於如何準確發現自己的興趣的討論：http://book.5xue.com/53。
2 參見專家吳新苗有關專業的文章：http://book.5xue.com/54。
3 參見這個非常用心的文章，是關於如何發現你的興趣：http://book.5xue.com/55。
4 參見專家張瓊文對這一系列問題的解答：http://book.5xue.com/56。
5 面對不感興趣的專業該怎麼辦？參見論壇討論：http://book.5xue.com/57。
6 參見論壇實習經驗文章：http://book.5xue.com/58。
7 參見論壇精采文章〈如何策劃職業生涯〉：http://book.5xue.com/59。
8 參見論壇中關於專業和興趣的討論：http://book.5xue.com/60。

第6章 畢業後的選擇
考研究所、出國、就業,還是創業?

　　臨近畢業,每位學生都希望找到一個能夠發揮自己特長的天地,或是一個可以繼續深造的良好環境。無論是工作、讀研究所、出國還是創業,擺在每個畢業生面前的選擇很多很多,需要畢業生權衡、考量的因素不一而足。對大多數人而言,是第一次在人生中面對如此重大的、需要自己親自把握的、有可能對自己的未來產生關鍵影響的抉擇,每個人在這時都會自問:我該走哪條路?是我的興趣、理想重要,還是社會現實與環境因素重要?我應該自己拿定主意,還是聽從家長、老師的意見?不同的選擇之間是相互矛盾、相互排斥的嗎?如果適合自己的選擇才是最好的選擇,又該如何清楚地認識自己呢?

　　是啊,對於這種面臨重大抉擇時的踟躕和疑惑,我自己也深有體會。在大學時期,我也面臨過是繼續攻讀原來的專業,還是轉到我所鍾愛的電腦專業的選擇;即便在工作上得到無數成功與榮譽之後,我還是會面臨一次次的選擇:留在美國還是

父親給了我兩樣珍貴的禮物:無私的品格和對中國的熱愛。

回到國內？留在安穩的公司，
還是進入挑戰性較大的行業？
做研究還是開發？每當面對人
生的重大選擇時，首先我都會
讓自己冷靜下來，提醒自己應
當在選擇前「重重」思考，用
理智、務實的思維方式仔細審
視甚至是評估自身的特點，以
及每一種選擇的利與弊，找到
最適合自己的目標與方向。一
旦做了決定，我又會提醒自己
在選擇後「輕輕」放下，不再

在結婚前，我太太就知道我會有忙碌的一生。

過慮選擇的利害得失，而是用積極、樂觀的心態坦然面對自己的
選擇，面對未來可能遇到的種種困難或挑戰。我想，只要擁有正
確的心態，懂得運用充滿智慧的方法做出選擇，每個人都可以找
到自己的成功之路。

　　比方說，有的同學在考研究所和工作之間搖擺不定。這
時，不妨先列一張利弊分析表，想想：如果工作，工作單位是否
擁有不斷成長的空間？自己是不是已經在專業知識和個人能力上
為未來的工作做了準備？自己學到的知識，積累的能力是否有發
揮的舞台？工作的內容和方向是否和興趣相符？反之，如果選擇
考研究所，是出自自己希望獲取更多知識的真實心願，還是來自
周圍環境的壓力？自己是否對繼續深造有足夠的興趣？就自己
希望從事的工作而言，繼續深造是否可以提供更多、更好的發

與Google執行長施密特（Eric Schmidt）合影。

展機會？在思考的時候，也可以想想是否嘗試一邊考研究所、一邊找工作。在許多情況下，讀研究所之後往往可以得到更多的選擇，有可能找到更好的工作，但即便是先在工作中積累經驗，再選擇在職或離職深造的做法也未嘗不可。重要的是，選擇最適合自己的，才是最好的選擇。

對於出國，有的人有盲從的想法，甚至有「為了出國而出國」的做法。但也有人對此表示懷疑。其實，每個人的情況不同，做出的選擇也不會完全相同。對大多數人而言，已開發國家擁有成熟的教育體系和優越的社會環境，出國可以讓自己開拓視野，學習最先進的技術和理念，為自己的未來打下堅實的基礎。但是否選擇出國，也必須考慮個人的實際情況。不要盲目崇洋，為了所謂的「綠卡」或外國身分；也不要把出國當作不敢正視現實的一種逃避，不要以為國內不能解決的問題到國外就可以得到解決；更不能為了更容易出國而選擇與自己的興趣、專長相距甚遠的專業……，出國需要智慧地選擇，需要理性、審慎權衡。

有些同學一聽到「創業」兩個字就熱情澎湃，甚至希望像一些天才那樣，在畢業前就開始創業。我個人認為，在多數情況下，大學生在沒有工作經驗和人生閱歷不足的情況下，貿然投入創業，通常是不理智和不可取的。我不贊成大學生剛畢業甚至沒有畢業就開始創業。反之，我希望同學們珍惜大學校園中的寶貴

時光，在專業知識、個人品格、情商、人際關係、興趣和愛好等各個方面充實自己。即便你打從內心熱愛充滿熱情的創業過程，即便你已經對創業的艱辛有足夠的心理準備，我建議你先在一家能學到相關知識、體驗企業運作各種流程的公司鍛鍊自己，為將來的成功創業做好準備。

其實，不僅大學生有這樣的困惑，一些即將畢業的高中職生也會遇到這樣的問題，而不知如何選擇。例如，有的高中職生缺乏學習動力，在大學聯考的沉重壓力下迷失了方向，有的對應試教育感到厭煩，有的在畢業後不知何去何從……，我認為，最重要的不在於你身處何種位置，也不在於其他人如何評價你的選擇，關鍵在於，大家是否真正了解自己的興趣或志向，是否知道該如何將自己的興趣、志向與自己面前的選擇結合起來，找到切實可行的、離興趣或志向最接近的道路。此外，不要想當然耳地認為，一定要用某種方式，或走某條道路才能達到目標。

人生的每一個階段都會有多種選擇，而每種選擇都各有利弊，只要多諮詢、多思考，你一定會找到最適合自己的方向。

無論是工作、考研究所、出國，還是創業，我們都應該事先在各方面打好基礎，透過自我充實和自我提升，為將來鋪路。在真正面臨選擇的時刻，請大家記得：冷靜遠勝於衝動，智慧遠勝於盲從，追隨我心遠勝於隨波逐流。

希望能幫助青年學生成為國際化人才。

如何做最好的選擇

面對選擇，我該走哪條路？

Q 我是財務管理系大三的學生，現在我有個保送研究所的機會，但是由於我喜歡自主式學習，所以想畢業後先工作兩年，然後去美國讀書。由於家庭經濟因素，我曾經申請助學貸款，需要還貸款，因此想先工作賺錢。身邊很多人都告訴我不要放棄保送機會，但我傾向於先工作、換個環境，同時對自己有更清楚明確的定位，就算要在國內念研究所，也想靠自己考上自己想去的學校或專業。我一直很矛盾，不知該如何抉擇，請您指點迷津。

A 一個人在做重大決定的時候，最重要的就是不要盲目地決定，一定要獲取並研究所有你能得到的資訊。以下資訊是你需要獲取的：

1. 你想做什麼工作？哪家公司是你想去的？多諮詢一下有關這個工作和公司的資訊，確認這些的確是你想做的。評估一下你獲取這個職位的成功率有多高，然後考慮如何利用剩下一年多的時間讓你得到這份工作的機會極大化。

2. 如果想出國讀書，你需要考慮去什麼學校？一年的學費多少？你要幾年才能存夠。

3. 如果想考研究所，你有沒有可能進入比現在更好的學校？一所知名大學的學位在國內才有價值。如果這個可能性存在，不要只是為了「方便」就接受保送機會。

4. 在國內讀研究所，對你獲取想要的工作職位有沒有幫助？

　　另外，你一定要現在就做出決定嗎？可不可以一邊考研究所，一邊申請工作，然後從中挑選最好的選擇？最後提醒你，想事情不要太理想化，一定要務實，對自己要有很準確地判斷，不要去追逐那些得不到的東西。

　　你所需的這些資訊可以到學生輔導中心、就業中心去諮詢獲取，也可以上網搜尋，還可以和同學互相討論，請教學長姐。如果你有嚮往的學校或公司，最好直接去詢問。如果你沒有具體的資訊獲取管道，不妨積極點，到處打聽、主動要求，或透過網路社區等管道來得到你需要的資訊。希望你能做出智慧的選擇。

考研究所，還是工作[1]？

Q 我就讀的學校不怎麼好，基本上學不到什麼，我今年就要畢業了，眼前有兩個選擇，一個是考本校研究所（考更好的學校我沒把握），但我不是很喜歡做研究工作；另一個是去一家小公司工作（雖然不甘心，但大公司也不要我們這種學校畢業的人）。請問您認為我應該留在本校讀研究所，還是去小公司工作？

A 我覺得你把自己的選擇局限在一個框框裡了。首先，在考研究所和找工作這個選擇上，你大可不必只選擇一條路，可以同時準備。在考研究所方面，你的動機是為了彌補現在本科系學習不盡如人意的現實，最終目標還是為了找到好工作。所以，你是不是應該利用這個機會，考一所能幫助你未來找到更好工作的學校？或者你更有興趣的學科？

　　在選擇工作方面，既然你對這家公司也不滿意，為什麼不多考慮一些其他公司，多做一些研究，挑選幾家既有希望被錄

取，你也感興趣的企業。既然你對兩個選擇都不是很了解，也不是很熱衷，你不應該太快把自己框在這兩個選擇中。

另外，需要指出的是，在小公司工作也未必如想像中那麼糟糕。大公司都是從小公司發展而來的，而且大公司往往有更多的規矩和官僚作風。你可以從小公司做起，等你具備了充足的實力，就能更上一層樓！

當你做了更多諮詢、摸索後，也許你還是只有兩個選擇，我建議你運用前章提到的「兩步計畫」──先定一個五年後的「第二步」目標，然後看哪個「第一步」目標更能幫助你達到這個「第二步」目標。

大學畢業生該何去何從[2]？

Q 我是個大二學生，雖然離畢業還早，但我覺得應該早作打算，因此現在就考慮畢業後的去路。一是考研究所，雖然很多人都有此打算，但我還不很確定自己是否合適；二是出國深造，但難度較高；三是直接就業。請問您的看法。

A 我認為考碩士班正確的動機應該是：對某專業有興趣，並且希望學得更深入透澈。考博士班正確的動機應該是：對某專業有更強烈的興趣，並希望做最高深、創新性的研究。就個人而言，我對有冒險性、帶有高度困難的研究抱有極大熱情。

但今天大部分學生考研究所的動機卻是：希望增加自己在某項熱門專業領域中申請工作或進一步深造的實力。所以，很多人在報考研究所時會選擇最熱門的專業，也有很多人藉此當作「學校晉級」的機會，也就是從二、三流的大學進入一流的研究

所，然後再藉此一流學府的知名度進一步選擇出國或進入優秀的企業工作。這類動機不符合研究所培養學生深造的初衷，但是可以被社會廣泛理解、認同。

當前人力資源市場，競爭異常激烈，頂尖公司的酬勞可能是普通公司的5至10倍，而這些公司每年應徵者眾多，為了節約面試成本，是否具有研究所學歷就變相成為著名企業的第一層篩選。於是，有些公司可能只招收名校學生，或是只招收碩士、博士生。這種「學歷掛帥」絕對不是好現象，但卻反映了市場現況，鼓勵學生追逐名校、讀研究所。

針對考研究所的問題，我的建議是：

第一，優先考慮出國深造的可能性。出國深造比在國內念研究所更能學習到最新技術、開拓視野，因為國外較好的學校裡師資、資源、教學方式都領先許多。我鼓勵有能力和適應力的人都應該優先考慮出國讀書。出國讀個碩士或博士所需的時間與在國內所花費的時間一樣長，但在國外讀博士通常會有獎學金，所以大家應考慮出國，當然一定要選擇一個不太差的學校。最後要提醒大家的是，你可以多申請幾所學校，除了美國外，也可考慮加拿大、英國、澳洲等地的學校。

第二，如果你決定留在國內，也有意做研究工作，那就應該考研究所。盡量報考更好的學校，選擇你感興趣的專業科目，找一個值得尊敬的指導教授。一般來說，在理工科專業，我建議你選擇一位曾經出國讀書、有足夠經費、年齡較輕、目前仍在一線動手做研究的指導教授。當你讀博士時，最好選擇一位可以讓你專心做研究課題的老師。

　　第三，如果你只是為了進一家好公司工作，建議你一定要報考一所更著名的學校，選擇一個你感興趣的專業，做一些以後職場上用得上的課題，挑一個熱門又實際的論文題目，找一位有管理或商業經驗的指導老師。

　　第四，無論出國還是留在國內讀研究所，報考前，建議大家先上網多查查相關資訊。應該全方位地考慮你的選擇，比如：學校軟硬體設施是否充足？校方是否能幫助你的下一步選擇（例如出國、就業）？你挑選的指導老師是否得到學生的好評？他所做的課題你是否感興趣？是否有一定名望？是否有足夠經費可供研究？他目前是否依然親自做研究工作？

　　第五，如果你覺得你不考研究所也能找到好工作，你也不想去讀一個完全沒興趣的專業，那你可以選擇一個各方面因素都適合你的公司。你需要考慮的因素包括：公司是否有很好的員工培訓計畫、是否有愛護部屬的老闆、是否有具挑戰性的工作和學習機會。如果你進入的公司在這幾方面都與你的期望吻合，我相信，當你的同學拿到碩士學位時，也許你比他們進步更多。

　　最後，教你一個職業規劃的方法，我稱為「兩步計畫」：從下一步的下一步往回做計畫。做任何決定前都可以想想：我即將要做的那個決定對我再下一步的計畫有多大程度的幫助。例如，如果你的下一步是要出國讀碩士，再下一步是想到美國Google公司工作，而又不想花家裡太多錢，這時，你可以去搜尋資訊：什麼學校的碩士課程是較容易進入、學費較低且畢業後到Google的機率最大。你會發現加拿大有一所滑鐵盧大學（University of Waterloo），該校畢業生進入Google的機率非常

高，而且比許多美國名校容易申請，學費又低。這些資訊網路上都有，除了要有耐心和搜尋的技巧，還要多建立人際關係網——也就是俗稱的「人脈」，譬如你可以多認識高你兩屆的學長，多和出國的朋友保持聯繫，或者直接詢問Google的員工。

出國、考研究所、就業三者，並不是大二或大三時就一定要決定的。也可以挑兩者並行，當你更進一步知道你的選擇時，比如已經得到國外入學許可、考上研究所、得到國內公司的工作機會，那時你再做最後決定也不遲。

經濟不佳，為考研究所還是就業煩惱

Q 我是一名大二學生，由於來自農村，家庭經濟不好，所以我一直在為兩年後考研究所還是就業而煩惱。雖然很想借助考研究所進入一流大學深造，但每每想到家中的父母，就於心不忍。他們拚死拚活、辛勤工作就為了讓我上大學、能有個好工作，我是否也該為他們考慮，早點工作讓他們早點過舒適的生活？

A 最終的決定就靠你自己。如果你熱愛所學科系，自認有潛力深造，那麼考研究所的理想是為將來做投資，以便以更好的方式回饋父母，是值得鼓勵的。

但是，做決定之前一定要徵求父母的意見，也許他們寧願辛苦也希望看到你做想做的事情，或者寧願辛苦也要看到你拿到最高的學位。不要只是從你的立場和角度來斷定他們想要什麼，要和他們分享你的不忍和擔心，只有透過充分溝通，才能幫助你達成一個較安心的決定。若決定先就業，也可繼續留意考研究所的訊息，來日方長，只要有上進心，考研究所可早可晚。

考研究所或工作不一定要現在決定，你沒必要現在就把自己兩年後要走的路封死，甚至到了大四都可以一邊找工作，一邊考研究所。在大二、大三時可以做很多準備工作，以幫助考研究所或者找工作（請參見「給青年學生的第四封信」，收錄在《做21世紀的人才》第7章）。

另外，你可以什麼方法開源節流？你是否利用打工或假日兼差的機會，自己賺取生活費甚至部分學費？現在與其為這件事苦惱，不如把寶貴的時間投入學習，或找可行的方法創造收入。我所認識的很多大學生都能在學習與打工這兩者間找到平衡。

心理學畢業生的苦惱[3]

Q 我是心理學系的學生，明年就要畢業了，面對當前的就業狀況，我感覺壓力很大。心理學是一門冷門學科，現在雖有所發展，但就業形勢並不樂觀。如果去考研究所，將來的就業仍是一大難題，況且我家裡的經濟條件已經不允許我再這樣耗下去了。如果現在就找份工作也未嘗不可，但可以預見其條件一定很差，要不就是轉學其他的，但我確實很喜歡心理學這門學科！我該怎麼辦？

A 你如果喜歡心理學，那我建議你堅持下去，做和心理學有關的工作。心理學不是一個行業。你為了就業，應該多考慮自己想做什麼工作。學心理學的人可以當老師、做輔導、做人事方面的工作，甚至可從事電腦方面的工作（用戶介面、可用度測試等），還有很多其他的職業選擇。你應該開始了解哪些工作是你最嚮往的，多去學習，多爭取經驗，以便得到好工作。

考研究所也是一個好的方向。你可以繼續學習心理學，也

可以根據你的就業計畫讀一個更可以幫助你就業的學位（比如說如果你認為電腦的可用度測試很吸引你，你可以報考一個有這方面研究的心理學系所）。其實經濟條件不是最重要的問題，考上研究所以後可以申請貸款，也可以兼職打工掙點生活費。

好幾個機遇擺在我面前

Q 我是電腦系的大四學生，目前正面臨人生的岔道，很難做出抉擇。目前可供我選擇的方向有三：第一，我熱愛遊戲軟體設計，經過努力，終於得到了自己最嚮往的遊戲公司的offer，待遇也很好；第二，家人非常希望我讀研究所，我雖然沒有什麼興趣，但還是考上了；第三，幾個在外打拚多年的校友合夥創立了一家軟體公司（並非遊戲軟體），前景看好，想邀我加入一同創業。

我很想去那家已經同意錄用我的遊戲公司，因為那是我的興趣所在；同樣，創業也是我一直的夢想，況且那些學長都是很有思想、目光長遠的人，和他們在一起我確實能夠學到很多東西；此外，和大多數現代家庭不一樣，家人對我的干涉和影響力很大，很難說服他們，況且讀研究所確實是個深造的難得機會。就我個人來說，我更想早些學以致用。

到底應該選擇哪一條路？一邊是興趣，一邊是家人，一邊是創業的成功（至少有比較大的可能性）。換作是您，您會怎麼做？

A 我想很多學生都很希望能有你這樣的「困惑」，畢竟對大學畢業生而言，你面臨的三種選擇都是非常難得的機會！這幾個選擇都很好，而且你很明智，沒有草率決定。

一個人讀研究所，我覺得可能出於兩個理由：第一，喜歡

研究，希望以後當教授或研究員，但我不認為這會是你的職業目標；第二，更多人希望透過讀研究所提高學歷，從而可以找到更好的工作，但我認為你已經發現且找到心目中最好的工作了。

因此，這個研究所你大可不必去念。如果家人反對，使你還有其他顧慮，我對你的建議是：如果只是為了碩、博士的頭銜虛名，我覺得完全沒有必要；如果是為了前途，可以去打聽得到一個碩、博士學位在你嚮往的公司中對你的前途有沒有幫助。

也可以先申請保留學籍，工作一年後再衡量孰輕孰重，這是我們做任何決定時一個重要的「留後路」策略；如果你能進最好的學校，但卻只能進三流的公司，那你可能要多考慮家長的意見。你是成年人了，你可以自己做決定。我只能提供旁觀者的意見，你的家人也一樣。如果你認識到這點，相信你應該可以說服你的家人。

最嚮往的公司和創業之間的抉擇，要看你對自己生涯規劃的重點是什麼，工作穩定、個人發展、興趣所在、人事關係等等哪部分對你比較重要。一般來說，如果畢業生能先在比較制度化的機構磨練，可以打下較厚實的職場基礎，但如果你是樂在冒險，不在乎創業辛苦和風險，也不妨放手一搏。

出國念博士，還是進IBM工作？

Q 我是清華大學即將畢業的物理碩士研究生，面臨就業、出國的選擇問題，我想到美國繼續深造電機／電腦專業，但是跨專業申請非常困難，我沒有信心能夠申請到比較頂尖的學校。另方面，我已經通過IBM中國研究院的面試，進入IBM中國研究院的機

會很大。我個人偏好的職業發展是專業經理人，但是我又非常看重博士這個學位，我認為這對個人是無法比擬的榮耀。請問，一所美國二、三十名左右的學校入學許可，和IBM中國研究院的工作，哪個更有利於個人發展？我也考慮過先工作，積累電腦專業的背景，再申請博士班，這樣做妥當嗎？

A 你做了很明智的決定，並沒有過早決定「出國」或是「工作」。給自己更多的機會，這是很多學生沒有做到的。但是，你不應該因為博士這個頭銜而去讀博士。讀不讀博士應該在於你是否想做研究，而不僅僅為了這個頭銜。

至於你的選擇，我想你要先問問自己，是否真的想做研究？研究工作和開發是不一樣的。研究是為了創新，做研究的人要有好奇心，敢於嘗試，勇於面對失敗。這是你想要做的嗎？如果不是，應該考慮一些非研究性、有關產品開發的工作。

如果你想做研究，那麼你應該再弄清楚：

1. 美國排名二、三十名的學校畢業生就業前景如何？大部分學校都會在網路上公布歷屆學生名單，你可以看看他們找到了什麼工作。

2. IBM中國研究院的研究員如何看待自己的工作？不妨問問你的學長姐，或是從期刊上找到相關文章和聯繫方式，然後諮詢一些IBM中國研究院的研究員。

3. 如果沒有博士學位，是否能夠在IBM中國研究院得到培訓、尊敬、發展？

另外還應該考慮，你是否適合出國？出國最大的收穫是拓

寬自己的視野，但前提是必須能夠適應國外的生活、文化。至於
「先工作，再讀博士」，這是你個人的選擇，但不是主流的做
法，因為讀博士一般要五年左右，所以更多的人會選擇大學畢業
後，還沒有成家前讀博士，這樣可以更專注地把書念好。

修雙學位有什麼優點？

Q 我今年大二，專業是電腦科學，我很喜歡這個科系。從高中
時就希望到美國留學，現在這個願望更加強烈了，它指引我
學習的方向，是我積極向上發奮圖強的動力。現在我們能夠申請修
讀第二專業學士學位和雙學位，如果修雙學位，我會選英語。但我
有一些疑惑和顧慮，不知道修雙學位有什麼作用，對於實現我的夢
想，在申請出國時有沒有什麼優勢？或在社會上有沒有什麼優勢？

A 學好英語對未來是有優勢的，但是不代表取得雙學位所花
的時間是值得的。我認為學英語有兩個理由：

1. 為了能夠讀、聽、寫、說最多專業專家使用的語言。參見
   我寫的「青年學生的第四封信」（收錄在《做21世紀的人
   才》第7章）。

2. 為了自己的事業或學業。你應該先做好畢業後的規劃（或
   至少最可能的打算），例如，如果你的目標是出國，那麼
   GRE成績肯定更重要，直接補強這方面的能力可能比讀雙
   學位更有效率。如果你的目的是去外商工作，那麼所需的
   商業英語是不是英語系能學到的，這值得考慮。如果你畢
   業後大概會到國內企業工作，那你真的需要英語那麼好

嗎？如果你畢業後想考研究所，那應該看看考研究所需要具備什麼樣的英語能力。

我上哈佛念MBA

Q 我雖然是個法律系的學生，但一直有個崇高的目標，就是工作幾年後到哈佛大學讀MBA，因此我想知道：哈佛大學對學生有何特別要求？什麼樣的學生能夠吸引他們？在這幾年內，我要如何做才能達到他們的要求？對於法學生考MBA，應該加強什麼？

A 你有遠大的目標很好，但一定要做足準備。我現在就給你幾個「功課」，讓你考慮一下：

首先，你要了解自己對什麼有興趣，想做什麼職業，這個職業需不需要MBA？如果你的答案是肯定的，那你應該研究針對你想做的職業，哪個學校的MBA最好？哈佛雖然很好，但是在很多專業領域並不是最好的。

你接下來需考慮的是，為什麼一定要進哈佛？哈佛的確是很好的學校，我在大一時也把進入哈佛法學院當作自己的目標，但是後來改變了，不也走得很好嗎？還有，你需要出國深造嗎？其實在國內也有很多很好的MBA。

考慮幾個實際的問題：在國外讀MBA通常沒有獎學金，在一流的大學攻讀兩年，學費加生活費需要10萬美元左右。在國外有些人工作幾年有一些積蓄後，再貸款去讀。你有心理準備在30歲時仍背著一大筆貸款嗎？哈佛非常難申請，你的夢想有實現的可能嗎？

如果不可能，應該換個可能性較高的目標；如果有可能，

你要考慮如何做好準備一舉達成。夢想是靠努力、研究、諮詢、了解、爭取到的。

如果考慮過上面這些問題後，你依然想找個工作，然後出國讀MBA，那我可以給你下面的建議：

先把書讀好，因為畢業後你要找的工作，是能夠為你攻讀MBA鋪路的。這樣的工作應該是你有興趣的，並且是一家具有知名度的企業，或是一家著名的外商，若能有出國工作的機會那就更好。

法律和商業有相當的結合，你可以去找與兩者共通的職位，例如外商會需要一些懂國內商業法律的人才，尤其在稅法、知識產權保護等方面。這是你兼顧自己的興趣，同時找到一個很好職位的機會。

任何高等學校（包括哈佛）都希望招攬有理想、有思想的人才，所以在申請表後附一篇論文是很重要的，這篇論文最好能洋溢著自己的理想和思想。因此，平時多積累一些打工、志工服務和社團活動經驗，是很重要的。

進入你心儀的公司後，要好好學習、表現，這段時間的表現成果比大學更重要。此外，最好由一些可信度很高的人（比如哈佛校友）幫你寫推薦信，這點非常重要。我去年幫五位打算攻讀MBA的同學寫了推薦信，後來他們都被史丹佛、華頓商學院、倫敦大學等一流大學接受（當然，我只推薦那些我認為真的有能力就讀這些學校的學生）。

希望以上這些建議對你能有所幫助。最後，祝你能夠找到你的理想，達到目標。

關於選擇職業的困惑

Q 我對要從事哪個行業的工作感到非常迷惘和困惑。我在工作方面的目標是成為專業人士，但不想成為一個大忙人，要有時間照顧家庭，按時上下班，就算出國也能找到工作，有自信和滿足感，受人尊重。

我的學經歷是： 在英國得到應用語言學碩士、法學碩士；在國內得到法學學士。曾擔任大學外聘英語老師半年，某外商總經理助理半年。我對職業的利弊權衡，考慮因素如下：值得尊敬的專業、自信、出國機會、彈性工作時間、是否有興趣。

現在可能的工作有：

1. 英語老師，是值得尊敬的專業工作，但沒有自信，沒有出國機會，有彈性的工作時間和興趣。優勢：我非常喜歡英語；劣勢：我只學過一年的語言學，專業不夠扎實；英語不夠好，沒有博士學位也很難進大學，我又不想讀博士；一旦離開中國，很難找到英語老師的工作。

2. 法律行業，是值得尊敬的專業工作，但沒有自信，沒有出國機會，沒有彈性工作時間，不確定有興趣。優勢：學士、碩士均學法律；劣勢：當初因對法律沒興趣而轉學語言，法律基礎差不多忘光了；必須通過司法考試，法律界太複雜，自己性格不合適。

3. 翻譯，是值得尊敬的專業工作，不確定有自信，有出國機會，彈性工作時間，不確定有興趣。優勢：有語言學和法律背景，朝法律翻譯領域發展還有希望成為專業人士，自由職業，離開中國也可以工作；劣勢：沒有翻譯經驗，中英文都不夠好；始終不知對翻譯是否真有興趣，翻譯是否太枯燥？是否值得一試？

4. 公司高級助理，不是值得尊敬的專業工作，有自信，不知有沒有出國機會，沒有彈性工作時間，沒興趣。優勢：現在正從事這樣的工作，而且工作機會比較多，遇到好公司、好老闆還有升職機會，可以學習公司運作和管理知識；劣勢：總覺得像個打雜的，做很多別人不願做的雜事，喪失專業性，發展前景不明朗，心理上有些抗拒這類工作。

5. 教外國人中文，不知是不是值得尊敬的專業工作，有自信，有出國機會，彈性工作時間，不確定有興趣。優勢：中文為母語，有自信；可運用語言學知識；出國也可以找到工作；劣勢：沒有基礎，有待學習；沒有嘗試過，不確定是否有興趣。

A 首先應該誇獎你做了很周密的「利弊對照表」，可見你深思已久，也研究了不少行業，相信你的答案呼之欲出。我想給你幾個建議：

第一，對於是不是值得尊敬的專業工作、自信、出國的機會、彈性工作時間、是否有興趣這幾點，你應該做個排序，因為不是每個工作都可以滿足每一點，所以哪些是必須的，哪些是次要的，你要弄清楚。當然，最終的排序由你自己決定，我的建議是：「值得尊敬」是一種主觀且有點虛榮的評估，是不是沒必要那麼看重？自信源於你的內心，是不是不必非要和具體工作職位結合？你有沒有出國的計畫和打算？如果沒有，是不是可以不必那麼重視？

其次，對於你提出「是否值得一試」的兩個工作，最好的回答方式就是去試試看。翻譯和教外國人中文都可以業餘嘗試。這兩種工作可能在你現在的公司就可以進行（例如幫老闆翻譯、

教外國同事中文）。

第三，法律的工作，看來有許多的「不」，而且你過去曾因為沒興趣放棄過，你又忘得差不多了，除非現在有很大的改變，和其他選擇比較，成功率應該較低。

最後，在做職業比較時，往往會認為「外面的世界更好」，而忽略了你已有的工作優勢。建議你客觀地諮詢一下，現在的工作是否真的像你評估的那樣有那麼多缺點？我想有許多人羨慕你的工作。如果你覺得你的工作不被尊敬，會不會是你的環境或老闆造成？會不會是你自己需要表現得更有自信一些？

找不到工作怎麼辦[4]？

Q 我去年自大學畢業，讓我苦惱的是：為什麼我和很多同學畢業近一年了仍然找不到工作？有面子、酬勞高的工作，由於我們沒有達到用人單位的標準和要求，所以無緣被錄用；標準低的工作，要求從最基層做起，比如做銷售、服務員、售貨員等職位，但我們是大學生，受過高等教育，具有高素質，必然會顧及面子，怎麼能做這種簡單重複的工作呢？叫高中職生做就行了，何必大材小用！都是些雞肋工作。我們都是有知識的人，想自己創業，但要錢沒錢、要經驗沒經驗，只能做個創業的美夢來安慰自己。請問我們該怎麼辦？

A 職場是很殘酷現實的，沒有為哪個人量身訂作的好職位，到處是如你所言的「雞肋工作」，食之無味，棄之可惜。職場往往能測試一個人的現實感、吃苦耐勞的精神和靈活解決問題的能力。

「高不成低不就」是你和同學在求職中做出的錯誤選擇。你的問題在於你沒有幫助自己。現在整個教育都在提升，大學畢業生充其量只是具有較高素質，難道高中職生就沒知識？大學畢業還要看是什麼大學畢業，學的是什麼科系，不同的學科差別也很大，心高氣傲絕不是一個進入職場的適當心態。很多商科畢業生確實要從銷售開始，了解產品，建立客戶的信任感。如果你能跨出第一步，想辦法證實你的能力、本領的確超過高中職生，而這時老闆卻漠視你，你再離開也不遲。

畢業生就業時，不一定要挑高薪、大家都嚮往的公司，你可以選擇一個企業文化好、老闆好、可以學習很多工作技能、有很好培訓機制的公司。例如，印度最大的軟體公司Infosys在一些知名大學招聘，居然幾乎沒有人願意去，因為大家普遍認為這是印度公司，所以聽起來不體面，薪水也不高。但是，加入那家公司後有四個月的專業培訓，而這項培訓正是國內公司所沒有的，在學校也絕對學不到。這個實例就充分說明：畢業生對印度（或任何國家）公司有成見是不對的。我可以保證Infosys的訓練比任何國內公司都好，也許你須簽長達兩年的合約，但是兩年後你就擁有所有國內公司都渴求的「印度軟體外包經驗」。

我並不是說軟體科系的畢業生就一定要去印度公司，但是你的來信提到「面子」、「酬勞」等等你們所顧慮的問題。對一個剛畢業的學生而言，以這些為目標肯定是不對的，這也可能是你到今天還沒有找到工作的最重要原因。你必須拋掉固有的成見，改變現在的態度。

現在國內教育一般來說還無法和企業的需求接軌，因此大

學畢業生的第一份工作首要目的應該是接受訓練，是學習。

我該放棄學業而選擇寫作嗎？

Q 我從小熱愛文學和英語，考大學時卻誤進交通科系，因為對這個科系不感興趣，成績並不好。我想放棄現在的學業，專心寫作，家人卻不允許。因此，我希望能得到您的指導和意見。

A 你現在大幾？成績不好到哪種程度？可以選修些文學、英語課程嗎？如果交通是熱門行業，就業很有保障，那你並非完全不能接受，不妨先雙管齊下，因為必須顧及現實，學習文學可透過自學或參加相關社團來補充。「知之者不如好之者，好之者不如樂之者。」既然你對寫作如此熱愛，如果你不盡力去試試，將來一定會後悔（我在「給青年學生的第三封信」，對這方面有更多建議，收錄在《做21世紀的人才》第14章）。

　　如果你決定嘗試專業寫作，可能面臨理想與實際的衝突。但我認為你的熱愛和學習並沒有衝突，你可以在業餘時間寫作，不必放棄現在的學業。當我們追求理想時，不能忽略現實問題。

　　最完美的選擇是能將理想和實際相結合，找一份你最愛的工作，或者考研究所也是一個可行的辦法。

　　當理想和實際有分歧時，你可以有幾種做法：

1. 追逐理想。只要能解決溫飽問題，你從中得到的享受將超過物質的享受。

2. 先為了現實問題而做不是你最愛的工作，把不愛的工作做得足夠好，然後用其他的時間去追逐你的理想。

3. 先為了現實問題而做不是你最愛的工作，而在有所積蓄、解決了吃飯的問題後，再去做你最愛的工作。

4. 尋找一個兩者的交叉點。例如為交通類的雜誌寫作，或去翻譯與交通專業有關的書籍。

比如你的理想是做個詩人，但你為了溫飽可以：

1. 在文學雜誌工作，雖然待遇不高，但可以溫飽，也可做你愛做的工作。

2. 到報社工作，待遇也許較好，然後把空出的每一分鐘都用來做你理想中的工作。

3. 做待遇最好的寫作工作（如公關、行銷、技術、寫小說），甚至找與寫作無關的工作（做生意、程式設計等），等賺夠了錢，再做你最愛的工作。

你的階段性目標在三個例子中會有顯著的不同，在第一和第二項選擇中可能是和寫作、文學造詣有關的，而在第三項選擇中可能是和金錢有關的，比如每月存多少錢等。

我有個好朋友，是個非常有才氣的作家。他在25歲時決定先賺夠錢，再繼續他最愛的寫作。於是他創辦了一家顧問公司，在做諮詢時，他也盡力尋找寫作的機會。十年後，他的公司經營得很出色，然後賣給了另一家公司。現在，他正準備做他理想中的事。

理想與實際可以兼得，但你必須有計畫，必須付出，必須執著。

如何找到能激發熱情的工作？

Q 您說一個人要找能激發自己熱情的工作，但我就是找不到，完全不知道自己喜歡什麼，怎麼辦？

A 首先建議你保持一顆好奇的心，多去嘗試新東西，例如旁聽一些課、讀新領域的書、讀名人自傳、找兼職工作等。

另外，有一個有趣的測試，你可以試一試。請先只看下面的第一個步驟（不要看第二個步驟）：

1. 如果你不知道自己喜歡什麼，至少你知道自己不喜歡什麼。寫下你最不喜歡的工作，例如：「在一個閉塞的環境、在愚蠢的獨裁者鐵腕管理之下，每天做枯燥的工作，永無長進。」

2. （先把第一步做完再往下看，否則沒效）利用第一步驟寫下不喜歡的工作，再設計一個完全相反的工作，例如：「在一個開放的環境，在聰明開明的老闆領導下，做新鮮又有創意的工作，每天都在成長。」這可能就是你嚮往的工作了。

國產博士畢業前的迷惘

Q 我是國內一所一流大學的博士生，明年就要畢業了，對於未來要做什麼，感到迷惘。

我研究的是網路方面的技術，很希望能夠繼續從事相關的研究，做出一些東西，從而影響人們的生活。這也許是我在事業上實現自我價值的目標和夢想吧。生活上希望能夠輕鬆一些，能夠有錢支配一定的時間去享受一些自己的愛好。同時想成為一名知識分

子，對社會上的一些問題進行批判或建議。

在找工作上，我也不知道該如何有效地選擇。在大專院校任職？或去企業的研發機構上班？收入可能會高一些，可是也許要全心投入與企業相關的產品研發中，局限性比較大。這種工作會帶給我怎樣的未來？難道只能出國，博士後進修？結束後，仍然要面對這樣的選擇，我又會怎麼樣？

A 如果你是為了做研究工作而讀博士班，那你就應該找一個研究的工作，無論是在外商的研究單位、國企的研究院、中科院或大專院校。如果你是為了就業而讀博士，那就應該找一個自己有興趣、符合你人生目標的工作。

博士後進修、成為知識分子、出國等都不是理想，也不是職業。你要清楚地知道自己想得到什麼，建議你看看我寫的「給青年學生的第三封信」（收錄在《做21世紀的人才》第14章）。

尋求網站創業的建議

Q 1992年當我還是個初中生時，就開始學習電腦程式設計。考大學時，我很不幸地進入一個塑膠科系。1997年，年少輕狂癡迷於電腦的我輟學離開了學校，我的悲劇人生於是開始。1997年末，我聽說微軟中國研究院開始招人，我滿懷信心地將當時苦心研究的語音識別資訊整理成文（現在回頭看，當時的研究很幼稚），然而，當看到報名要求需名校、博士資格後，信心瞬間崩潰，我甚至連申請研究員助理的資格都沒有。

九年過去，我的興趣仍在語音識別之類的人機界面，今天，我苦心研究六年之久的房產類搜尋引擎終於發布。因為沒有學歷，

我只能在小公司之間輾轉，最終咬牙成立了一個小公司，希望實現自己的搜尋夢想。兩年半匆匆過去，在經歷了種種失敗之後，我悲哀地發現，雖然我的產品終於發表，但是夢想卻漸行漸遠，面對資金、人才、政策各種不利因素，渺小的我是否還應該堅持？現在的這種生活，真的活得很累，也許我應該選擇放棄，去過一種比較正常的程式師生活。這個事業是否值得我堅持，請給我一些建議。

A 看到你的奮鬥史我很感動。你多年延續的使命感、膽識、毅力都值得今天的大學生效法。在進入主題之前，提醒你一句：你對你的學歷太耿耿於懷了，其實在你多年奮鬥之後，這已經不重要了，今天更重要的是你能做什麼，你曾做過什麼，而不是你曾在哪裡就讀。在網際網路領域，有相當多的創業者沒有讀過大學。這個領域的挑戰很多，門檻並不高，競爭很劇烈，有許多成立比你早、融資比你多的公司。你應該想想：

1. 你的網站競爭優勢是什麼？是針對一些較小的城市服務？擁有一種新的技術？針對某一類型房屋或客戶？

2. 你的目標是什麼？這個領域一定會碰到併購的情況，這時你希望賣給什麼樣的公司？那樣的公司會期望什麼（例如具體功能的實現）？

3. 你的網站為用戶解決了什麼急需問題？任何一個創業工程必須有一、兩句話就能解釋清楚的用戶受益之處（user benefit）。但我看了你的網站，卻沒有找到。

4. 網路公司要能夠形成一個良性循環，更多的內容將帶來更多的合作夥伴，更多的合作夥伴會帶來更多的資金，而更

多的資金則帶來更多的流量，更多的流量帶來更多的內
容⋯⋯你的良性循環在哪裡？

5. 如何吸引流量？流量不可能來自技術，如果僅是到某個會
議去散發宣傳資料是不夠的。搜尋引擎排名是一種宣傳管
道，有時須花一筆錢做廣告或推廣才能增加流量。

看了你的網站留言板留言和網站架構，感覺你對上述這些
問題並沒有仔細考慮。希望你能好好想想：你能不能成功？如果
能，你要怎麼做？如果不能，你要做什麼？

看到大家對你的網站留言，給予你不少讚賞和鼓勵，他們
的本意是良好的，不過我不能盲目地鼓勵你，讓你毫無準備地走
上一條很難成功的路。

想清楚目標再去考研究所

要不要去考研究所？

Q 我即將畢業，現在還沒找到自己心儀的工作，好的職位總是
比不上別人，想考研究所卻又擔心考不上，一直在考與不考
之間猶疑。關於考研究所，我的優勢和劣勢分析如下。

我不知道自己究竟喜歡什麼。雖然我的數學、英語還算不錯，
但周圍的人總是給我灌輸這樣的思想：你的專業是電腦，今後如果
做程式師很辛苦，女生不適合做這樣的工作，對身體傷害很大。所
以我在大三、大四學專業課時，一遇到程式設計，就有些抗拒，而

把時間放在人際交往、參加活動、學音樂上。我不知道自己喜歡什麼，歸根究底或許是因為自己在專業上花的時間和精力都太少了。

此外，我做事情不分輕重緩急，瑣事太雜，交往的人太多，所以考研究所的讀書計畫總是被打斷，雖然每次事後都為沒完成計畫懊悔，但總是改不了。這是我考研究所的劣勢。

至於在準備考研究所期間培養起來的優勢有：改掉了不善交際、喜歡獨自做事的習慣；培養了演講、領導能力；學會了關心他人；學會了如何在競爭中互相學習；學會利用網路學習；敢於嘗試挑戰。

透過上述的分析，我希望從現在起要加強以下三點：1. 多方面了解工作方面的資訊，了解自己適合做哪些工作；2. 利用做畢業設計這段時間，有系統地複習大學課程；3. 以後做任何事情，要嚴格地按計畫完成。不知道開復老師對我這樣的情況有什麼意見和建議？

A 我覺得你具備優秀的特質，反映了一個自信上進青年的活力，不要因為暫時無法選擇而著急。第一，你能做出如此理智的自我分析，顯示你對人生規劃的能力。第二，你思考的廣度夠，能夠多方面評估考慮，既能坦然面對自己的不足，也能客觀欣賞、肯定自己的優勢。第三，我看到你調適的能力，有改變、拓展潛力，懂得關心他人、良性競爭等都是可貴的。

不知道你發現自己存在的問題沒有？你大學本科系學的東西，達不到工作職位的要求，也達不到研究生入學的要求。也就是說你學到東西，不是廣度不夠，就是深度不夠，那麼從現在起就請你記住：以後無論學什麼，都要「有用」，不要為了學習而

學習，結果學的東西沒有用。你讀研究所也是，不要為了創新而創新，為了發文章而「創新」。我曾經說過「我們要的不是創新，而是有用的創新」（當然，做基礎研究的除外）。

你現在因為找不到工作而想考研究所，如果你不明白讀研究所是為了什麼，讀研究所的時候該學些什麼，你很可能在研究所畢業後找不到合適的工作，這樣的人很多。他們都是為了文憑而學習，而不是為了找到一個好的工作、過好的生活而學習，你仔細回憶一下，你以前是這樣的嗎？

首先你要明白自己的興趣，不要太在乎別人的看法。如果你知道自己不是為了延遲找工作而考研究所，那麼你可以去考。如果你知道自己喜歡做技術方面的工作，那麼你可以現在設法把缺的東西補回來，以你的本科學歷，如果要求不太高的話，還是可以找到比較好的工作。如果你都不喜歡，還可以去考公務員，或者做技術支援。

我覺得擺在你前面的路很多，不必悲觀，我希望你在做決定之前，想清楚自己要做什麼，為什麼要這麼做。更重要的是，始終要保持自信上進的心態。

考研究所要有充分理由

Q 我大學聯考失利，沒有上自己理想中的學校，現在只是個普通大學的新生，我不甘心！從開學那天起，我就決定要考上一流的研究所，我一直為此努力著！

我聽學長姐說學校的師資很弱，不會輔導學生考研究所，學校歷年來基本上沒有幾個學生能考上研究所。我知道考研究所主要靠

自己的努力，與學校沒有多大關係，但是老師的指導也很重要。我真的很擔心四年下來，我與好學校同學的素質差距愈拉愈大，我這四年的努力根本不會有任何結果。我真的很迷惘！不知道漫漫考研究所之路還有沒有希望！

A 儘管你認為大學聯考沒有達到你的預期，但是如果你從大一就開始為繼續深造而努力，最終一定會得到你想要的。但我想提醒你的是：不要為了讀研究所而讀研究所，也不要單純為了賭氣證明自己而考研究所。

讀研究所是途徑，但是你的目標是什麼呢？你有興趣做什麼？你想做什麼工作？進什麼公司？讀什麼專業？這些問題或許不必馬上想清楚，但是一定要想清楚，才不至於盲目地追求。有了目標，你的學習才不會白費；有了興趣，你在學習上必然會事半功倍。

關於如何確定你的目標和興趣，請參見我寫的「給青年學生的第三封信」和「給青年學生的第四封信」（收錄在《做21世紀的人才》第7章和第14章）。

我覺得考研究所對你來說，應該要有充分理由：如果你要做研究工作，那是理由；如果你對大學期間本科系所學的沒有興趣，要學有興趣的專業，那是理由；如果你追求的工作需要碩士學歷，那是理由。但如果只是為了心有不甘而考研究所，我覺得那不是一個充足、成熟的理由。

需要提醒你的是，總是讓自己「一定、必須、應該」做什麼事情是較僵化的思考模式，或許你可以試著用「希望」、「計畫」這樣的字眼和心態，保持彈性是成熟人格的特質之一。

大一新生怎樣才能做好考研究所準備？[5]

Q 我是一名普通大學的大一新生，現在就決定日後要考研究所，請問您，未來四年中我應該如何準備。

A 你可以先看看我寫的「給青年學生的第四封信」（收錄在《做21世紀的人才》第14章），你可以找到一些建議。下面是過去一個網友針對這問題的回答，比較具體，可以做為你的參考：「剛進大學就已經想著為考研究所做好準備，這種未雨綢繆的遠見十分可貴。大學階段最重要的考研究所準備是透過對本科系的體驗和對其他科系的了解，明白和驗證自己的興趣和特長所在，從而逐步確定今後研究生階段的專業方向；其次，就是學好現階段的每一門基礎課和專業課。有了好的基礎，考研究所的時候就相對比較輕鬆；同時，成績單上各科成績優異，對被研究所錄取也有幫助。」

綜上所述，我認為你沒有必要為四年後的考試做特別準備，這些該做好的事即使你不考研究所也必須做好。在很多情況下，只要做好現在應該做的事，很自然就能為下一步打好基礎。

就業機會不好時，是否該考研究所？

Q 我是一名普通院校的學生，畢業後就業機會相對來說並不好，我是否應該去報考知名學府更熱門專業的研究所呢？

A 首先，你應該做到以下四點：第一，要有自信，不要總覺得自己技不如人；第二，考研究所要有明確目標，不要只是為了逃避工作壓力，這種態度是不對的；第三，專業重要，學校也重要，但最重要的是你喜歡什麼，不要只考慮到：某某專業

好找工作，所以我要考這個專業；某某學校是名校，所以我要考這個學校，這會給你帶來不必要的壓力；第四，從容一些，不要患得患失，做自己喜歡的事情，只要把握住方向，就能讓你在自己擅長的領域表現更出色。

不少學生把升學（包括考碩、博士）做為解決問題的方案，結果即使他們考試通過了，原有問題依然存在。我的看法是，考慮是否升學和選擇何種專業的關鍵在於：這種選擇能否帶給你實現自己興趣所需要的資源。例如，若你對做研究感興趣，就必須考慮哪一家公司、哪所學校、哪個系能夠提供最多你所需要的研究設備、學習環境、圖書資訊等等。這些因素都很實際，應該不難進行比較。

研究所、博士班階段的學習能賦予個人最好的回報並不是學歷，而是讓你變得更加善於思考、善於解決問題。我相信，就算目前國內教育體系存在不少問題，你仍然可以從升學中得到比學歷更寶貴的東西。要實現這點必須有個前提：你已經發現、確定自己的興趣，並且願意付出。

現實情況是，大學數量大幅增加，而好的工作職位並沒有以同樣的速度增加，結果造成很多好的工作職位過去只要求大學學歷，現在要求碩士；以前要求碩士的，現在要求博士。我不認可這種分級招聘，但是身處現實環境，以上的情況是無法改變的事實。

所以，如果你能夠考上知名大學的碩士班，對你找工作絕對會有幫助，同時也可以幫助你的自覺和自信。但你一定要記住，你報考的專業應該是自己有興趣的。

我適合做研究嗎？該考研究所還是出國念書？

Q 我即將大學畢業，面臨就業還是繼續深造的選擇。如果我適合做研究工作就應該繼續讀下去，但我如何知道自己是否適合研究工作呢？我現在很猶豫，請問我該考研究所嗎？如果要繼續念書，應該出國還是在國內念？

A 首先想想，你為什麼想讀博士？如果為了專心做研究、想成為優秀的研究員或教授，可以問問自己下列問題：

1. 相較於完成一個專案計畫，你對創新更有熱情嗎？
2. 你平時解決問題時有讓老師驚訝於你的思維方式嗎？有人說過你總能想出新點子嗎？
3. 你願意終身孤獨地追求知識嗎？你看到同學發財、出名，會羨慕嗎？
4. 即便知道你所探求的問題可能無解，你仍願意花很多時間拚命地工作嗎？你能夠接受頻繁的失敗和打擊嗎？
5. 你是一個好奇的人，而不是一個「乖乖的好學生」嗎？
6. 你有自我學習的能力嗎？

如果你確定要走上研究之路，那麼你目前的首選是出國讀博士，其次是在國內較好的大學讀博士，然後到國外做博士後研究。因為目前國內的大學和國外的大學還是有很大差距，在國外你會接觸到更優秀的教師，在很大程度上可以擴展你的視野，當然，別到太差的學校去。

如果你是為了拿到博士學位之後能找到更好的出路，平心而論，這種想法違反了獲取博士學位的最初目的，但是在今天這

個社會，倒也無可厚非。在這種情況下，我會建議你報考較好的學校的直博，做應用方面的課題，找有商業頭腦的指導教授，儘量五年內畢業。

我在「給青年學生的第一封信」（收錄在《做21世紀的人才》第12章）的最後一段「你要一頂什麼樣的博士帽」中，曾經提出下面的建議：

在我進入卡內基梅隆大學攻讀電腦博士學位時，系主任曾對我說，當你拿到博士學位時，你應該成為你所從事的研究領域裡世界第一的專家。這句話對於初出茅廬的我來說簡直高不可攀，但也讓我躊躇滿志、躍躍欲試。就這樣，在經過五年寒窗、夜以繼日的努力工作後，他所期待的結果就那麼自然而然地出現了。一個打算攻讀博士學位的人，就應該給自己樹立一個很高的目標。如果沒有雄心壯志，就千萬不要自欺欺人，也許經商或從事其他工作，會有更大的成績。

目標確立之後，我建議你為自己設計一個三年的學習和科研計畫。首先，你必須徹底了解相關領域他人已有的工作和成績。然後提出自己的想法和見解，腳踏實地的工作。另外，還要不斷追蹤這個領域的最新研究進展。只有這樣，才可以把握好方向，避免重複性工作，把精力集中在最有價值的研究方向上。

在學術界，人們普遍認為「名師出高徒」。可見導師在你的成長道路中作用是多麼大。所以，你應該主動去尋找研究領域裡最好的老師。除了你的指導教授之外，你還應該去求教於周圍所有的專家。更不要忘了常去求教「最博學的老師」——網際網路！現在，幾乎所有的論文、研究結果、先進想法都可以在網上

找到。我還鼓勵你直接發電子郵件去諮詢一些世界公認的專家和教授。以我的經驗，他們大部分都會很快回覆你。

我在攻讀博士學位時，每週工作七天，每天工作16個小時，大量的統計結果和分析報告幾乎讓我崩潰。那時，同領域其他研究人員採用的是與我不同的傳統方法。我的老師雖然支持我，但並不認可我的研究方向。我也曾不只一次地懷疑自己的所作所為是否真的能夠成功。但終於有一天，在半夜三點時做出的一個結果讓我感受到成功的滋味。後來，研究有了突飛猛進的進展，指導老師也開始採用我的研究方法。我的博士論文使我的研究成為當時自然語言研究方面最有影響力的工作之一。

讀博士不是一件輕鬆的事，切忌浮躁的情緒，而要一步一個腳印，扎扎實實地工作。也不可受一些稍縱即逝的名利所誘惑，而要200％地投入。也許你會疲勞，會懊悔，會迷失方向，但是要記住，你所期待的成功和突破也正在孕育中。那種一切都很順利，任何人都可以得到的工作和結果，我相信研究價值一定不高。

總之，一個人如果打算一輩子從事研究工作，那麼從他在讀博士學位期間所養成的做事習慣、研究方法和思維方式，基本上就可以判斷出他未來工作的輪廓。所以，你一定要做個「有心人」，充分利用在校的時間，為自己的將來打好基礎。

指導教授非常忙碌，我該怎麼辦[6]？

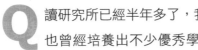 讀研究所已經半年多了，我的指導教授是這個領域的權威，也曾經培養出不少優秀學生。現在導師年紀大了，工作又

很繁忙，因此我處於放任自流的狀態，如果不主動找他，他不會找我。這半年來我沒學到什麼東西，調查一下，發現大多數同學都有同感。上課很無聊，數學、物理等課都找博一的學生來授課，不僅沒什麼經驗，而且講得不好，我們這些研一的學生大多數上課都不怎麼認真。到了期末考試前一週我幾乎什麼都不懂，不過老師會提示重點，考試通過後感歎自己在最後幾天把一學期的內容都掌握了，即便是掌握，也是囫圇吞棗。其實有時候上課即使專心也學不到什麼，都得靠自己自學。現在考試已經結束，我反省這半年的學習，有不少需要改進，希望下學期有個好的開始，但今後如果還是這樣浪費時間，我是不是應該考慮放棄這個學位？如果不放棄，以後我如何靠自己的努力增強研究的能力？

A 你說的現狀代表了大部分研究生目前的處境，但是不要因為不完美的環境就輕易放棄。讀研究所可以增加某些工作機會，如果你想得到那些工作，學位還是有價值的。

此外，讀研究所可以延續你的學習時間。大學四年未免太短了。讀研究所可以理解最高深的學問，也可以做實踐性的工作，理解學問應該怎麼應用。但是，讀研究所必須要有自己摸索的精神，要有自修的毅力，要有主動求師的勇氣。

從學習專業知識方面來說，其實我在讀博士班的時候也碰到過類似的問題，雖然我的導師沒有教導我太多專業方面的知識，但是，他給了我一個很大的研究方向，毫不吝嗇地與我分享他的經驗，也給了我資源，但他沒有時間，也沒有用具體的專業知識來教導我。

儘管如此，我仍然很佩服我的指導老師那種「我不贊成

你，但是我支持你」的胸懷，我感謝他的智慧、經驗、大方向、資源，但專業上的所有知識都是我自修、厚著臉皮去問專家、參加會議時探討得到的，以及與年輕教師切磋得來的。所以，我對你最重要的建議就是：積極主動地去追求知識，不要把導師當做唯一的學習來源。

這裡有一些更具體的建議，希望對你有用：

1. 第一學期的主修課程要努力學，否則會影響進一步深造，比如讀直博或出國。如果老師沒有安排進實驗室，也不要著急，導師安排第一學期的工作通常是在大學階段已經介入的課題。

2. 第二學期可以逐漸介入實驗室的研究工作。剛開始老師會安排讀一些文獻，自己看文獻時做一些筆記。也有可能導師不指導，這時候就要自己找學長們了解情況，自己做一些準備。

3. 關於增強自己研究能力的具體方法，我可以給你幾個建議：（1）多研讀理解自己研究方向的核心期刊；（2）多花時間閱讀國外一流期刊的論文，還有你所在專業領域的得獎論文；（3）參加各種討論組織（學校裡的討論組、網路論壇、國內外的會議），發掘什麼是當前最受矚目的科研方向、題目、論文以及學者；（4）當你發現一篇關鍵論文，但不是很懂時，可以向作者請教（大部分期刊都會刊登作者的電子郵件），也可以自己做一個模擬實驗，透過實踐增加理解；（5）保持一顆好奇心，看論文時要多問，

問為什麼這篇論文能得到好評？作者為什麼用這個方法？

（6）勇於尋找跨領域結合的機會：大部分的創新論文都是跨領域結合的產物，所以你可以多看看與你研究領域相關的新技術，嘗試進行不同的組合。

4. 如果確定自己的研究課題，也有一些想法，工科的同學就應該多動手做實驗，實驗結果要盡可能達到精確和完美。

5. 實驗完成後，撰寫畢業要求的小論文，請導師評閱修改後投稿（論文應該得到指導老師的批准後再投稿，否則如果論文出問題，將會連累署名的老師）。投稿後要繼續實驗，讓結果更加完善。現在很多雜誌的審稿週期很長，盡可能在畢業前拿到入選通知，自己要把握好時間。

6. 三年級就要開始找工作，這可能會花費你不少精力，對這點心理要有準備，在自己的時間計畫中將扣除這部分。

7. 如果導師很忙，和導師討論前就應該將工作計畫先整理好，然後發送給導師並提醒他，需要導師協助的也要透過E-mail提醒。如果實驗室條件不是很好，自己應該想辦法克服困難。能考上研究所，有指導老師，是件幸運的事，你要珍惜這樣的機會。

8. 除了導師以外，多求教於你的學長姐。他們都是過來人，實際操作的能力可能比導師強，能夠更實際地幫助你解決問題。當然，當你畢業時，回首在校這些年，同學們也應該看看自己為實驗室留下哪些有意義的工作，是不是為學弟妹做了好榜樣。

考研究所時應該換專業嗎？

Q 我大學學的是電氣工程，可是我不喜歡這個專業，我對管理方面的知識比較感興趣，我應不應該考相關系所？

A 「管理」聽起來是個很「神氣」的專業，其實不見得最合適你。就算你選擇了管理，也要有從基層做起的工作計畫。這裡有位管研所學生碰到的問題，值得你參考。

一個管研所學生的經驗

我大學學的是電腦，在來美國深造念研究所以前，在國內念了大半年的管理科學碩士課程，對此有一些感受：

首先，研究所學管理的人不一定在大學時念管理。當時的同學中，絕大多數是念理工；有念電子、船舶，也有念電腦的（像我一樣）。一般大家談到管理的外延很大，但是其所需的基礎課程無非就是一些高等數學，理工科學生的數學基礎應該夠用，或者說至少不比本科就念管理的人水平差。

其次，國內的管理學院師資比較差（我的母校還是國內一流的）。很多老師既沒有科研能力，又沒有在企業的工作經驗。我從電腦轉管理的原因之一，是因為對母校電腦系失望，但我對母校管理學院更加失望，這就是我為什麼又回到電腦界的原因。那是多年前的事，我相信現在的情況應該不一樣了，但也要注意國內各學校管理專業水平的差距還是比較大的，報考前需要認真選擇。

第三，學習管理和進入工作崗位進行管理是兩回事。誠

然，有管理碩士學位的人在工作上被提拔到管理崗位的可能性更高一些。但是，就業以後一切還要從基層做起。請記住，學管理和從事管理工作是兩回事。

管理學院的專業方向很多，需要確定對哪方面感興趣，具體情況可以上各學校的網站去了解。

最後，你應該確定自己是否對管理有興趣，當然你可以多嘗試不同的領域，尤其在興趣尚未確定的情況下，但是一定要經過研究和調查，並且有自己的計畫，所有的選擇最後還是要由自己決定。

出國前要冷靜選擇[7]

什麼時候出國念書最好？

Q 我是個中學生，留學美國一直是我的夢想，家裡也支持，但我不知道選擇什麼時候出國比較好？

A 其實，這個問題因人而異，由於每個人的條件和他的家庭對於出國留學的準備、計畫不一，沒有絕對的答案。我只能分析一下在各時期出國留學的優點。

出國讀高中的優勢在於：更能掌握英語會話，很快融入美國的社會和文化氛圍，以後更容易進入美國社會。

大學出國的優勢在於：中學階段在家庭的溫暖呵護下長大，不容易受到外來的不良影響，而且國內的基礎教育較扎實，

有利於大學階段的學習。在美國，法律規定孩子成年（十八歲）後就可以單獨生活，這樣你大學階段就能夠在國外獨自生活，好好學習英語、文化等。

碩士或博士階段選擇出國的優勢在於：有很多青年學生都在這個階段出國，因此你會比較容易得到別人的協助，相對於沒有獎學金的高中生和大學生來說，你不用花費大筆的住宿費和學費。此外，這個階段的你比較成熟，不會在國外誤入歧途。

出國念書還有一個選擇，就是從國內的大學轉學到美國的大學，雖然這對於大多數國內大學生來說比較困難——因為很多大學生還缺乏國際競爭力，比如沒有發表在國際刊物上的論文、國際競賽的獲獎等等條件。

早一點出國合適嗎[8]？

Q 我今年十五歲，想要出國學電腦，您認為我現在出國合適嗎？如果現在出國，我要怎樣申請大學，是不是需要一份有特色的申請資料？

A 如果家裡經濟不是問題，而你又是一個獨立自主、奮發圖強、容易融入新社會氛圍的人，我建議你愈早出國愈好。根據我個人經驗和在多家一流公司裡所見到的傑出人才進行的統計，我認為愈早出國就愈能夠學到更多西方的優秀素養，同時也不會輕易遺棄中國的價值觀、文化以及語言。

不過，在國外讀大學花費非常高，過程也很艱難。當你決心出國時，你首先必須確定，你的父母能夠為你準備夠用的學費和生活費，同時你自己願意吃許多苦頭。另外，在國外讀高中或

大學，如果不能和自己的家人在一起，對你的成長將是一大挑戰。在國外的「小留學生」中確實有不少學壞的例子。

　　申請外國大學的方式，與我建議申請研究所的方法類似：

1. 一份文筆優美、展現出個人抱負的自傳。你可以參考「我學網」上的例子。

2. 優秀的課外活動證明。千萬別忘了在證明中描述你的特殊貢獻，以及你學到了哪些。

3. 完成一個特殊計畫。製作一個與你的興趣相吻合，同時與所學專業對應的專案計畫。

4. 特殊的推薦信。找一個從你申請的這所大學畢業的校友來親自推薦，這樣他的推薦信會顯得很有分量。

5. 優秀的競賽成果，譬如科學競賽、各種鋼琴比賽、繪畫比賽等的獎項。

　　你才十五歲，目前掌握好基礎知識最重要。除了學習外，英語成績和SAT也很重要。另外，如果你能考幾科大學先修課（Advanced Placement），尤其是電腦學科的，更加可以證明自己的能力已經達到美國高中的水平。至於「有特色的申請資料」，如果你能得到一些競賽和社團經驗，並且證明你的領導能力——美國學校非常看重這點，也會有幫助。

出國留學是否適合每個人？

 我將要自大學畢業，但是我覺得在大學所學的知識不夠，還想深入學習專業技術、開拓自己的視野。現在我的同學有些

正在準備考研究所，有些正在準備申請出國，請問我是應該出國還是考研究所？出國是不是適合每個人？

A 出國比考研究所更能幫助你學習技術、開拓視野。我通常會鼓勵大家出國拓寬視野、學習最先進的思想和技術，但是我認為青年學生選擇出國的前提應該是：能夠適應國外語言、文化不同帶來的不便；樂於學習，對外國的文化、思維抱持開放的態度；家庭經濟上沒有太大問題。

國外較好大學的師資、資源、教學方式都領先不少，因此我贊成每個有適應力又有能力出國的人都嘗試出國讀書，無論是讀博士、碩士，甚至重讀大學——當然，重讀大學代價太大，不適合大部分人。其實，出國讀碩士或博士和在國內讀研究所花費的時間一樣（當然要選擇一個不太差的學校）。

最重要的是，不要為了出國而出國，以下幾點要注意：

第一，不要認為外國大學都比國內大學好。一定要選好國家和學校。我曾聽說有些人為了出國甚至願意到非洲國家去念書，我對那些國家的教育是否真的比國內先進持懷疑態度。

第二，不要盲目崇洋。我認識一位赴澳洲留學的學生，我問他，你在國內工作穩定，為什麼還要到澳洲一所非常普通的學校念書。他的回答是，為了混一個澳洲籍身分。其實，現在一些落後國家或無名學校得到文憑，或者帶著外籍回國，在就業上未必就有優勢。

第三，不要背著心理包袱出國。沒有出國的親朋好友總認為大學生出國以後必然會出人頭地，但是他們卻不一定了解海外生活、學習、工作的艱辛。建議同學們不要幻想著以後能夠「衣

錦還鄉」，不要在親戚朋友面前宣揚出國很有面子。如果在國外覺得周遭環境對自己的將來發展不利，一定要及時回來。

第四，出國的目的不只是學習知識，同樣重要的是拓寬視野。如果到美國留學，你會看到一批人，用一些不同的標準、不同的思維方式，做一些不同的事情。你不必認可他們，也不必否定他們，但是這會開拓你的視野，這就值得你出國。不要忘了，你不只是到「美國學習」，而且要去「學習美國」，把美國的先進思想帶回來。

第五，出國必須付出代價。在國內事業有成的人、上了一定年紀的人、有家庭小孩的人、外語基礎不好的人，一定要權衡利弊，仔細考慮一下是否值得放棄國內的事業基礎、背井離鄉。

第六，不要把出國當作不敢正視現實的一種逃避。不要以為國內不能解決的事情在國外就可以解決。有些人出國是由於在國內積累很久的挫折感，認為出國就可以找到一個新開端，而國外生活、工作條件又比較好。其實，從挫折走向成功，要解決的問題還在於自身。每個社會都大同小異，對國內社會不能適應的人，在其他國家恐怕也不一定能培養出很強的競爭力。

第七，不要為了出國而放棄自己的志趣。我曾經見到有些人以為出國容易，便申請一些和自己的專長興趣毫無關係的專業。比如本來是學習文科或在國內教書的，到了美國卻不得不轉學電腦，然後沒日沒夜地在軟體公司編寫或測試程式。這種轉換專業如果自己喜歡還好，如果不喜歡，那便是長期的自我折磨。

出國是一項冒險和投資，未必適合所有人，國外生活忙碌後就是寂寞。出國前要多方考慮，謹慎選擇。

如何做好留學準備[9]？

Q 請問您，七年級生要具備什麼樣的適應力才適合出國留學？心理上又需要做何準備？

A 我認為適合出國的人沒有出生年代之分。我的父親在五十歲時有個機會到史丹佛大學做一年的研究，當時他的英文有限，全靠接待家庭的協助，但為了在他鑽研多年的「中國近代史人物」研究中更進一步，他勇敢地接受了這個挑戰。因此，只要具有以下特質，就適合出國。

能獨立生活，妥善照顧自己，包括生病看醫生、洗衣服、做飯。讀大學時，如果能不住家裡，就是獨立生活的訓練。

有足夠的適應力，在學習上能很快變換思維去適應國外教學方法，國外的課程很重視課堂參與和提問，這需要訓練獨立思考和清楚的自我表達能力，學會用外國的思維寫出令人滿意的論文，學會如何與同學及導師相處。一般來說，只會背書、考試是不夠的，有自己的思想、有創意的人更能適應國外的思維、習慣。在感情上，你要學會忍受一切思念、孤獨，以及學會處理和朋友、愛人、親人分離時的關係。儘量掌握語言能力，要能運用自如，不只是會考試。要適應長時間聽外語，了解俚語，也要習慣大量閱讀外文，閱讀要夠快，讀了能吸收。

此外，經濟上要做到沒有問題，無論是靠家庭還是靠獎學金。也要懂得運用各種資源，國外資源豐富，無論是自然、文化、學生福利等都要善加利用。比如學生活動中心、運動設備、電影、音樂會等各項課外活動，甚至他們的輔導中心、婦女中心也有對少數民族關懷的計畫方案，多打聽，多看布告欄。

到了國外，你需要具備的心理素質包括：

1. 抱著破釜沉舟的打算，不要花了家裡的錢又沒學好。
2. 不要老和中國人待在一起，一定要交些外國朋友，儘量去他們的圈子裡活動。
3. 要時時記得父母賺錢不容易。如果有機會賺點外快，只要不影響學業，不妨試試。這樣除了可以貼補開銷，還能從中增加對國外語言和文化的適應，也讓你了解到賺錢不易。在國外習慣用買二手書、二手傢俱，用減價券等省錢度日的方法，入境問俗，開源節流。
4. 看看我寫的「給青年學生的第一封信」中幾個提醒，比如直截了當的溝通、積極自信的作風，這些都是美國的文化。別做個害羞不說話的人，學習表現自己。
5. 要有碰到歧視等問題的心理準備。雖然歐美國家都開放地接受外國學生，但凡事總有例外，有了心理準備，碰到時就不會太意外。

您的回覆，讓我有點洩氣

Q 我也想出國留學，但讀的是一所二流大學（在國內還算知名）。我已經快升大三了，看到開復老師對其他網友的回覆，提出的留學條件我都沒達到。說到學習，我在班上的成績排在前五名，但現在看來這根本算不上什麼，我又比較少參加科技創新活動等。我現在覺得，如果要申請留學，希望應該很渺茫了，有點洩氣，不知道該怎麼辦。

A 不要洩氣，你還有很多機會，二流學校的第五名是有可能出國的。建議你：從現在起加強自己的課外能力，透過取得各種競賽優勝等特殊成就進入好學校。你也可以選擇不錯的（不是最好的）外國學校（比如美國排名在50至200名的學校），或先在國內一流大學讀碩士，再到國外繼續深造。

只要你真的理解為什麼要留學，不是為了留學而留學，那你一定能夠找到適合自己的出國之路。看你的來信卻沒見到你留學的目的，關於這點你還需要多想想。我以前的回答不是為了洩你的氣，但我認為如果提高其他人不切實際的期望只會帶來最後的失望，這樣是不負責任的。在現實中，我發現不少學生給自己定的目標是不能達到的。祝你進入你最嚮往的學校！

留學時轉科系可行嗎？

Q 我是一名即將申請出國留學的研究生，我對現在攻讀的專業不感興趣，請問對我而言，現在才轉科系或轉行可行嗎？

A 美國的學校對碩士和博士轉科系的要求通常不太嚴格，你可以上學校的網站查詢相關條文及要求。如果你要念的科系或行業與你之前的科系差別太大，申請時，當然不會有太多優勢，但你可以儘早準備：

1. 在國內讀大學期間選修一些與所轉科系相關的課程。
2. 在國內用心參與一些對所轉科系有用的打工或社團工作。
3. 對解釋為何轉科系做好充分的準備，並且寫一篇感情和邏輯並具的文章來說服校方。

4. 關於留學的生活,出國前最好做些必要且詳細的諮詢。

學成後不回國,是不是不愛國?

Q 我不明白,為什麼有這麼多人都希望出國?我認為那些人如果學成後不回國就是不愛國的表現,您認為呢?

A 我想就出國的問題談一談我個人的看法。首先,從近代史的發展可看出科技、政經、教育、法律、文藝各領域的發展,多半是歐美領先,這是很多人對出國深造趨之若鶩的原因。留學的目的應該是學習技術、開拓視野和培養獨立生活的能力。我贊成每個有適應力又有能力留學的人都出去看看,無論是讀博士、碩士,還是再讀一個學士。

其次,完成學業後應不應該在國外就業?我覺得這取決於個人。如果畢業後在國外得到好的工作機會,即便是起初決定要回國的學生也可考慮暫時留下,這樣可在國際企業中多學點東西,從這些企業的國際化運作方式中所學到的知識,與在學校裡學的書本知識,有很大差別。留學生回國不管是創業還是就業,更需要懂得的是國際化公司裡的文化、流程,而不是學校裡所學的知識。

至於終身不回國或拿到美國國籍的人是不是不愛國?我想你可能聽過伊索寓言裡〈陽光與北風〉的故事,國家寧願以陽光來得到所有海外中國人的愛、讓他們心中有國家,而絕不會以北風來諷刺、批評意欲定居海外的人,從而強迫一小部分人在壓力下回國,而讓其他人因此感覺厭惡。從政策的角度來說,開放讓

留學生出國，鼓勵並創造機會讓他們回國，而不是透過施壓逼他們回國，是非常明智的舉動。不可避免的，會有一部分人選擇留下。那些留下的人如果心中有國家，也可以對國家做出不同的貢獻，例如回國從事語言培訓、幫助美國公司更了解自己的國家、創立跨國界的合作或企業等等。

而幫助其他國家是不是不愛國呢？我在清華聽見一位青年學生問桑頓教授（John Thornton，他曾是美國高盛公司的總裁，後來辭去工作在清華教書）：「您是美國人，為什麼要來中國幫助這個不是你祖國的國家呢？」桑頓回答：「我很清楚地看到中國的崛起將是21世紀最偉大的事。身為一個世界公民，我想在這個過程中扮演一個角色，發揮我的影響力，從而帶給我成就感。身為美國人，我希望中國能夠和平崛起，從而與美國實現雙贏。我認為我可以幫助中國人理解美國，同時幫助美國人理解中國。我目前所做的每一件事都是為了美國，當然，也是為了中國。」桑頓教授這樣的胸懷和世界觀值得我們學習。

我不贊成畢業後即刻創業的理由[10]

我需要別人的創業經驗

Q 我是即將畢業的理工科學生，面臨著自己創業與進入企業的兩難選擇，關於自己創業，您是否能夠提供一些經驗之談？

A 我認為如果目前你並沒有積累充足的創業經驗，也沒有成熟的商業計畫，更沒有資金的情況下，最好選擇進入企業

進一步學習。你不一定要進入大公司，為了拓寬視野與思路，找一個企業文化相對成熟和先進的公司、一個願意提供員工培訓的公司、一個有好老闆的公司。如果實在找不到這樣的公司，那才需要考慮直接創業。或者，如果有一個好的創業型公司，你能夠做個技術員工，經過參與學習創業之道，也是一個值得考慮的選擇。

關於創業經驗，下面是網友提供的「告白」，值得參考。

一位MBA的創業告白

去年五月初，我與三個夥伴創立了一家小顧問公司，一年半時間裡勤勞經營，人員分分合合，業績上上下下，到目前為止賠了不少錢，而且不知往哪裡去。從血淚家史中，與同學們分享一些心得——我寧可稱其為心得，而不是教訓，因為痛苦實在是一種養分。

首先，MBA可能是一種障礙：培根說，知識就是力量。這可能是幾個世紀的誤導。知識不是力量，如同汽油不是動力。能否產生力量，關鍵看你是什麼人，開的是什麼車。以我本人的經歷為明證：公司開業之初曾考慮過「客戶開發模式」，後來決定在辦公大樓、車輛、CI等方面進行投資包裝，樹立專業公司的形象，同時雇用十多名銷售人員進行「掃樓」，直接進入中高階層市場（合夥人當中有兩位具備多年的客戶資源）。

一年半之後，我們意識到了當初的決策有問題，或者說運行一段時間後出現隱患且未及時調整。再深入剖析，發現我們似乎違背了商人「量入為出」的基本原則，以及缺乏對市場反

應的敏銳嗅覺，不能應時而變。類似的例子不勝枚舉。

總之，面對問題時，我們傾向於用別人教我們的理論框架分析問題，分析得愈透澈愈放心，結果可能離真相愈遠。我現在相信，任何偉大的決策不會是分析調研的結果。調研再充分，最後的一剎那還是靠直覺。

讓我擔心的是，長年精於企業管理理論學習的我們，是否正逐步被戴上一副眼鏡，而逐步放棄自己的商業本能，或喜歡總結理論，在抽象為理論的過程中忽略了事實的全貌。理論學家和實踐學家本來就是兩路人，我們讀很多企業家的自傳像前奇異董事長威爾許（Jack Welch），他們的概括邏輯能力都偏弱，不是嗎？

其次，學做一個農民：幾年前的我，對農民企業家多少有些不屑一顧。現在倒覺得，在民營經濟發展的萌芽階段，先富起來的很可能是農民。有點誇張，不過至少農民種莊稼，懂得「一分耕耘一分收穫」，辦企業非常務實，少些浮躁，心態懂得知足，耐力比較持久。

當我去年創辦公司時，曾預想透過兩、三年的經營走上壯大與致富。現在我明白了，這個時間表要大大延長，也許五年，也許十年。我們多數人只能像農民這樣，一分耕耘，一分收穫，甚至要先學會只問耕耘、不問收穫。所以我在向農民學習，學習他們的老實、踏實、務實，無論將來是自己創業還是打工。農民播種時要深耕細作，搞經營也一樣。

想想以前在企業做marketing的時候，方案雖然漂亮，但

是否真的有效？至少我沒有做過銷售、去一線體驗建立關係的艱難，也就不能形成對客戶真實的體驗，再漂亮的方案恐怕也經不起推敲。這樣個人發展會十分受限，我現在相信「實踐出真知」。

我在向農民學習，還包括他們的憂患意識。從我出生到自清華畢業，我其實沒遇到過生存的危機，沒有品嘗過從不被人尊重的逆境中崛起，甚至在大學聯考時都沒有「拚命過」，孤注一擲地全心投入。而這種從底層環境鍛鍊造就的內驅力非常重要。

第三，走出「陽春白雪」的陷阱：行業沒有貴賤之分，工作也沒有高低之別。不幸的是，在我創業的時候，我對此的認識很局限，認為自己的方向必然是搞些諮詢或新產品開發等。所以我從來沒有想嘗試與人合夥開一家汽車修理廠或家政服務公司等。當然理由很充分，前者才能發揮我在理論方面的優勢與經驗。

其實所有的行業都是一樣的，經營都不容易，但一定有錢可賺，否則它為什麼會存在？所以，一家IT軟體公司未必比一家餐館高雅，一家房地產開發公司未必比一家生產打火機的廠家龐大，或者換句話說，一個從事投資銀行業務的合夥人未必比一家經營洗腳桑拿店的老闆更有前景。相反的，正是大批良好背景、智商較高的人都去陽春白雪（爭搶熱門行業）了，所以在那些下里巴人的行業裡（冷門行業）競爭會少一些，管理的優勢可能會凸顯一些。以前沒有經營「下里巴人」的另一個

理論支持是：這些行業接觸的人層次太低，無法對話。而現在對此的感受也今非昔比。從事任何行業，你都需要面對並征服一些與你生活背景不同的群體。

　　第四，加入創業的隊伍：說一年半的血淚家史太誇張了，我所遭遇的這一些經歷對於很多經商多年的人來說根本算不上什麼。雖然這段經歷是失敗的，讓我痛苦過，但我還是要感激它，它讓我從童話的二十七年中猛醒了過來，過得更真實。無論下一步如何選擇，這段經歷都很有營養。在此也特別想鼓勵那些骨子裡埋藏著創業衝動的同學，去試試吧，打一輩子工可能會讓你在兩鬢斑白的一天有抑制不住的後悔。

　　最後，從今天開始，認真修練。我不是個「創業的鼓吹者」，對沒有創業行為或創業衝動的人，我十分尊敬，並相信做一名優秀的職業經理人也十分不易，連我自己也考慮是否應回到受雇生涯。但我想，無論我們處於什麼崗位，我們都應在人際關係方面下更大的工夫，甚至是比專業技能還要大的工夫。既然我們學了管理，首先就應在對人的研究上下工夫。如果我們從現在開始，每天都爭取多認識一個人（不管他看起來與我們多麼不同），琢磨他，努力與他交朋友，並不期望從他身上有任何回報，只出於對人的興趣，那麼到我們四十歲時，我們的大腦裡就會存儲一千個活生生的範本庫，他們的性格、嗜好、遺傳特點、背景、職業、觀點、心理特徵、優弱點都栩栩如生，而你也能大致了解與各類人相處的基本規則，學會了做人，那麼你做任何一個行業的管理都能勝任。

> 以上是我對創業經歷的真心告白，肯定有偏激之處，但絕無說教之嫌，感謝你看完全篇。希望從今天開始我們實踐做人的修練，風雨無阻，一路共勉。

大專生如何創業？

Q 我是一名大專生，想自己創業（軟體企業）或者進入大型的軟體企業做管理工作，請問我應該從技術方面著手，還是從管理方面入手？我應該怎樣培養自己的管理才能和團隊合作能力？怎樣才能以自己的人格魅力征服別人？做管理工作是經驗重要，還是學歷更重要？

A 如果你已經創業，有了自己的事業，或者你有家族產業要你接班，那麼我建議你可以從管理方面入手。否則，如果你想進入一個軟體企業從事管理工作，最好的方法是從技術入手（注意，如果你的志向是銷售而不是專案管理，那應另當別論）。從技術做起的原因有三：

1. 技術專家們最反感的是被外行管理。不是說管理者在技術上一定要像工程師一樣精通，但是管理者必須是技術上的內行。在微軟和Google，幾乎沒有一名MBA能夠成為產品開發部門的管理者，他們大多集中在市場、銷售部門。有很多產品開發部門的管理者都是寫程式出身的。

2. 從技術入手的另一個原因是，做為一名剛畢業的學生，這是最容易進入企業的方法。如果一畢業，你就嚷嚷著要進

入某家公司的管理階層，沒有人會理你的。從基層做起，做個有心人，才有可能逐漸進入管理崗位。

3. 只有當過好兵的人，才能夠成為好將軍。這樣的管理者才能對公司各個層級、各種工作有較感性的認識。

千萬不要想「征服別人」。一個人格健全的人是不會被任何人征服的。比如，我很欣賞某人，將來的某天也許他會成為我的老闆，但我不會被他征服，用「影響別人」可能更加妥當。想「征服」別人的人，還沒開始，就已經把別人當作敵人、對手，就已假設使用手段是力量而不是誠心，就已把目標定為「高人一等」。這樣的人也許會打敗別人，但不會得到他人的信服。

影響別人的途徑很多，技術、能力、思維、人格都可以影響別人，所以不要把賭注都押在人格魅力上。另外，個人的人格魅力、影響力，是各方面素質的綜合，只有你在知識、能力上準備充分了，才能夠顯示出來。所以，片面追求人格魅力是徒勞的。我建議你先確定自己具有做優秀人才最重要的品性（誠信、主動、團隊精神等等，請見「給青年學生的第一封信」），多和人互動增進自覺、建立人際關係基礎（請見「給青年學生的第二封信」）。

如何培養自己的管理才能和團隊合作能力？你現在應該考慮的是怎樣做個好兵，然後再想做個好將軍的事情。如果做一個好兵的機會都沒有，那麼即使有很多做將軍的想法，也是空想。而且，要先做一個「好人」，先打好「基礎」，你才有資格做一個「好兵」。要先把「好兵」做好，你才有資格做「好軍官」。

要把「好軍官」做好，你才有資格做「好將軍」。從你的信看來，你現在操之過急。對於管理工作，經驗、學歷都重要，但是實力更重要。實力的累積要靠腳踏實地、苦幹實幹的精神，天下沒有不勞而獲的事。

你的「幻想」就像水一樣，能載舟也能覆舟。如果你整天夢想，給自己達不到的目標，對現狀不滿，不好好打基礎，那還不如做一個沒有幻想的人。但是，如果你能把幻想當作一個長期的理想，用它激勵自己，讓自己更有動力去打好基礎，用它來制定一系列逐步實現的目標，那你不但會更成功，也會更快樂（請看我的「給青年學生的第三封信」）。

您贊成大學生休學創業嗎？[11]

Q 我想休學創業，您贊成嗎？讀大學沒用是很多大學生公認的，為什麼您還勸說學生別退學創業呢？當下大學教育水平如此低下，對我們而言簡直是浪費金錢和時間。我不認為大學是走向成功的最有效途徑。如果去創業，我想我學到的一定比在學校多。最成功的創業人士，比如戴爾和蓋茲都沒讀完大學，為什麼我要繼續浪費時光？

A 我認為在絕大多數的情況下，同學們都不應該放棄大學學位去創業。或許從實例來說，有很多成功人士根本就沒有讀過大學。但是在今天社會，無論對找工作或創業而言，大學文憑都相當有價值，而且在大學校園裡的確能學到很多知識。

我並不是說一定要讀完大學課程才能成才，實際上我認為博士、碩士課程對一個學生創業而言不會有什麼直接的幫助。但

是，大學階段是一個人學習的最好機會，你周圍的人都是一些優秀人才，可以激勵你，而且校園是培養與人交流溝通能力的地方。大學期間是你一生中屬於自己時間最多、可塑性最大的時候，你應該更專注於學習。另外，經過社團、交友、暑期工作、打工等，你都能夠提高處理人際關係和團隊合作的能力。這些對以後的創業或工作都是有用的，因為做為經營者，你需要和公司員工做良好溝通，並對他們進行管理。而且對於新成立的小公司來說，你更加要做好與客戶之間的溝通，很多事情都需要你自己來負責的。

除了管理經驗、人際關係，創業還必須投入很多的時間和資源，而且需要有商業頭腦、知識、技巧方面都很成熟的領導者，這都是大學生所欠缺的，不可能只靠興趣、自信和看書就可得到。一個沒有工作經驗、商業操作經驗、創業思維的學生去創業，成功率幾乎是零。蓋茲和戴爾不念完大學卻可以成功創業的例子，並不適用於普通人。

實際上，他們在讀大學時已經多次創業成功，證明了自己的商業才華，也已創造了不少財富。甚至就在這種情況下，比爾‧蓋茲也不贊成退學創業，除非是碰到了千載難逢的機會。他總說自己是個特例，因為如果他不抓住當時的機會退學創業，那麼整個軟體行業的發展將被別的已存在的公司搶得先機。創業也是很艱辛的事，每千個創業的人中只有一個能成功地創造出有價值的公司。我在「給青年學生的第一封信」裡更深入地討論了學生創業的問題。

人的成功起源於很多因素，大學只是其中之一。如果我們

客觀、科學地來看，讀大學的人在通往成功之路上絕對是占有更多機會的：我們假設世界上有10％的人讀了大學，再假設世界上最成功、最富有的人中有10％沒有讀大學——據我所知，在美國應該遠遠不到10％，那麼我們可以看到的是：讀大學的10％的人得到了90％的成功位子；沒有讀大學的那90％的人反而要去搶那10％的成功位子。誠然，我們不能說不讀大學就沒有希望，但是從以上這兩個資料我們就可以粗略計算出來：如果不讀大學而又要得到成功，那將比讀大學的人困難81倍。

　　就算你已經從大學畢業，如果毫無基礎，我也不建議你馬上去創業。創業需要很多技巧、知識、人際關係等，沒有工作經驗會比較困難。賺足夠的錢來養一家公司與拿薪水養自己的難度是不可比擬的。我建議你先踏進大企業裡，或者是一個優秀的創業型公司工作一段時間，在那裡，你有許多學習機會，也能學到成功的公司是如何運作的，是什麼文化讓它得到成功的。

當公務員是學習創業的好方法嗎？[12]

Q 如果我想今後自己創業，先當個公務員是不是學習創業的好方法？

A 你的問題有點像：我坐公車是學騎馬的好方法嗎？公務員生涯是求安定、守紀律、不犯錯、爭取穩定的選擇。這些目標正好和創業所需的冒險精神背道而馳。所以我不贊成你把當公務員或在國企工作做為創業的第一步。

　　當然，我並不是說公務員這個工作有什麼不好，而是因為：一切企業走向市場化已成為不爭的歷史潮流，但是公務員目

前為止還沒有出現市場化的趨勢。如果你要創業，就必須學習在高壓競爭下生存的能力，以及為用戶創造價值的方法。此外，還需具備最先進的管理知識。在一個沒有生存壓力威脅的機構，或在一個沒有長期為用戶創造價值的機構，抑或在一個截然不同的文化氛圍中工作，都不是最好的學習創業之處。

為工作做好準備[13]

畢業後找工作應該用什麼標準？[14]

Q 我是一個大三的學生，面臨畢業找工作的問題，在求職的過程中，招聘的公司在挑選合適的人選，我們同樣也在挑選適合自己的職位，請問我應該如何挑選一家適合自己的公司？

A 送你三句話：「機會遠比安穩重要，事業遠比金錢重要，未來遠比今天重要。」另外，我給你幾個建議：

1. 永遠不要停止學習。在學校書本上學的和進入職場後從實踐中學習的事情是不一樣的。你應該挑選一家進入職場後可以多學技術和知識的公司。打聽一下：公司是否支持員工學習，還是只會壓榨員工的勞力？公司有沒有提供很好的培訓？千萬不要把金錢看得太重，有時一個職位可能沒提供你很高的薪水，但如果在這個職位上能夠學到東西，在做人做事各方面給你補充「營養」，你就不應放棄。

2. 網際網路將改變所有行業，因此你工作的職位應該使用到

和你專業有關的網際網路應用。

3. 挑一個好老闆。看看你應聘公司的老闆是不是一個值得學習的榜樣？他的人生態度和人品如何？

4. 最好找一家重視你專業知識的公司。例如，如果你做金融工作，最好進入一家投資銀行；如果你做技術工作，最合適進入一家技術性公司。

最後，你要問問自己是否有足夠的興趣從事這份職業。

如何寫簡歷和申請信？

Q 我現在正在求職，但是對寫求職簡歷沒有經驗，請問應該如何寫申請工作的簡歷？

A 求職時提交個人簡歷，以及申請信的目的不是幫助公司做出最後的決策，而是讓你能通過第一輪篩選，脫穎而出。下面是我對寫簡歷的一些建議：

● 求職簡歷約一、兩頁左右，言簡意賅，簡歷的固定格式很多書上都可查到。在簡歷中個人身分介紹部分約占六分之一，其他都是專業相關的學歷和經歷、參加過的團體、特長、成就等。

● 請注意以下幾點（尤其在申請外商職位時）：不要寫期望的薪水；不要註明性別、年齡或婚姻狀態；不要用過於花俏的字體、顏色或格式；不要用術語；不要提太多在校期間做的、不那麼重要的成就。

- 用數字說話，少用形容詞和副詞（不扎實的經驗才需要形容詞和副詞的修飾）。

- 寫履歷時，多用合適的動詞，例如你想從事財務方面的工作，不妨多用「預測」、「分析」等詞；如果你想做市場，可以考慮用「促進」、「加速」等詞；如果你想做技術，多用「開發」、「發明」等詞。這些動詞可能會讓每天閱讀幾百份簡歷的人事部門人員注意到你。

- 不要犯任何錯誤。如果你在製作簡歷的過程中打錯字，公司可能會認為：「這個人連這麼重要的事也會犯錯，我以後怎能放心讓他做事呢？」

- 簡歷上的每句話都要能提出實例，不能唬人或誇張。不要有任何看起來不實的內容。如果有任何內容不真實，你的簡歷馬上會被扔進垃圾桶。如果有一些內容看起來很誇張、但實際上是真實的，那你一定要補充說明，以免造成不必要的懷疑。

- 應該根據你申請的每個單位，量身訂作一份簡歷。例如你申請政府機關的職位，當然要凸顯你的黨團工作經驗，是優秀學生幹部等；如果你申請軟體工程師的職位，更需要顯示你的實際經驗與成果。對你申請的公司應有較深的了解，還要多做諮詢，把這些了解放入你的簡歷中，這對公司是一種尊重，而且對面試時可能會出現的問題，你也有更好的準備。

建議你在簡歷之外，再寫一封熱情洋溢、充分描述你的專

長和優勢、發揮個人優點、說明你適合這個職位的申請信。不要寫一些沒有意義的文字，也不要寫一些無法兌現的話（如「如果你雇用我，我就會……」），要證明你下許多工夫去了解每個申請的職位，同時要用實例說明和證明你的專長、優勢、誠意，最重要的是，要提出個人的特出之處。公司找人才最重要的一個問題就是：「我為什麼要雇用你？」你要能回答這個問題。我建議你的求職信要能抓住閱讀者的眼光，讓他感覺「這個人有些特色，也有誠意，值得約談一下」。求職信應該出自真心，代表你有特殊之處，並且是在認真了解這家公司的文化和需求後，根據你的理解量身訂作寫出來的。

如何寫工程師簡歷？

Q 我是應屆畢業的電腦科學系學生。我應該用什麼方式寫我的工程師簡歷呢？

A 下面是Google資深工程師王忻（人物背景參見第1章）對寫簡歷的建議。

如何寫一份好的工程師簡歷／王忻

身為 Google的軟體工程師，我每週幫人事部門審查簡歷，決定要不要給他們面試的機會。Google 這幾年的發展讓許多優秀的工程師都前來申請。到目前為止，我已經看了上千份簡歷，有些簡歷讓人留下深刻的印象。最近親戚朋友常常問我如何修改他們的簡歷，所以我積累了一些如何避免常見錯誤的看法，在此跟大家交流一下。

第一，談到你做過的技術時，應該提到使用的程式語言、你的個人貢獻和產品細節。有時我看到有人把過去的經驗在簡歷上一筆帶過，比如說：「在三人小組裡，為電子郵件軟體寫了些 features。」這是遠遠不夠的，看簡歷的人希望了解你做的工作難度和對本公司有多少關聯，所以你最好寫具體一些。譬如：「用 C++ 語言寫了網路電子郵件的自動 backups。在三人小組裡，專門負責設計和寫儲存伺服器。從設計開始，一年後把這個功能 feature 的用戶推到了三千。」

第二，多講事實，少用形容詞。讀你的簡歷時，當事人需要做判斷，所以在簡歷中需要事實和數目。如果你寫「迅速的提高了軟體的操作效率」，看簡歷的人很難判斷你成就的難度。但如果你寫「在三個星期內，把軟體的操作效率提高了40%」就好多了。有些謙虛的朋友們不願意把話說滿，所以你也可以用這個辦法。

你如果說自己「突出」或「在專案計畫上常常被請去救火」，聽起來難免會有點驕傲。但你也可以用不能否認的事實來說明你的觀點，如「《紐約日報》評這個產品為『突出』」，或「加入了三個原本已計畫落後的專案小組，經過努力，組員一起按時完成計畫。」

第三，簡歷上應包括：你得到的獎項、商業的榮譽或表揚、受用戶歡迎的產品和你做過的有難度的業餘專案。我有位

朋友在矽谷一家著名的硬體公司做了六年，她設計的 IP phone（網路電話）為公司賺了上億的收入，被公司與商業報導多次評獎。有一次在三藩市高速公路上駕車時，我看到路邊有她產品的廣告牌；還有一次我去上海度假時，竟然發現上海公路邊上也有！不久，這位朋友決定換工作，請我看看她的簡歷。我驚訝地發現，她居然輕描淡寫地寫了一句——「1998-2004：網路電話產品的硬體工程師組長」和她的職責。「產品贏的獎項呢？它為公司賺多少錢呢？」我追問到。「那些也該寫嗎？」她說。當然該寫。

有人問，業餘時間做的專案計畫可不可以寫？我覺得只要你從事的計畫有代表性，能說明你的能力，都該包括。

第四，分清主次，刪掉相較之下不起眼的成績，以免沖淡突出的成績。 有朋友問，簡歷是不是寫的愈多愈好？譬如：在甲公司做暑假實習生：改善電子遊戲的數值分類演算法，減少了記憶體要求 10%；用 Java 寫了三千行用戶介面程式；每週做兩小時的人工測試。

在申請軟體工程師職位時，我覺得前兩點比較相關，第三點其實就不必寫了。我看到有的簡歷裡會提到，「按時完成了任務，產品符合原計畫規格」。但讀簡歷的人通常會認為這是理所當然的，而你聲明這些反而減弱簡歷的效果。

寫一份簡歷不容易，但寫得好也會帶來成就感和好工作！

求職和面試前的準備[15]

Q 如果要去企業求職，在面試前我需要做哪些準備？履歷上的用詞是不是應該誇張？面試時，在儀容和服裝方面應該注意些什麼？

A 面試前一天要睡好。進行面試前，多做幾次深呼吸，以穩定心情。進行面試時要鎮靜、沈著，碰到尖銳的問題不要恐懼、失去信心。

在面試時，首先你要沈著冷靜，舉止得體，思維清晰，語言表達有邏輯性，懂得商務禮儀。許多應聘者在招聘人員面前有膽怯心理，這是很不好的表現。你應該在招聘者面前表現出充分的自信。面試過程其實也是一個心理較量的過程，你如果勇於展現自己的信心，一定能得到對方的欣賞。我曾經對一個膽怯的面試者說：「你為什麼怕我？其實，你的能力很好，完全不必膽怯。我們一樣都是人，只不過比你早工作幾年而已。」聽了我的話，這位同學笑了，也不那麼膽怯了，最後我們錄取了他。後來他告訴我，如果不是我的話讓他放鬆，他一定不會通過面試。

面試的第一步往往是「自我介紹」。在這個階段，你應該根據單位對人才的要求，有效地介紹自己的情況。如果單位是政府機關，那麼必然看重的是學生的政治修養，以及含蓄持重、知識面寬、反應靈敏、綜合素質良好等基本條件。如果對方是科研院所，可能看重的是你的基礎理論程度、外語能力、事業心、責任心、進取心、好奇心，以及尊重客觀事實、實事求是的工作態度等。如果從事的是外貿工作，那麼對方可能對你的外語能力、財貿知識、公關能力、法律常識等有特殊的要求。

　　面試時，主要是考官問，你回答。應聘者的回答要切中要點，不要長而不當；要充分體現自己的實力和人品；眼神接觸要穩定，態度自然誠懇。面試前最好多找老師或輔導員練習這種臨場發揮的能力。

　　簡歷上的每一句話，面試時回答的每一句話，你都要能夠提出實例，不能誇張，否則可能遇到「不幸」的後果。比如，你想說自己會某種技術，最好準備好與這項技術有關的一系列實際解決方案。如果你想指出自己的優點是懂得運用團隊精神，最好準備好回答「請舉一個靠你的團隊精神，讓團隊達到任務的例子」。少具備一個優點，少掌握一個工作工具，也許你還有機會，但是，如果被認為撒謊、缺乏誠信，你就永遠沒有機會了。

　　面試時要有自信，但是切忌吹噓。吹噓並不是展示自己的優點，而是在增加自己的缺點。

　　在大規模的招聘會上，如果你只是到各個展台投遞簡歷，那麼不必穿正式的西裝，只要穿著整潔即可。在正式面試前，你可以詢問對方人事部的聯繫人相關資訊，譬如該公司希望應聘者如何著裝等等。對男生來說，我認為穿西裝、打領帶一定不會錯的。但是如果經濟條件不允許你購置一套好的西裝，那麼襯衫、長褲、皮鞋也可以。如果你不會配色，就採取簡單的素色（白襯衫、藍西裝、黑皮鞋、搭配西裝顏色的素色領帶）。對女士來說，簡單大方的上班裝（襯衫、長裙、外套）是正確的選擇，最安全的做法是一套素色長裙和外套，襯衫也要是素色。

　　最後，千萬不要忽視了自己的頭髮。我在招聘中曾經見到不少人西裝筆挺，但是頭髮卻很凌亂，給我留下非常邋遢的印

象。此外，不要忘了正式面試前洗澡、洗頭、洗臉、刮鬍子、刷牙，忽略這些會給人對面試不尊敬和不重視的印象。或許沒有人會為你面試時穿得好給你加分，但是如果這些基本細節沒做好，你肯定會被扣分。在面試前的一切準備工作都代表你對這家公司的尊敬和重視。

最後，面試官可能會給你機會提問，這部分重點是考察應聘者考慮問題的深度和對該企業的理解。最好在每一次面試前，準備一、兩個問題，以便派上用場。

應徵軟體工程師職位時要注意什麼？

Q 我是一個正在為找工作奔波的電腦科學系畢業生，理想的職業是軟體工程師，但我全無面試經驗，請問做為一名應聘者，我應該在面試中如何表現自己？

A 以下是Google資深工程師王忻（簡介參見第1章）對軟體工程師面試的建議。

如何準備軟體工程師的面試／王忻

我在 Google工作期間面試了不下三百人，其中某些應聘者確實表現非凡，但有些卻顯得準備不足。當然許多面試準備不足的人最後依然得到了錄用通知，因為他們本身確實才華出眾。但如果應聘者能提前準備妥當，面試過程將更為保險和輕鬆。以下列出的就是我根據多年經驗總結的建議：

首先，使用相同的工具（如鉛筆和紙張）和時間限制（例如半個小時）模擬面試訓練。 Google 和微軟都會讓應聘者在

白板上手工解答程式設計問題，但通常大部分的應聘者都是習慣在電腦上利用程式設計工具系統編寫程式。因此面試時，某些應聘者離開了熟悉的電腦游標，站在白板前會感覺手足無措不知該如何起行。又或者他們不習慣在程式設計時旁邊有人觀看，這會讓他們感到緊張而無法正常思考。

在現實生活中，如果你想要橫渡英吉利海峽，自然不能總是在室內游泳池練習，你必須投身於大海在波濤中訓練，在準備面試的時候也是如此。

面試開始前，你最好向招聘單位詢問面試形式和問題。如果招聘單位讓你在某個房間考試且僅提供沒有組合語言程式的編輯器，那麼就應該在家中按照這種情景進行練習。如果招聘公司單位讓你在白板上回答問題並安排考官在旁監督，那麼你就要找一位軟體工程師來扮演考官配合你練習。即使找來的考官經驗不如你也沒有關係，他們依然能幫助你消除在他人面前出錯所帶來的緊張感，這樣可以讓你適應有人在旁邊盯著看的面試氛圍。

第二，在面試過程中不要對細小錯誤耿耿於懷。我曾不止一次在面試過程中碰到這種情況：當應聘者知道程式設計問題後，他馬上就想到了最佳的方案、確定了邊界條件，然後開始編寫程式。但在編寫過程中，應聘者犯了諸如首先檢查是不是操作順序錯誤，或忘記設定某變數等無關大局的小錯誤，當我指出其錯誤之後，應聘者立刻變得十分緊張，這種焦慮情緒影響了他在後面環節的正常發揮。

其實這種恐懼心理完全不必要。一名優秀的程式師在程式設計過程中出現錯誤也是很正常的，就像是小提琴手在演奏高難度的巴赫交響樂時也會偶爾失誤。音樂會的聽眾可能會察覺到這些錯誤，但是聽眾絕對不會因為這種細小失誤就把出色的小提琴手看作是門外漢。

即便應聘者徹底搞砸了某個程式設計問題，面試考官也可能會提出不同的問題並會容忍應聘者在某個問題上的失誤。再說，就算某次面試徹底失敗，你也有機會在其他面試上補救。

我的同事（一個專案技術負責人）最近面試了一個人，在開始面試時他覺得面試者的溝通方式存在問題，因此開始表現的相當不友好。但經過整個面試過程後，面試者證明了自身的能力，而我那位同事也成了那位面試者最堅定的支持者。在過去的一年中，我從未見過這位同事如此強烈的支持哪位面試者。所以，就算面試進展不順，也務必堅持到底不要放棄。

第三，在面試過程中不要失禮。這似乎是不用說的問題，但在面試過程中我確實碰過很不好的失禮行為。曾有一位前來應聘軟體工程師的人看到我就說：「哇，我真不敢相信你這麼年輕！我覺得你才十八歲！」面試者的這種言行實在要不得。

面試者也要注意不要說出諸如此類的話：「哇，你真的就是考官嗎？你看起來好老！」「哇，你真的是來面試我的，你看起來好胖！」（相信應該不會有人說這樣的話）。

在我的另外一次面試中，應聘者的手機在面試開始15分鐘後響了，她沒有理會，手機連續響了20秒，這樣不免會對面

試造成影響。5分鐘後，她的手機又響了，她依然沒有理會；5鐘之後，手機第三次響起。最後她抓起手提包在裡面翻出了手機。我想：「是該關掉手機了，她在進來之前就應該把手機關掉。」但是她拿出手機後，卻旁若無人地接聽起電話，就在面試進行過程中！

這種情況唯一可接受的理由，就是她有非常緊急的事，但是即便情況如此，她也應該在面試開始之時就講清楚，讓面試官有所準備。

第四，不要在面試中喧賓奪主。我曾經面試過幾個應聘者，他們好像鐵了心腸一定要告訴我他們最近的「超級專案」。當我開始發話，他們就立刻打斷：「我想讓你了解我們近期處理的超級專案，十年前當這個專案開始之時還默默無聞……」，然後接下來的5分鐘，他都在那裡滔滔不絕、口沫橫飛。

有時應聘者好像打定主意要給每個考官詳細描述其引以為豪的專案，然後一整天都在那裡翻來覆去地說這個專案。請記住：面試官在面試過程中有具體的問題需要詢問。如果應聘者喧賓奪主，考官就可能無法得到充分的資訊來做出判斷，同時這種行為也會讓考官覺得應聘者很難共事。

如果你確實想談論自己的專案，就應詢問面試官：「我覺得最近的某某專案能充分體現我的能力，我能不能用10分鐘的時間來描述一下具體情況？」這樣就會給面試官空間來調整面試過程，由此也避免毫無徵兆就讓面試離題萬里。

第五，在回答需要具體答案的問題之時，記得首先要有總括性的發言。 有時我會問一個答案可以很簡練的問題，例如：「在你的那個成功專案中總共有多少人參與？」但應聘者往往會就此打開話匣：「嗯，張三參與了這個專案，他負責UI部分，當然我也會給他一些指導。李四也在專案中，她在賓州遠端工作，負責後端伺服器。兩年之後我們又有新人王五加入……」

在應聘者滔滔不絕地講了3分鐘之後，我還是不知道這個專案到底有多少人參與。因此首先要簡練的回答問題，然後再展開描述：「在我接手專案時有三個人，但當我離開專案時人數已經增加到十二人。」

簡練地回答問題，在徵詢意見後再展開論述比較好：「在我接手專案時有三人，但當我離開專案時人數已增加到十二人。我可以講一下每個人在專案中的具體分工嗎？」

第六，（不是特別重要）在面試中要衣著得體，舒適的商務便裝是最佳的選擇。 人們有時候會為衣著犯愁，但最重要的是，讓自己感覺舒適。如果要具體建議，我建議穿襯衫甚至T恤。對於某些公司（如Google），西裝革履顯然太隆重了。

這條建議不必太看中，因為面試官不會管應聘者穿什麼。最好應該詢問人事招聘部門穿什麼合適，因為不同國家有不同習俗，就算美國東海岸和西海岸的公司著裝文化也會有差別。像 Google這樣的公司在著裝方面更加隨意，如果你穿著「三件式」的西裝去面試，考官可能會有異樣的感覺。如果你真的

具備軟體工程的本領，穿什麼其實並不重要。曾有個應聘者穿著皺巴巴、髒兮兮的T恤跑來面試，他的T恤上還有許多破洞。最後他還是被錄取了（當然我絕不建議如此穿著）。

一則小故事

最後我想講一場極為尷尬的面試。在看完之後，我希望你能這樣想：無論你的面試有多糟糕，至少要比這位應聘者幸運。

以前我還在微軟的時候，我們通常會為應聘者準備一些飲料，某位暫稱其為Jeff的應聘者要了一瓶百事可樂。我們走進面試房間後，他就在桌前坐下了。接下來我們簡要地談了談他的工作經歷，然後他開始在白板上解答程式設計問題，此時他還沒有打開他的可樂。

我們倆站在白板前，Jeff開始在上面寫程式。他完全沉浸在對整體構架的思考中，不自覺地退了一步來查看整個白板，在後退時不小心碰到桌子，桌上的可樂掉到地上。

因為可樂還沒打開，因此當可樂罐落地時，炸開了。可樂罐在地上打轉，泡沫噴得到處都是。你可以想像當時的場景，可樂噴到了牆上、書架，還有我電腦的鍵盤上。我倆楞在那裡，手都半伸著（根本來不及抓到罐子），眼睜睜地看著可樂噴得到處都是。

我們花了5分鐘的時間用紙巾來清理現場（雖然我的書本自那天之後都粘頁了，而牆壁也不再是乾淨的了）。

隨後我們重新開始白板測試。Jeff此時已經非常緊張（換了誰都會緊張吧？）。他寫了幾行程式，然後擦掉，然後再寫。他是用自己的手擦拭白板而不是用板刷。他急得額頭冒汗，然後又用剛剛擦過白板的手擦汗。在面試過程結束時，他的臉上佈滿了紅色、綠色和藍色的顏料。

我說：「你的手上沾了很多顏料，我帶你去洗手間洗洗吧。」然後我把他帶到洗手間，讓他從鏡中看到自己的尊容。

如何接受電話面試？

Q 在我的求職過程中總是會接受各種各樣的面試，包括透過電話進行的面試，如果我想應聘一些著名外商，請問在電話面試過程中，我該怎麼做才能充分表現自己？

A 其實，我並不喜歡電話面試，因為在電話裡我沒有辦法見到應試者的表情和肢體語言。要完成一次好的電話面試，特別是一些外商的電話面試，你除了多練英語口語外，如果能做到下面幾點將會對你有所幫助：

1. 表現出「自信者」 的口氣，不要用那些「唯唯諾諾」的詞，包括：Maybe, perhaps, I guess, uh, um；多用那些表現出果斷判斷的詞，包括：I want, I feel, I know, I believe。
2. 講話要清晰，善於抓住重點。
3. 聲音要中氣十足，但是聲音大小要適中。
4. 說話時在語詞中要有稍微停頓，寧可停頓也不要含糊其

詞，說出"um, eh, er"之類的詞語；不要自己一口氣講到底，要給考官機會來打斷你，讓考官發問，或者當你誤讀題目時讓考官有時間糾正你。

5. 不要亂用口頭禪。有位面試者在每一個回答之後都補上一句"You know that?"，讓面試官感覺他好像看不起自己，而未錄用他。

6. 學會禮貌的電話禮節，如結束時，謝謝對方來電。

7. 切忌用太複雜的字或語法，電話面試非一般面試，臨場壓力更大，最好自己多做練習，找人模擬，增加經驗。先準備好幾個問題及回答，以提高對答時的信心。

8. 可以主動先準備一些問題詢問對方，如"When will you let me know the result?"。

智力測試在面試中有什麼功用？

Q 為什麼IBM、微軟這樣的國際性公司在面試時都會問一些IQ（智商）測試問題？難道一道IQ測試題就能測出一個人的智商是否適合某個職位或勝任某項工作嗎？

A 面試中設置IQ測試題的目的並不是測試你的智商，而是考察你分析問題的能力，以及思維模式與方法。其實這些問題的設置與回答並無定律，答案大可以千變萬化。

微軟有很多著名的IQ測試題，比如「人孔蓋為什麼是圓的」之類。如果你答「圓的不像方的，不會掉進洞裡」，這只是一個「相對正確」的大眾性答案；如果你回答「因為下水道蓋子

很重,所以做成圓的比較容易隨處滾動」,這雖然不是大多數人心中的「正確答案」,但能夠證明你善於聯想性、發散性思考,因此也是很好的回答,甚至可能收到更好的客觀效果;倘若你回答「方的有角,可能會傷到小孩」、或者「圓的比較省材料」,這些答案都可以接受,不過考官可能會據此進一步再提幾個問題,譬如「為什麼圓的比較節省材料」、「如果我有20公斤鐵,請你證明圓形是最節省材料的設計方案」等等。

在大規模招聘人才時,在筆試環節中設置一系列的IQ測試題,有助於考官迅速判斷一個人的思路清晰與否,進而首先淘汰一批思考速度相對落後的應聘者。面試中現場提問IQ題,可以使考官透過一個人的現場答題速度考察一個人的反應能力、思維速度,以及現場心理調控能力。

目前,智商、情商測試題在跨國企業招聘人才中經常被採用,在國內企業、公務員考試中也屢見不鮮,因此增強日常積累、平時注重綜合能力的培養、關注一些知名企業招聘中的難題,是非常必要的。

我想進外商,應注意什麼?[16]

Q 我很想進入外商工作,請問如果要進入這樣的企業,知識和能力哪個重要?除了這兩點還需別的條件嗎?

A 對於一個外商員工而言,知識和能力兩者當然都很重要。但是如果你希望在最好的企業裡有所作為,那麼在兩者都不錯的前提之下,能力更為重要。換言之,對於大學畢業生而

言，潛力最重要。

微軟和Google的大部分雇員都是畢業後直接進入企業的。這兩家公司在雇用員工時最看重的是潛力，也就是你未來的發展能力和學習能力。那些機靈古怪的面試題其實不是學生定義的「智力題」，它們考察的並不是智商，而是你的思考方式。

潛力從何而來？從你的思考方式和學習態度而來。思考方式指的是獨立的、批判性思考的能力，不只要把書讀懂，更要無師自通，要有所領悟。如果你做到了這點，那麼你的知識和能力不好也難。所以，很多外商在面試中設置的問題不是為了分辨「好學生、壞學生」，而是分辨「會思考的好學生」、「熱衷學習的好學生」、「思考深度和廣度足夠的好學生」 和「不會思考的好學生」。除了這點之外，外商更在乎的是外語能力、交流能力、團隊合作能力、表達能力。

在應聘外商時，你可能以為企業看中的是：流利的英語；乾淨整潔的儀容；足以耀人的成績；自信的微笑；近乎完美的簡歷；對答如流的面試。這些固然不錯，但更為重要的是：正直向上的品格；積極上進的熱情；自信謙遜的氣質；誠信負責的態度；愉快有效的溝通；良好學習的基礎。

如何到外商面試？[17]

Q 身為一名即將畢業的學生，我很想應聘外商的工作，但是對面試卻沒把握，請問您去外商面試時該如何應對各種問題？哪些是常見的問題？如果碰到了所謂IQ問題，又怎麼回答？

A 面試時，除了技術或知識問題之外，考官會提出的一般問題可能有下面幾種：

第一，考察你有沒有誠心地下工夫研究這家公司。「你為什麼來應聘我們這家企業？」這個問題可以了解你有沒有對這家公司做過背景調查？花了多少時間？了解到什麼地步？知道它的業務嗎？核心競爭力是什麼？用人的方法？也可以了解你對自己的自我定位，你挑選公司的方法和理由。有些人來Google面試行銷工作，卻連我們的廣告產品名稱都不知道，這樣的人在第一輪就會被淘汰。

其次，考察你的自我了解和反應。「你的優勢和弱勢是什麼？可以舉個例子嗎？」這時，你一定要誠實地談自己真正有意義的弱勢，不要說什麼「我的缺點就是工作太拚命」，在應聘時，很多人都擔心會暴露自己的弱項，我覺得每個人都應該很忠誠地回答這個問題，但要說明我在進步，當一個人知道自己的弱項而學著進步，這是件很好的事情，不管這是什麼弱項。強調自己沒有弱項，或者說，我的弱項就是工作太努力，那是沒有意義的。

你也要準備回答下一題：「可以舉一個例子，說明你的優勢能幫助你做出別人無法做到的事情嗎？或是你的弱勢讓你失敗了，從中你學到了什麼教訓？你會怎麼彌補你的弱勢？」這些追根究底的問題就是「情境面試」（situational interview），面試者一定要舉出實例和情景才有說服力，泛泛地回答是沒有意義的。其他的情境面試還可能問道：請給我一個例子，證明你的領導能力、你的創造力，或你解決問題的能力？你如何在重重困難

下取得成功？你曾經做出一個讓你滿意的專案嗎？為什麼感到
滿意？

　　第三，考察你的個性。「你一生中最大的成功和失敗是
什麼？」如果你只能答出最大的失敗是「失戀讓你痛苦了好幾
天」，那只會讓人判斷你是一個對逆境承受能力不夠的人。要談
從失敗中吸取教訓和戰勝失敗的過程。對於你的成功，應該表現
出自信，但不要眉飛色舞，讓面試官認為你淺薄自大。

　　第四，考察你的為人和判斷力。「如果我們和我們的競爭
對手都給你工作邀請，你會怎麼辦？」這時，主觀、逢迎的回答
（「我的夢想就是來你們這兒」）、現實的回答（「看誰的條件
好」）都不是最佳的。更好的回答是：「我會把企業文化、公司
發展前景、個人在公司的發展、工作部門、職位、將來的頂頭上
司和團隊成員是什麼樣的人等因素進行綜合分析比較，再做出結
論，決定我的取捨。我會把這些因素列一張表，把上面的因素加
權，然後選擇分數較高的那個工作。」這個回答證實了你的進
取心和分析問題的能力。這不但是個好回答，而且我勸你真的這
麼做！

　　最後，考察你的客觀分析能力。「當你被安排做一件事
情，你的主管和主管副手意見不一致時，你怎麼辦？」回答這個
問題要同時兼顧你對公司的負責和對老闆的尊敬。比如說：「做
為一個工作人，我會服從老闆的安排，把工作做好。同時，秉持
著對公司負責的態度，我會分析這件事情，並把我的意見報告給
我的上級。我會分別與兩位領導人在沒有他人的情況下，和他們
溝通，並說服他們採納我的建議。」這樣，你就顯示了自己的忠

誠、智慧、高情商。

在一些高科技公司，面試時會融入許多稀奇古怪的題目，即所謂的「智力題」。其實這些問題並不是要考你的智力，而是考察你的思維方式，以及你處變不驚的能力。

譬如，如果有人問你美國有多少加油站，你只要能夠給一個合理的思維方式就可以了，並不需要你提供一個標準答案。你可以這樣回答：「美國有2.6億人，所以有1億個家庭左右。這些家庭裡大約X有兩輛車，Y有一輛車，如果這些車每兩星期加一次油，那麼將會如何如何」等等。

還有一些問題聽起來似乎和你的專業無關，其實是密切相關的。例如軟體行業的公司可能會問：「你會如何設計一個電視遙控器」。這個問題其實是測試你如何解決客戶的問題，或是如何把一個大問題分成小部分解決的問題。

另外，如果你申請的是推銷工作，你可能會被問及：「請你推銷你自己」，或是「這裡有一支鉛筆，請你把它推銷給我」等等。

如果你申請市場工作，那麼你可能會被問到：「如果你有一個產品，你會如何打廣告？」；「直銷和透過網路銷售產品有什麼利弊？」；「如果你可以贈送一百個產品給人，你會送給窮人、老師還是圖書館？」等等。

不一定每一個問題都有標準答案，有時面試官甚至在提問時不會提供你任何重要的資訊，而問題重點是考察你會不會去設計回答的方式。

大專生如何進知名企業？

Q 我是一名大專三年級的學生，讀的是國際貿易，但很遺憾讀的不是大學。我下半學期就要去實習了，我一直擔心自己的未來，不知道怎麼解決找工作的問題。現在找工作文憑很重要，一些知名的企業根本不會招大專生，所以我想去考插大，繼續提升自己，到時就不會因為文憑的問題被拒門外。我今年23歲，不知道我的選擇對不對。

A 對於一個剛畢業的學生，文憑和成績確實非常重要，但是多年以後，最重要的將是你的工作、成績、聲譽、人脈等。所以，不要只是為了大學文憑去做考插大的準備。要多問問：自己想要得到什麼？興趣在哪裡？未來嚮往的工作是什麼（「進知名企業」不是一個好的答案）？除了這個之外，如果要考插大還要問問自己：你的天賦、能力有多高？能否考進一所好的大學？這個大學是否比你現在的大專好很多（今天有很多私立大學還不如大專）？能不能學到真本事？你是否能夠經過這個機會轉換到一個你更喜歡的專業？這是很複雜的問題，在「我學網」的精華區、《做最好的自己》、《做21世紀的人才》中都有更多類似問題的探討。

另外，由於目前就業現狀呈現出僧多粥少的形勢，因此許多外商和一流國企都把門檻設置得比較高，所以應屆大專畢業生想進知名企業可能會比較困難。所以，你應該用上面提到的「兩步計畫」的方式，可以先找一家比較普通的公司，做幾年之後再換工作。你要做的事情包括：

1. 考慮各個機會，看看有哪些自己可能被錄取，把自己和以前被錄取的學長姐做客觀的比較。

2. 在形式嚴峻的競爭下，你應該找一個條件不是最佳、但是符合你發展和學習的單位。

3. 在單位、行業、職位、區域之間做個分析，看看什麼對你最重要。有可能在一家著名企業的冷門區域與職位，你會發現自己具競爭力，進入該企業後，也許有一天你會有機會轉換地區或職位。你也可以考慮到一家熱門地區的冷門公司，也許有一天，你會在那個地區找到更好的公司。

你也可以在畢業後就試一試外商或一流公司，想辦法讓自己被錄用的建議如下：

1. 讓自己成為一個有特色的人，證實自己對公司可以有某種特殊的貢獻。

2. 寫一份具個人特色的簡歷和自薦信，深度表達你對該公司的了解和熱愛，明確描述你的特點。要推銷自己，不要用那些泛泛之詞（「有比較強的學習能力」），而應該描述自己的特點。因為你的簡歷可能在人事部門人員發現你是大專生時，馬上被放入「拒絕」堆裡，所以你的自薦信的第一句就要抓住讀信者的心。

3. 從最基層的工作做起，例如技術支援、資料登錄等。理解這些工作的需要，讓自己擁有這些技能（例如，如果你想進某某投資銀行做技術支援，你可以先打聽他們的技術使用什麼平台，然後去學習、考證等）。

4. 如果能夠被公司初步接受，我認為你在公司中最重要的是
   學習和自我培訓。

5. 設法在暑期就進入你嚮往的公司當暑期實習生，就算是無
   償也值得。

我為什麼沒被錄取？[18]

Q 從過年到現在，我一直忙著找工作，參加了很多的招聘會，
也進行了很多次面試，可是到現在還沒有一點眉目。前幾天
我參加了一家公司在學校的專場招聘會，沒有想到我在第二輪就被
淘汰了。面試後我對自己的表現反覆想了很多次，不知道自己錯在
什麼地方。第一輪是公司發了一張自製的表，表格的前面都是選擇
題，最後有兩個簡答題：「你對自己未來五年的目標是什麼？」；
「你希望自己在什麼樣的環境下工作？」

對於第一個問題，我回答「我對自己未來五年的目標用四個字
定位：勤奮、學習。勤奮即勤奮工作，學習即在勤奮工作的同時，
努力學習自己在工作中需要用到但還沒有掌握的東西。」

對於第二個問題，我的回答是：「首先，我希望自己是在有一
定壓力的情況下工作，因為有壓力才會有動力，然後我希望是在一
個開放討論，甚至是在一個爭論的環境下工作，最後我希望我所在
的團隊是一個和諧、融洽、奮進，大家互相鼓勵的團隊。」

一個星期後，公司通知我參加第二輪面試，主考官只問了一
個問題：「如果沒有任何約束，你有很多錢，你所需要的條件都給
你，你希望做什麼？也就是說你的夢想是什麼？」

我回答：我是一個來自農村的孩子，從小學到大學，我的很多同學都中途退學，當我走在街上看到那些結婚的車隊，心裡都會覺得不應該。當然每個人的價值觀不一樣，有些東西對別人很平常而對我來說那就是一種奢侈。因為我和我哥哥都在外求學，現在家裡負債累累，要是給我一個選擇的話，我一定會去農村當教師，現在這是我的一個夢想、理想，但是以後一定會實現。

最後我被淘汰了，可是我想不通錯在哪裡，想聽聽您的意見。

A 你的第一輪回答充分顯示出農村子弟的淳樸和實在。可是進入職場，針對未來五年的願景，你的回答卻過於簡單。「勤奮、學習」四字和中小學生的立志目標無異，難以凸顯一個成熟青年的職業生涯規劃，而且「勤奮、學習」是態度而不是目標。一個好的目標應該是SMART的：明確（Specific）、可度量（Measurable）、可實現（Attainable）、結果導向（Result-based）、時效性（Time-based）。

因此，雖然你通過了第一輪，但是對於第一個問題的回答，我建議你還是應該把答案和公司結合，例如「我認為進入一家公司最重要的是學習。我對貴公司最響往的是某某方面的技術。我的目標是在五年內把握這些技術，能夠成為這方面的專家。」當然，你必須要真正理解這家公司有什麼技術，哪些技術是你真正響往的，沒有誠意的奉承是不合適的。

第二輪你的回答並沒有很大的問題，你的回答非常真實，非常理想化，甚至非常感人。但是我會建議你：

1. 如果能和這家公司期待的相結合，對你會更有幫助。

2. 要考慮到你的回答會不會讓這家公司覺得你對他們並沒有
　熱情，而是想賺夠了錢就離開去當教師。不要為了想找到
　工作而做不真實的回答，也許你可以補充：「我認為我會
　認真地工作二十年，然後才有希望做我最想做的事情」，
　或「我來自窮困的家庭和鄉村，希望有朝一日能返鄉教
　書，把所學教授給下一代」。

3. 用詞還可以更簡潔些，你的回答稍微長了一些。

　我想這次面試失敗可能有很多原因，不見得就是你的回答
很糟糕。也許有更優秀的申請者，也許名額有限，也許考官不喜
歡理想主義者……失敗的原因可能並不是因為你不夠好。

　另外，我想說的是：只問一個問題的面試，我認為很不合
適，這種方式不夠嚴謹，對申請者也不夠尊重。也許不去這家公
司是你的福氣呢！

　做為一個理想主義者和一個對城鄉、貧富差距有這麼多想
法的人，也許可以找一個和你的理想更接近的工作？這並不意味
你一定要回去農村，但也許其他工作機會更適合妳，或者可以讓
你更有發揮的空間。

　祝你找到理想的工作！

別人簡歷造假怎麼辦？[19]

Q 我現在開始找工作了，但在這個過程中發現平時不如我的人
老有面試機會，後來才知道很多人在簡歷上造假來騙取面試
機會。之後我也只好改了簡歷，雖然當時很難受。我不禁想問，所

謂的原則是否面對現實就不堪一擊？

A 不要羨慕靠簡歷造假而得到的面試機會。我有個在企業當人事經理的朋友告訴我，現在幾乎所有的正規公司都會打電話查證求職者簡歷的真實性。我的朋友就曾發現，同一所學校的同一個系，竟然出現幾個學生會主席、十幾個班長、幾十個一等獎學金得主……這種欺騙行為一旦被揭穿，簡歷立即被扔進廢紙桶，絕無轉圜餘地。

另一方面，你也要重視適當地表達自己的優點和長處，提供鮮明、有說服力的證據證明自己的潛力。在簡歷中太過謙虛、太過含蓄會妨礙你從眾多競爭者中脫穎而出。

如果是好的公司，一定會去確認履歷的內容。在微軟總部曾經面試一個總經理的職位，面試結果很好，可是後來發現他的學歷是假的，微軟當然沒雇用這個人。還好有查證確認的程序，一些好的公司在雇用前先認清那些沒有誠信的人的本質。

建議你在自己的履歷之外，再寫一封熱情洋溢、積極主動、充分描述你的專長和優勢的信，信中要說明為什麼你要積極應徵這家公司。

進Google需要什麼條件？

Q 我是一名正在找工作的電腦科系畢業生，請問如果想參加Google公司的招聘，需要具備什麼條件？

A 很多同學在這裡問「需要什麼條件才能進Google」，但是，我不希望把「我學網」變成Google招聘的網站，所以我給你一些比較廣的建議，我相信對任何想進入一流公司的電腦

科系學生都會有幫助的。

1. 「內功」要學好。不要只是去學各種語言、工具，要把資料結構、演算法、資料庫、作業系統原理、離散數學等課程學好。如果你可以做出高德納（Donald Knuth）的《電腦程式設計藝術》（*Art of Computer Programming*）書中大部分的題目，那就代表功力不錯了。

2. 多編寫程式，最好大學四年有十萬行程式設計的經驗。

3. 講究「實幹」，不要不屑於編寫程式或測試，對每一個工作的每一個細節都要認真。

4. 不要放棄數學，尤其如果你對一些需要數學的領域有興趣（例如視頻、語音、圖像……）。

5. 練習團隊精神，與人合作。

6. 在不影響學業的前提下，尋找真正有意義的暑期工作或打工。找一家公司、在一個好老闆指導下做真正會被使用的程式，不要去一個要你做「頭」的地方。打工和找工作一樣，不要只看待遇和職銜，要挑一個你能夠學習的環境，一個願意培養員工的企業，一個重視你的專業的公司，最後，要挑一個好老闆。

　　針對大學畢業生，我們還會看他們的價值觀跟企業的價值觀會不會有牴觸，至少要不自私、不做危害別人的事情，或者不會無法與人相處溝通，這是企業的底線。只要沒有這些較嚴重的問題，我想大部分畢業生都像海綿，吸收力強、可塑性很高，我們相信他們會在好的企業中成為一個左右腦平衡發展的優秀人

才。對於有工作經驗的人，企業對應聘者這方面的觀察會更仔細一些，我們會考察他做事情的風格是不是符合企業的要求。任何與企業的價值觀有牴觸的人，企業是不會雇用的，但是好的企業不會要求每個人都是一個模子造出來的，這也是不可能的。

希望以上這些對你有幫助。

為什麼很多人進不了Google？

Q 自從Google在中國啟動招聘計畫以後，聽說已經有數萬人提出申請，但是現在只有數百位幸運者進入。我想問問招聘中的失敗者到底碰到了什麼問題，對於這些問題您有什麼建議，希望以此做為我今後找工作的借鏡。現在Google在招聘時有筆試和面試，哪個更重要？

A 大多數聘用者沒有被公司錄取的理由是由於其專業知識或能力不夠，例如，程式設計能力不夠強等。但是，也有很多例子對未來申請者有一些啟發：

第一，粗心大意，沒有仔細閱讀招聘廣告。例如，招聘廣告中明確要求申請人提交文本（ASCII）或HTML格式的英文簡歷，但是，總有一些學生提交的簡歷採用Word或PDF格式。廣告中並沒有要求提供中文簡歷，很多人卻同時提交了中文簡歷，畫蛇添足，給國外處理簡歷、但又不懂中文的負責招聘者帶來不必要的麻煩。又如某職位需要至少五年的工作經驗，不知為何，總有很多應屆畢業生冒冒失失地把簡歷投來。建議大家：仔細閱讀招聘廣告，有的放矢。

第二，自我吹噓，誇大其詞。例如下面是某剛畢業的學

生在簡歷裡的句子：「精通C++、JAVA、C#、HTML、ASP、PHP、Perl、Python、XML、SQL、TCP/CP」；「豐富的網際網路專案經驗」等等。建議大家：除非你真的是個電腦天才，否則應該實事求是地寫出自己的技能。

第三，簡歷太短，沒有重點。一些學生的簡歷過於簡單，甚至沒有列出平均成績或GPA，對於沒有工作經驗的社會新鮮人來說，學習成績正好是公司關心的資訊之一。

有些同學有很好的過人之處，例如國際期刊的論文、奧賽一等獎等，但是把這些過人之處放在後面，沒有用合適的粗體字標出，導致自己的簡歷埋沒在幾萬封申請信中，這樣一位優秀的申請者很有可能就被一位困倦的審閱者失誤地排除。建議大家：對於剛畢業的學生，學習成績很重要。

第四，英文不規範，頻繁使用縮寫的網路語言。簡歷和申請信應該使用規範的英語。一些同學卻習慣性地大量使用不規範的網路語言縮寫。比如，用pls代替please，用ur代替your，用tks代替thanks，這樣的使用是不禮貌的。建議大家：使用正式規範的標準英文。

第五，申請信中有太多空洞的語詞。例如，某同學在簡歷中評價自己「有良好的溝通能力和適應能力，富有較強的團隊精神，做事積極熱情，工作責任心強」，這些空洞的語言毫無新意，怎麼看都像從工作描述中抄襲來的。更好的例子應該是：「在本地某某企業實習，實習過程中程式設計四萬行，並提出新的演算法，使得公司內部流程節省40%時間，並得到總經理的特別褒獎。」

　　一封申請信應該包括：（1）你對公司的認識和為什麼這家公司吸引你？（2）你要申請什麼職位？你為什麼適合這個職位？（3）你個人的特點和優點，為什麼這家公司應該雇用你？建議大家：避免使用空洞的詞語。

　　第六，簡歷的重點不突出，主次不分明。一些同學在簡歷中列出各種各樣毫無關係的經驗，顯得雜亂無章，沒有重點。如同繪畫一樣，寫簡歷也應該詳略得當、濃淡相宜。與應聘工作相關的應該寫得詳細些，而與工作無關的，不妨寫得簡單些。建議大家：要凸顯出自己的主要成績和特長，對相關經驗應該寫得詳細些。

　　第七，電話面試中，手機突然沒電了。建議大家：如果使用手機做電話面試，應該事先充好電，避免電池耗盡。

　　最後，面試前準備不足。我曾電話面試過一百多位應聘者，當被問及Google 有什麼產品或服務，很多人只知道Google 是個搜尋引擎公司，說不出別的產品或服務。許多申請廣告部門的應徵者，當被問及Google 的廣告業務，只有少數人能說出Adwords和Adsense（Google的兩個廣告產品）的名稱。這樣除了證明你的知識面不夠廣，也代表對公司不夠尊重，而且對該工作不是特別嚮往。建議大家：面試前應該認真調查招聘的公司，做足功課。

　　Google的筆試只是一個篩選的過程，刪掉那些肯定不能達到希望的應聘者，不會根據筆試成績來排名，我們主要看重的是面試。另外，我們也十分看重實習，如果實習時做得很好，那也是很重要、能被招聘進公司的因素。

企業中有官僚主義嗎？

Q 我經常看到對機關單位和企業中官僚主義的批評，但我對官僚主義的認識比較模糊，想了解一下在企業裡它會有哪些負面作用，以便我選擇工作時可以留意。

A 現在我們通常說的「官僚主義」是一種不關心群眾利益、只知發號施令，而不進行調查研究的工作作風和領導作風。但是我想它的意義不只於此，從社會學的概念來說，「官僚主義」指的是組織的行政管理固守標準化程式、正式的責任分工、階層化和非人性化的關係，是一種徒具形式，流於僵化的工作作風，它的另一個翻譯是「科層組織」。它是科層制的基本概念，原來是指辦公室的規則，引申為「依照規則、程式所界定的角色來活動，並安排成為一種權力的層級組織」。它的壞處包括：阻礙創造性發展；組織規則凌駕個人之上；流於形式主義；可能會保護不適任者；權力集中上層。

講得廣泛一點，我覺得官僚主義應該不只是那些「作威作福」壞的領導作風，而可以進一步涵蓋任何機關企業中存在的從上到下的控制，包括心中自以為是「部屬信服的好領導」的官僚。在任何從上而下控制的企業裡，下面的員工只能做事而無權做決定，只能聽話而無權說話，絕大多數的員工具有的權利只有乖乖聽話而已。雖然他們嘴裡說「好」，但他們心裡也會說「不好」。他們的行為帶給極權管理者都是正面的回饋，管理者便以為自己是好的領導、進行的是好的管理，並且得到了員工的完全信服。所有的「乖」員工都沒有發揮自己的潛力。在這樣的系統裡，「絕對真理」就是「聽話」。

　　我認為，一個好的企業應該樂於授權給員工，讓每一個員工有自主權做自己的工作，或者讓員工能清楚了解什麼事他有自主權，什麼事沒有；讓每一個員工都敢說他心中的話，或者說知道在什麼場合可以說自己心中的話，而且大部分場合都鼓勵大家這樣做；每一個員工都可以發揮自己的潛力，因為自己被公司信任而為公司更加努力工作。在這樣的系統裡，「真理」就是「發揮潛力」。

　　兩相比較，我想你應該認識到「官僚主義」在企業中的壞處了吧。

大學聯考、重考，以及大學以外其他教育

高三了，我能怎麼做？

Q 我是一名即將十七歲的女生，比較開朗活潑，現在進入了高三，但我的成績不是很好。我覺得自己缺乏的是自控能力，被許許多多的事物迷惑，電腦、電視等等。

　　其實，我是一個非常沒自信的女生，對自己總是缺乏信心，在許多方面，認為自己肯定不行。所以許多事情都眼睜睜地錯過。但在別人心中，我是一個可愛聰明的人，可是我從不這麼認為。我只覺得自己很笨，什麼都不如別人，父母朋友經常鼓勵我，而我還是這麼認為。現在進入高三了，由於班上風氣的因素，學習氣氛沒有我想像中的那麼濃烈。大家還是一如既往地抄作業，一如既往地上課睡覺，而我也是其中一員。

　　雖然我們從頭開始復習幾何、代數、三角函數，但我還是不懂。當別人問我想考什麼大學時，我真的不知道從何答起，沒有目標，沒有夢想。這讓我很茫然。

　　因為我很喜歡新聞，所以我也想過考新聞系。如果做播音主持，又覺得自己身高不夠，長相不夠好；如果做編輯，覺得自己文章寫得不夠好……考還是不考，這個問題讓我猶豫不定。

　　現在我看不到自己的前途。而離大學聯考的時間又不到九個月了，我能怎麼做？

A 其實這是所有高三學生都要面臨的問題，是我們功利教育制度的悲哀：只重視結果不重視過程，學生的學習也是一樣。但大學聯考仍然是無法迴避的問題。如果相信自己，即使失敗了也可以再次成功；不相信自己，即使成功了下一次也會失敗。給你兩個建議：

1. 去尋找你周圍的高手（老師或同學，情商比你高很多的人），讓你明白自己真正的價值，但要在實際生活中找，應該是一個能夠影響你的人，而不是網友。
2. 盡自己的努力去做，即使失敗了也不要為來自父母、學校、老師、同學的影響而後悔。

　　有人說：大學聯考是人生的轉捩點。我把這句話改為：大學聯考只是人生表面上的轉捩點。生命的真正轉捩點是每一天、每一個小時都在積累的東西。你今天遇到的所有問題，得到的所有結果，快樂悲傷，自信不自信，都不是偶然的，都是你以前的

每一天、每一個小時積累下來的，是根植在你身上的習慣。所以說，你身邊的環境、周圍的人是很重要的。每個人的成功都是獨特的，你的開朗活潑就是你成功的重要基礎。無論其他方面有什麼問題，這個特點千萬不要放棄。

自信可以培養。不要把每件事都兩極化，要不就學好所有的數學概念，要不就全部抄同學的答案。如果你的目標都是那麼高不可及，那你一定無法達到。制定一些有點困難、但是可以達成的目標（例如：每天專心讀書半個小時、每天不懂的問題要在課堂上或下課後發問、先從某一、兩門著手學習……），當你達到目標後，就會發現自己慢慢地建立起自信心了。

學數學就像蓋高樓，如果你的地基沒有打好，上面的樓是蓋不起來的，所以如果你想學好數學，只有把以前沒有讀懂的課本從頭自修。

要不要考大學，這點只有你能決定。在今天的社會裡，大學文憑對一個人的未來確實有相當大的幫助（尤其是公立和較好的大學），但也不是只有大學畢業才能夠成功。

如果決定要考，就要專心且下定決心好好讀書。九個月是有限的，如果你決定報考大學，最好客觀地計畫，如何能爭取最高的分數、達到可期望的目標，這點請教老師來指點最好。對於填志願，請看下一個問題和回答。

大學聯考的志願該怎麼填？

 我剛考完大學聯考，正在為選科系迷惘。這將是我一生中最重大而痛苦的決定。我剛讀完您的「給青年學生的第三

封信」，深受感動。在這迷惘的時刻，我覺得求助於您是最好的選擇。我之所以說選科系是痛苦的，因為我極缺乏興趣導向，我一直是個不偏科的學生，我要求自己把一切都學好，雖說學好和興趣是兩回事，但我真的沒有特別的興趣。我仔細研究了解很多科系和職業，還是沒發現自己真正喜歡什麼，我甚至懷疑這十二年的苦讀消磨了我的興趣和求知欲。想到即將面對的新世界，我從一開始就有這麼多的迷惑。同學似乎沒我這麼在意這個選擇，但我想把握住。

A 你的那些「不在意」的同學是錯的。我在「我學網」上最常看到的文章就是「選錯科系」、「科系沒興趣」一類的問題，都是一些「不在意的選擇」帶來了四年的悔恨。現在沒有熱情沒關係，培養熱情是不能著急的。我給你幾個建議：

1. 不要只看學校不看科系。進了名校、但學一個你痛恨的科系是不值得的。

2. 花一些時間諮詢你可能有興趣的科系，如果比較確定，可以把這些科系填在前面。

3. 在報考大學科系時，千萬不要選擇自己沒興趣的科系。就算你不知道自己對什麼有興趣，至少應該知道自己對什麼沒興趣吧。如果不確定，做一些簡單的諮詢，就會清楚了。

4. 選擇一些相對廣闊、選擇度較大的科系，因為知識面廣的科系往後能讓你有更多的職業選擇，例如：電腦系、化學系、中文系等等。

5. 對於領域相對比較狹窄的科系，除非你非常確定這就是你的志向，否則千萬不要浪費四年的光陰。

6. 如果有些學校差別不大，把可以讓學生轉系的學校填在最前面，這樣萬一你發現了新的興趣，入學後還有機會轉系。還有些學校允許某些學院的學生在大二後再選科系，這種學校也應該優先考慮。

7. 把不隨便調配學生志願科系的學校填在較前面，儘量避免填那些隨便調配學生志願科系的學校。

一名高中生的迷惘

Q 我是一名普通的高中生，來自一個很小的縣城，但我不想永遠生活在這樣的環境。我對人生、社會都持悲觀態度，但我骨子裡卻不甘示弱。我經歷了人生很多挫折，儘管我才十八歲。我喜歡電腦，但不喜歡現在的高中教育制度，完全沒有課餘時間，整天圍著那六門功課轉。我寧願選擇電腦也不願意學這些功課，所以我現在的成績不理想，考大學希望渺茫。但是很多朋友告訴我，沒有大學文憑，將來很難有所作為，很多電腦技術人才都有很好的資歷。我開始自卑，難道我就這樣淪落？學過的電腦知識就這樣隨著時間流失而忘卻？我不甘心，但我又不知道該如何做起。

A 沒有大學文憑，確實無法進入很多公司，會失去很多機會。所以如果你真的在乎，以後想從事電腦方面的工作，希望有很好的成就，你最好的路就是去上大學。如果進不了一流、二流的大學，那就進一所差一點的學校（但是儘量挑實事求是，有一定實力的學校）。如果你進入大學以後能夠努力自學，就絕對有希望實現你的目標。即使考進了一流大學，自修對個人

也是很重要的。

　　我認為現在對你來說最好的路是：進大學；努力自修。如果進不了大學，或者你選擇不去上大學，那你可以找一個合適的高職或職業培訓班。如果你能兩年後考取微軟或思科的認證，你至少可以找一個工作，在工作上繼續你的學習。

　　喜歡電腦的人，必須理解終身學習的重要性，因為今天任何一項電腦技術，很可能五年後就被淘汰了。所以，終身學習和自修的能力是必須的，從今天開始吧！

高中職生的出路在哪裡？

Q 我由於家庭條件的限制，初中畢業後選擇了讀高職。對我的學校和課業還算滿意，但和大學生朋友在一起的時候，我的感受真的很複雜。我真的很想了解您對高職乃至技校學生的看法，以及對他們以後發展方向的建議。我以後是不是應該再拿一張大學文憑？

A 相當多的人認為讀高職沒有前途，一定要再拿大學文憑才有前途。其實，一個社會中需要各種不同的人才，行行都可以出狀元。社會需要白領人才、職業人才，也需要藍領人才，並不是大學生就比高職生高出一等。在有些國家，像瑞士，更多的中學畢業生希望讀高職，希望做一個技工（例如說鐘錶匠），在生活中有更多的時間享受人生。如果你喜歡你的課業，我覺得你不必為了學校和學歷拋棄你的喜好，一旦做了自己喜愛的工作，你就能發揮自己的潛能。

　　相對來說，今天有許多私立大學發的文憑不見得被教育部

承認，而且請的老師很多都不夠資格，與其讀這樣的大學，還不如讀一所好的高職。

讀高職、技校應該是一個完整的學習過程，是一個就業的完整培訓，是一個以技能為導向的課程，不是「大學的預科」，所以讀完高職再念大學不是一個「正常」的途徑。高職的學生應該多去了解畢業後的就業機會，很可能你會發現你現在的情況比很多較差的大學畢業生還要好！

如果你真的認為自己必須走再考大學這條路，那你至少不能隨波逐流，不能為了一紙文憑，一定要想清楚你的理由。比如說，在下列情況下，我覺得再考大學是值得一試的：

1. 高職學校太糟糕了，課程設置落後，實用技能也沒有學到，想找一所較好的大學「重來」。這所大學你已經做過諮詢，不是一所什麼都學不到的大學。
2. 某所大學的科系是你嚮往的，你也做了諮詢，畢業後有適合你、你也有興趣的職業。
3. 你有足夠的信心可以考上，否則可能浪費時間、精力、金錢後，什麼也得不到。
4. 你做了足夠的諮詢，了解自己的興趣，做好了職業規劃。

【註釋】

1 考研究所還是就業？典型的發問。銳泓職業策劃案例分析可以給你啟示：http://book.5xue.com/61。

2 參見論壇中類似問題的討論：http://book.5xue.com/62。

3 參見專家陳志文關於考研究所還是就業的文章：http://book.5xue.com/64。

4 專家潘碣的個案是三年沒有找到工作，看看他的建議：http://book.5xue.com/66。

5 參見論壇討論——「考研究所如何利用時間」：http://book.5xue.com/67。

6 參見專家舒騁對這個問題的回答：http://book.5xue.com/68。

7 參見論壇相關討論——「為什麼要出國留學」：http://book.5xue.com/69。

8 參見論壇文章〈高中生出國應注意的問題〉：http://book.5xue.com/70。

9 參見論壇文章〈出國時間安排表〉：http://book.5xue.com/71。

10 請參考馬雲對相同問題的回答：http://book.5xue.com/73。

11 關於不上大學成才的可能性，專家熊丙奇有話說：http://book.5xue.com/74。

12 參見專家陳朝益對創業的專業意見：http://book.5xue.com/75。

13 參見專家潘碣的〈第一千份簡歷〉，求職要有持久的準備：http://book.5xue.com/76。

14 如何為未來的職業定位，這也是重要的職業策劃之一，請參考專家張瓊文的文章：http://book.5xue.com/77。

15 專家楊銳的文章〈面試：不要聰明反被聰明誤〉中列舉了一些面試中應該避免的情況，請參看：http://book.5xue.com/78。

16 想進外商知名企業？專家楊輝告訴你，要像追逐戀人一樣追逐頂尖職位：http://book.5xue.com/79。

17 參見論壇文章〈外商面試官最愛問的十個問題〉：http://book.5xue.com/80。

18 相信很多人都有應聘失敗的經歷，專家楊銳的個案分析可以給你一點啟示：http://book.5xue.com/81。

19 參見論壇中關於誠信簡歷的討論：http://book.5xue.com/82。

<table>
<tr><td>第 7 章</td><td>**真愛無極限**
家庭、友情和愛情</td></tr>
</table>

　　人生天地間，家庭是我們最安全、最甜蜜的港灣，愛情和友情是人的一生中最彌足珍貴的東西。無論我們身在何時何地，擁有一份真摯的親情、愛情或友情，都是我們最大的幸福。

　　因為存在年齡的差距，年輕人和父母之間有不同的思維或行為方式是正常現象，但這不代表父母不愛你或不關心你，不應該演化成與父母之間的矛盾（「與父親的矛盾」、「我有個嚴厲的媽媽，該怎麼辦？」）。身為子女，應當對父母的愛心表示體諒與感激。嘗試從父母的角度考慮問題，也許你就會理解，為什

母親嚴厲又溫和，對我期望深。

麼父母對自己如此嚴厲？為什麼父母總
是不考慮我的想法？為什麼父母總要干
預我的選擇？在家庭成員之間，真誠溝
通是最重要的。如果你可以理解父母某
些做法的善意初衷，那麼，即使這樣的
做法不夠妥當，你也能夠找到合適的方
法，真心誠意地對父母講出你自己的想
法，得到他們的理解。只要多與父母真
誠地交換意見，多向父母敞開心扉，久
而久之，父母自然會理解你，對你的合
理建議表示支持。

　　此外，有的同學對父母的離婚不
理解，難以接受，感覺受了傷害，甚至
無法驅散因父母離婚而造成的心理陰影
（「父母離婚的陰影影響至今」）。坦白說，父母離婚與孩子沒

有任何關係，是他們兩個
人之間的感情出了問題，
這是大人之間的事，孩子
是插不上手的。雖然父母
離婚不可避免地會在孩子
心理留下負面的影響，但
在主觀上，一旦事情發
生，孩子還是應該儘量學
會適應「不完整的家」，

永遠把家人放在第一位。

努力維繫，不讓家人感情疏遠。

試著和父母雙方都保持聯繫，不要讓感情逐漸疏遠，同時也應該多找些談得來的朋友，更加獨立地生活。只有這樣才能擁有正常、樂觀的生活狀態，讓父母雙方都對自己放心。

有的人在事業和家庭之間難以取捨（「先成家還是先立業？」、「如何平衡工作和家庭的關係？」）。殊不知，事業和家庭並不相互牴觸、相互矛盾的。一個溫暖、和諧的家庭往往是事業有成者的堅實依託和精神支撐。失去了幸福的家庭，只擁有成功的事業人生是不夠完滿的。我在事業上投入了相當多的精力，但這並不意味著我忽視了對家庭的責任。在繁忙的工作之餘，我總是把家庭放在第一位，無論多忙，都要抽出足夠的時間陪伴家人。我想，合理地在事業和家庭之間分配時間、精力，找到兩者之間的平衡點，而不是顧此失彼，焦頭爛額，這應當是一個現代成功人士必備的個人素質吧。

有一些同學不知道該如何妥善處理戀愛關係（「大學生是否應該談戀愛？」、「和男朋友吵架該怎麼處理？」），另一些同學不知道如何面對失戀的痛苦（「心儀的女孩拒絕了我」），還有些同學不知道如何面對全新的戀愛方式（「我與網友戀愛了，不知道該怎麼辦？」）……這些都是年輕人成長過程中的正常現象。愛情是世間最微妙，也最能牽動人心的事，古往今來有許多人試圖扮演愛情專家的角色，為一對對癡男怨女們答疑解

難。但隨著時代的變遷，困擾年輕人的愛情「難題」好像愈來愈多了。其實，解決愛情「難題」沒有標準的公式，最重要的還是要用心去體會、思考和去溝通。只要真心對待每一次愛情體驗，真心對待每一個自己愛過或愛自己的人，那麼，即便在愛情旅途上遭遇一些挫折又算得了什麼？

在愛情之外，朋友或同事間的友情也同樣可以成為人生中最真摯、最可信賴的感情。這種感情一旦建立，往往會擁有巨大的生命力，可以為你的學業、事業提供莫大的幫助。即便時光荏苒，也千萬不要淡忘那些最真摯的友情，不要在這種真摯的情誼裡摻雜世俗化、庸俗化的東西。建立起一份真正的友情並不容易，能夠結識那些珍惜情誼、願意為朋友著想的人，是我們的幸運。同學們一定要學會善待朋友，以及朋友間的真摯友誼，不要因為自己的偏執或魯莽輕易讓友情出現裂痕。因為即便是在商業化、世俗化思潮泛濫的今天，一份真摯的友情也足以讓我們享有人生中最值得回味的時光。

在回答本章的問題時，得到「我學網」的春天姐姐，以及我姐姐李開敏特別多的幫助。需要協助的同學們，也歡迎你們來「我學網」的春天姐姐專欄，直接向她請教。

我期望女兒「做最好的自己」。

與父母相處[1]

父母吵架，我該怎麼處理？

Q 我爸媽的關係很糟，經常吵架，還有幾次吵得很厲害，說要離婚，生活在這樣的家庭，我覺得很累、很煩惱，能否幫我出主意，讓我的爸媽和好。我覺得爸媽和睦相處、相親相愛才是最幸福的事。

A 父母失和或衝突連連的確會給家庭帶來極大的痛苦，孩子也會處在很大的焦慮不安中。然而希望別人出主意，讓爸媽和好卻是不容易實現的期待。有時父母吵架捲入孩子的事，更讓孩子有一種責任感或內疚感。天下的孩子都心存幻想，以為可以拯救父母的婚姻，但是「解鈴還須繫鈴人」，和好的可能性只掌握在父母手裡。

你們都已成年，不再是無助的年幼孩子，下列幾點可供參考：首先，在爭吵時離開現場，千萬不要做「裁判」，就算父母吵的事情與你相關，也不可幫著一方去批評另一方。因為你既然幫不上忙，就不要捲入，他們必須自己處理這種難題，而你必須先設定好情緒的界限，保護自己是唯一負責的做法。

其次，讓你的父母在消氣後單獨向你傾訴，但你只要傾聽即可。不要表達過分的同意，也不要替另一方過分辯解。你的角色只是讓他們有傾訴、發洩的對象。

第三，等父母雙方都平靜後，找機會向父母表達你的痛苦，請他們試著用較不傷害彼此的方法溝通。多談他們的不和帶

給你的痛苦，不要評論他們的對錯。他們應有的一個共同點就是不願帶給你痛苦，而你的痛苦是你的親身感受，他們不能彼此推卸責任或否認你的感受。

第四，找較能溝通的一方，請他或她理解你的心情，改變目前傷害性的互動，或介紹他們閱讀相關書籍資源。

最後，請雙方家族中較理性，也較有影響力的長輩或親人，出面協調。

與父親的矛盾與衝突

Q 我剛自大學畢業，因為我是女生，父親在很多方面都管制我，包括工作、生活，甚至感情問題，對此我很反感，特別是他提出的有些意見會影響到我今後事業的發展，比如非要我留在他身邊，不讓我出去闖蕩，和他頂嘴就會引起他發火打人。我該怎麼做，才能跟父親平和相處？

A 中國父母存在的一個普遍問題就是：對孩子過度保護，認為孩子結婚以前（甚至以後）都是個孩子、是自己的附屬品，因此沒有權利享有獨立自主的空間。你說的「管制」應該是很多中國父母的心態，對成年子女仍會動手的父親，他的管制已形成了暴力，造成孩子身心的傷害，是非常不恰當的。這也促使我近來愈來愈感受到必須幫助中國的父母跟上時代腳步、改變自己才行，正因為這個原因我才寫了「給中國父母的一封信」。

有些中國孩子存在的問題，則是過於服從父母的權威，將盲目順從和孝順混淆。我認為一個人應該追求自己的理想和事

業，不要受到父母過多干擾。如果是客觀原因，比如：父母身體不好、需要照顧，那麼犧牲自己的理想和事業是可以理解的。但是，不能因為父母寂寞、需要孩子陪伴，而耽誤了孩子的事業發展。父母應該有自己的生活，應該認識到孩子不是他們生活的全部，給孩子無私的愛就是讓他們盡情翱翔。所以，我鼓勵你大膽追求自己的生活和事業，不要處處遷就於你的父親。同時，在道德上不要因此對父親有愧疚感。

當然，你也要體諒父親。他很愛你，希望天天看到你，同時也擔心你交往不好的朋友，因此受到傷害。這些心意也許是好的，只是做法有些陳舊。因此，我只能給你以下建議：

1. 聽起來你們的互動已形成一個不良的模式，你頂嘴激怒他，他動手傷你。要打破這個循環，你要更懂得保護自己，不給父親傷害你的機會，比如你要心平氣和地和他談談，說出你對他養育之恩的感激，但是要明確告訴他：女兒已經長大了，需要擁有自己的空間。他也許一時還不能理解，但是不能因為他不能理解就影響你的生活和對理想的追求。

2. 建議你和父親溝通時，採用他能接受的方法。當你希望他接受一個想法、一件事時，不要批評他、不要和他辯論，而是告訴他你的感受。你的感受是事實，也是他在乎的，這樣做或許可以拉近父女關係。

3. 尋求第三者的支持了解。未聽你提起自己的母親，如果母親較開明，請她支援你，或家族親友中有其他人可以為你

出面協調。

4. 我認為和他分開居住會是一個好的開始。每週回去看看
他，為他做點好吃的，陪他出去逛逛；每天下班給他打個
電話，說說工作情況，聽聽他一天的生活如何度過。這樣
做讓他也能夠獨立找回自己的生活。

　　人與人之間只有保持互相獨立的空間，懂得尊重對方的選
擇，才能夠擁有健康融洽的關係，也包括親子關係。

需要父母心理上的關懷[2]

Q 我的父母很溺愛我，但他們給我的大多是物質上的關心，而
我更希望他們能理解我，即便只是在我努力的時候給我一句
鼓勵。我知道他們愛我，可是我也需要他們的心理支持。我覺得我
們之間有代溝，我應該怎樣才能讓他們明白我的需要呢？

A 一位美國心理學家寫過一本書叫《愛的語言》，十分暢
銷，他說「愛的語言」有五種：語言上的肯定表達；肢體
上的親近；提供服務；贈送禮物；有品質的相處時間。你的例子
說明了很多家庭、伴侶互愛卻因彼此不同的語言，達不到愛的效
果。所以我特別欣賞你觀察到這個親情上的困境，也有心改善。
很多父母愛不得法，是十分可惜的事，很多孩子也就無奈地放棄
了親子溝通的機會。

　　你的痛苦相信也是很多年輕人的痛苦，所謂代溝講的就是
兩代間差距，因為成長背景、教育程度的不同，而產生不同的需
要、期待、看法，這沒有誰對誰錯。要拉近差距，只有靠溝通，

所以你可以先謝謝他們對你物質上的慷慨提供，再表達自己更深的需求，特別要具體的舉例，比如鼓勵、肯定、欣賞等。中國人很不擅於表達正向情緒，特別因文化層面過度強調謙虛，很多父母吝於誇獎孩子，怕他們「得意忘形」。所以如果你想要顧及到自己的需求，最直接的方法就是讓父母了解你的需求。

你的父母也許從來沒有理解你所需要的「心理支援」和「鼓勵」，無論你怎麼要，他們也不知如何給。我有三個建議：

1. 理解並感謝他們對你的「愛」（提供你生活上的物質保障），對他們提供的物質表示謝意。

2. 用你的「愛的語言」——行動和語言主動表示你對他們的愛。如果你希望得到他們的支持，先對他們的一些行為表示支持。如果你希望得到「有品質的相處時間」，先向他們付出你「有品質的時間」，多陪陪父母。這不但是盡為人子女的孝道，而且透過具體行動和言語，你也可以體會到父母養育你的不易而更能理解父母。

3. 在做到前兩項之後，告訴他們你對他們的希望和要求，解釋五種「愛的語言」給他們聽，然後表達你的看法和你希望得到更多心理支持的想法。

我有個嚴厲的媽媽，該怎麼辦？

Q 我媽媽對我要求非常嚴格，要我考全年級第一，其他文藝、學科、綜合等競賽也必須表現優秀，如果達不到就會暴力相待和打擊，從來沒有任何鼓勵或安慰。同時她對我過度關心，跟蹤

調查和我接觸的同學、老師，想牢牢地掌握我的動向。

上大學後，她還跟我立下了協議，每年必須拿到獎學金，否則不支付我的學費；畢業後三年內還清大學的所有費用；五年內買房子給她；最離譜的是要求我在讀研究所時找個有錢人嫁了。我和她非常難溝通，很多時候我主動想溝通，可是都不歡而散。幸運的是從小到大我的學習成績在她的逼迫下還算爭氣，可是我為了達到目標所背負的壓力很大。有時覺得自己被她這麼折磨了二十年，真的很難過。

A 你描述的母親看來是一個目標清楚，對孩子有超高期待，不惜用暴力、威脅控制孩子的母親。她用的方法不對，可是她的用心是好的，希望你表現優秀。她顯然看重並掌握金錢，也把這樣的價值觀加諸於你，這樣嚴厲、「向錢看」的母親，給你的壓力可想而知。

很多父母因為自己成長時吃了苦、物質匱乏，以致缺少安全感，拚命培養子女出人頭地，做到衣食無虞。他們的用心並沒有錯，只是方法不恰當，也忘了給孩子較大的空間來思考自己的人生目標。

你該怎麼面對？除了從心態上跳脫兒時受傷的陰影，試圖用以上的眼光看到母親的用心和局限，其他部分就得訴諸溝通。比如她的協定既然叫做協定，就要協商討論，你要斟酌自己的狀況和她充分溝通，包括你同意或不同意，認同或不認同的部分，也讓她明白你已成年，有自己的想法，不會永遠做她的附屬品，請求她成全你獨立的人格和個體。如能慢慢消除彼此間的代溝，彼此妥協，那是最佳狀況。

在求學時，儘量與母親溝通，但是千萬不要決裂。畢業後，如果溝通、協議不成，有時你就必須做出痛苦的決定，比如選擇獨立，搬到外面居住。做這樣的嘗試之前最好也和母親溝通，讓她知道並非你不感恩，或翅膀硬了要飛，而是你要為自己的人生、快樂負責，她若能放手，那將是她給你的最大禮物。

你描述的自己是優異的、配合母親的，只是在強勢的媽媽面前從小順服，太早放棄溝通。或許她並不了解你內心的痛苦壓力，因為你確實達到了目標，不是嗎？最後，你既然承認她的逼迫讓你成績突出，那麼就不要想成「被折磨二十年」，因為壓力有時會激發我們的潛力，如你所說你也算是幸運和爭氣的。很多父母和子女間的親子衝突、溝通不良，是因為雙方永遠都把注意力放在對彼此的傷害和失望上，而沒有承認好的、有利的部分。至少你應該肯定你的母親是個有計畫，讓你比別人超前的嚴厲母親，感謝這部分，才有機會開展你們之間較正面的溝通。

我很欣賞你承受了如此高壓還能表現良好，這顯示出你獨特的韌性，希望你好好看重自己的內在力量，為自己一路挺過來豎起大拇指，也為自己的未來加油！

還有，無論母親如何對你，希望你仍然能夠一如既往地對她，用你的方式表達你的感謝和愛，希望這樣可以感動她。你也可以把我寫的給家長的一封信給你媽媽看，或許會有幫助。

如何結束跟父母的冷戰？

 我一直和父母冷戰，十多年了，彼此間不只是不說話而已，而是比不說話更可怕！過了這麼多年，我才發現我們之間互

不了解，在一起猶如陌生人，我該怎麼辦？

A 你的問題既沉重又真實，我欣賞你有勇氣把這種「與父母行同陌路」的疏離關係提出來，並尋求改善之道。知道這場「冷戰」的緣由是什麼嗎？十年多前有什麼彼此誤會、未解決的事，讓親子關係惡化至今？孩子跟父母之間應該沒有什麼深仇大恨，再大的矛盾也都可以好好談，孩子要學會理解和尊敬父母，所以你可以主動、真誠地跟父母溝通。

你問該怎麼辦？這是個好問題，表示你對現況感到痛苦和不滿，想要改善，有心就有路。如何才能破冰、打破僵局？為何不能在你所說的彼此互不了解的狀況中做些努力，增進了解？你可以多花時間陪父母做他們喜歡做的事，比如一起逛街、整理家務、下棋、聽歌、做飯。參與他們的生活，是比較快的途徑。了解他們的興趣、嗜好、生活中的點滴。你也可以邀請父母到你的學校參觀，或主動向他們報告生活中的大小事，讓他們有機會了解現在年輕人的生活想法，和他們年輕時做對照比較。這些方面可以從小事做起，不必一步到位。當父母意識到了你的善意，也會以同樣的方式對你。

花些時間把兒時受到父母呵護、照顧的照片找出來，重溫有關的記憶，也能化解這十多年累積的不快。

雖然我們常說「望子成龍」，其實孩子的心中也同樣有理想父母的標準。父母有他們生長的時代背景，和我們希望的開明、有智慧的父母肯定有落差，年輕人失望後很容易關閉溝通管道，放棄繼續努力以增進彼此了解。

一位知名的德國家族治療師，在各國巡迴演說時提醒為人

子女者，若心中排斥父母的一方或雙方，就如同拒絕了自己那部分的生命力，對自己的心靈成長會有不良影響。所以如果有了「戰爭」就要努力尋求「和解」，希望你成為家中締造「和平」的使者。

愛情與家庭[3]

如何平衡工作與家庭的關係？

Q 以前我們受的教育是「男子漢大丈夫，一切以事業為重」，但現在人們又說家庭很重要。如果老是顧著事業，那麼家裡的人就會抱怨連連；如果家裡不和諧，也很容易影響到自己的工作狀態。您是一位成功人士，家庭也很幸福，請問您是如何平衡工作和家庭的？

A 這確實是個魚與熊掌難以兼顧的問題，需要相當承諾和持續溝通才能有效解決。家庭和工作的協調需要夫妻雙方有良好的默契，而且都要付出。

結婚前，我太太就知道我很忙碌，但她也知道我不是工作狂，會儘量安排時間陪伴家人。因為我們有這個默契，所以她從來沒有抱怨過。寫論文時，我和太太的默契是：除非有會議，我都儘量在家裡寫作。我花了兩個月的獎學金買了一台終端和調試解調器（當時很貴的！），就這樣每天在家寫作論文。

上班後，我們的協議是星期一到星期五我會工作到很晚，甚至常常不能和家人吃晚飯，但週末不上班，而且每年我會用完

我的休假（20天）陪家人。當然，也有破例的時候，當家裡在蓋房子，或太太生產，我一天只工作八小時；工作很忙時，週末我也會去加班。但是，上述原則保證我在大多數時候能毫無困難地平衡事業與家庭的關係。

我在中國工作時應酬較多，只要能帶家人去的，我就會帶她們去。有些公司的內部活動我們儘量設計成可讓家人參與的形式。目前我太太希望我每週回家吃晚餐的次數能多些，我還在努力中。

現在做「我學網」占去不少我應該陪家人的時間，但是我也給我的家人看網上的留言，有時她們也出些主意。我女兒還想製作個人網。孩子成長得很快，我才適應兒童期的女兒，她們已悄悄進入青春期了。偶爾她們也會抱怨，我給別的青少年那麼多時間，留給她們的太少，這我也在調整中。

家庭和諧不是單方面的付出，是雙方在互信基礎上達到默契，才能得到的。最後，我送給你六個祕訣，幫助你管理時間，更順利地平衡你的工作和家庭生活。

第一，劃清界限：對家人和女友做出承諾，而且一定要做到。比如我就與妻子達成協定，在週末儘量陪伴家人。在週末，我常會收到一些有意思的沙龍、講座、餐會等的邀請，但基本上我一律不參加。

第二，忙中偷閒：不要一投入工作就忽視了家人。例如，即使你非常忙，如果知道女友不舒服，一定要記得打電話問候她，不要吝於表達你的關心。有時十分鐘的體貼比十小時的陪伴還更受用。

　　第三，閒中偷忙：學會利用片斷時間。例如：家人睡午覺時，你就可以利用這段空閒時間上網，或回覆電子郵件。利用每天搭車或等車的零碎時間，處理較不重要的事。有一次，我和同事出差杭州、南京、上海三個城市，回來後，他們都在抱怨出差太忙，累積了很多電子郵件沒有回。但是，我的全部處理完了，因為我利用在飛機上、車上，處理了所有累積的郵件，而他們在旅途中只是聊天、發呆、睡覺。

　　第四，好好管理時間：既然感覺時間不夠用，就更應該好好管理有限的時間。每天結束後，把一整天做的事記下來，每15分鐘為一個單位（例如：1:00—1:15等車；1:15—1:45搭車；1:45—2:45與朋友喝茶……）。在一週結束後，分析一下，這一週你的時間如何更有效率地安排？哪個活動占太大的比例？有沒有方法可以增加效率？

　　第五，注重有品質的時間（quality time）：當我的家人欣賞韓劇時，如果我能坐在旁邊，用我的筆記型電腦處理電子郵件，她們就認為我陪她們了。但當我們一家人在玩遊戲時，我一定要全神貫注，甚至聯手機都應該關掉。另外，多觀察家人最喜歡什麼，在度假、週末時候儘量配合他們。要記得他們平時為你犧牲很多，度假、週末是你補償的機會。

　　最後，言出必行，同時要制定較低的期望值。如果你想請兩個星期的假，但又不確定老闆會不會批准，就不要把話說太滿，只說請一星期的假，如果老闆批准兩個星期的假期，你就能帶回家一份驚喜。

先成家還是先立業？

Q 我剛開始我的博士學業，還記得您描述每週工作100個小時的典故，我似乎還沒有做到。我知道應該盡全力去達到自己學業上的目標，這是最能帶給我滿足感的一件事。

我一直過著清苦而單調的單身生活，隨著年齡增長，我也希望能找到志同道合的女子，開始我的感情生活。但我又堅持著一定要先有成功的事業才能談婚論嫁。請問這兩方面想法有矛盾嗎？

我相信這兩者都是人生中必需的，但是我不知如何安排和處理兩者的關係。我需要以什麼原則處理這兩件事，才能讓我的學業和工作不受影響，甚至兩者互益？

A 恭喜你找到能帶來滿足感的學業。相信清苦單調的單身生活是你付出的代價，但堅持事業成功再談婚論嫁，忽略了一個重要的現實，那就是感情是要時間培養的，找到志同道合的人生伴侶要機緣，親密關係更要實踐與學習。

感情的事要隨性些。看來你一切都理性主導，按部就班，要這樣談戀愛可不太容易。建議你不要這麼用「計畫」的方式尋找感情。花一些時間認識異性朋友，隨緣發展。如果碰到心儀的對象，千萬不要因為你的理性，錯過了難得的姻緣。但是，如果沒有碰到合適的對象，也不必太著急。

魚與熊掌可以兼得嗎？我認為是可能的。我大學畢業前就碰到第一位女友，兩情相悅，她欣賞我有目標、上進，我欣賞她的吃苦耐勞，能為家庭犧牲，所以我勇敢地追求她，也說服了父母接受我早婚的計畫。我讀博士時，四年半寒窗，妻子是我生活上的支柱，打理我的衣食住行，讓我可以全力衝刺學業。同時，

我也承諾對家庭有一定的付出，尤其是在得到博士學位後。所以學業、工作、感情不一定無法兼顧。

因為每個人情況不盡相同，因此不要以我工作多少小時做為標準。我想闡述的是：不要先入為主，認為「成家」和「立業」有所衝突，必須分先後。要做到兩方面平衡，取決於你的「另一半」是否理解、支持你的事業，你是否對家庭有一定的「承諾」，並且言出必行。

另外，請你參考上一個問題「如何平衡工作與家庭的關係」中的六點祕訣。

大學生是否應該談戀愛？

Q 我是一個剛進入大學的學生，在上大學前，父母就告訴我大學期間儘量不要談戀愛，怕影響學習，但到學校後看到的情形卻不同，很多人都成雙成對，請問大學生是否應該談戀愛？

A 首先，談戀愛沒有應該不應該的問題，心理學家把青少年的成長任務訂為「獨立」，而「獨立」的下一步就是「建立親密關係」。因此，從廣義來看，大學生在生理、心理、社會的發展上，都有學習「建立親密關係」的需要。當然，大學裡最重要的是學習，在學習方面做得夠好，才有資格去談戀愛。如果功課不及格，或感到時間不夠用，那還是先把學業穩定下來。如果你已有交往對象，也要隨時注意，不要因此荒廢了學習。

如果處理得宜，談戀愛對學習其實有很大幫助。戀愛有助於改善人際關係，幫助你學習如何照顧別人、考慮別人的想法，以及如何多聽少講、提高自覺、自我控制等。

有資格談戀愛並不表示一定要談戀愛。一切隨緣，不要為了談戀愛而去戀愛，應該為了找到自己心儀的人而戀愛。親密關係就是內心親近、可以信任分享的關係，而談戀愛正是建立親密關係的一大考驗。

我心儀的女孩拒絕了我[4]

Q 我心儀的女孩拒絕了我，我不知道怎麼面對。前不久，我向暗戀已久的女孩表白了，她拒絕了我。可是我對她說我不會放棄的，永遠都不會。現在我不知道怎麼去面對她，上課的時候我會不時地看著她發呆，我知道這樣對我的學習不利，可是我不知道該怎麼做。特別是我一想起對她說的話，我就會覺得自己很沒有用，現在我仍深深自責當初為什麼那麼說。可是我真的很喜歡她，有沒有更好的方法讓她明白我的心意？該怎麼面對這尷尬的處境？

A 被心儀的女孩拒絕，的確會讓人失望、尷尬一陣子。能勇敢表達自己的情感十分不易，你對她示愛本來就是很大的冒險，冒險前就應該對後果有心理準備，冒險後就要承擔各種可能的後果。不幸的是，她未能接受你的愛，但不表示你說的不好，或你這個人就該被全盤否定。一個自認沒用、深陷自責的人，很難得到別人的青睞，我建議你先和自己「談情說愛」，先喜歡自己，這樣才能吸引別人。

還有一句名言"never say never"，絕不說絕不。你說永遠不會放棄，是不是太武斷？你的表達不妨溫和一些，比如：「我會再等待，你改變心意時可以告訴我。」或：「我真的很欣賞你，我們可以做朋友嗎？」當對方已拒絕，你如果仍要堅持，就有些

「闖紅燈」的意味了，人際溝通要能轉彎，給自己多留餘地，也不要給對方太大壓迫感。

我與網友談戀愛了，不知道該怎麼辦？

Q 我與網友談戀愛了，但我身邊的朋友告訴我，網路戀愛只能玩玩，不能當真。不過，我現在真的有點放不下她，不知道該怎麼辦才好。

A 網路戀愛是當前網路世界廣泛延伸的產物，大家應該多討論相關話題。網路提供了非傳統的交友管道，影響範圍深遠，有的人透過網路成功結識了異地或跨國的朋友，而且還真有透過網路戀愛結為夫妻的例子，他們的生活也很幸福，跟透過其他方式相識的夫妻並無差異。

不過，網路戀愛也可能是一把「雙刃劍」。比如有些人透過網路，以虛擬的身分矇騙對方，玩弄對方感情，甚至設計圈套騙人，對這樣的人千萬要小心防備。

所以你應該避免極端，一方面不要和網友未見面就陷得太深，無法自拔；另一方面也不要先入為主，認為網路戀愛只能玩玩，毫無價值。最好的方法就是保持網上的交往，爭取儘快在現實生活中碰面溝通和了解彼此。畢竟網路只能看到一個人的部分面向，真正的戀愛最終還是要落實於現實生活中。

和男朋友吵架怎麼辦？[5]

Q 我和男朋友在一起一年半了，我們是大學同學，經常為了雞毛蒜皮的事吵架，過不了多久就會和好。這樣的事經歷太

多次，我已經清楚我們吵架的規律和流程，我疲倦了，很傷心難過（我不是樂天派），不知道如何發洩。

我們的情況是這樣：我有大小姐脾氣、不成熟，他的脾氣也很大，我悲哀地發現，他也很不成熟。所以兩人處理問題的方式不是很好。很重要的一點，我們好像很不了解對方，吵架只是表面現象，本質是不了解，吵架只是把這種不了解表現出來而已。我常常想我們是不是分手算了？為什麼那麼痛苦？我覺得自己生氣的時候很恨他。

A 具有親密關係的人之間會吵架是正常的，美國一位知名的婚姻專家高特曼（John Gottman）研究，每一次負面衝突，需要五次正面互動來修補，可見吵架的破壞性。吵架成了「家常便飯」更不足取，你說你們吵架已經成為一種固定模式，表示你們從未在衝突中有所學習和進步。你分析雙方脾氣大、不成熟，你期待的成熟反應是什麼？為何自己做不到？障礙是什麼？你們需要什麼辦法才能讓你們打破目前的模式，更加相互尊重、更多良性溝通？

看起來你們都太自我中心，其實我很欣賞你的分析、洞察力，也佩服你願意坦誠自己的悲觀、大小姐脾氣、雙方不了解這些看法和感受，但這些內心感受和自我批評，你願意和他分享嗎？坦誠溝通，並將自己的缺點讓對方知道，是彼此建立信任的最好基礎。

另外，根據我個人二十多年的美滿婚姻經驗，給你兩個和另一半降低衝突的方法：

1. 訂下「吵架規則」，比如不口出惡言、不算舊帳、不要把對方家人扯進來、生氣不過夜等等。生氣時，動怒、說氣話都在所難免，但是一定要遵守「吵架規則」。

2. 了解彼此的「禁區」所在。每個人易被激怒的點不同，例如不講信用、冤枉對方、侮辱家人等等。在吵架過後，大家心平氣和的時候，必須做溝通，事先說好就能避免不必要的傷害。

有時吵架反映雙方價值觀的差異，因為個人成長背景、個性不同而對事情看法不同，無關對錯，也無須爭辯，只需練習心胸開放，接納彼此的差異。

最後很重要的一點，你們雖吵架卻能很快和好，多半是誰主動讓步？如何化解嫌隙？這表示這個關係還是有潛力的。你會發脾氣，卻不知道怎樣發洩傷心？試著寫日記，找朋友談談，或者將傷心的眼淚讓對方看到，否則他只認識到你的憤怒，卻不了解你的難過，也不要以為只有女生才這樣脆弱。

先不用忙著做決定，可以仔細分析你們相處的方式、吵架的根源、情況能不能好轉等等，脾氣大不是理由，即使再大的脾氣，對自己心愛的人也是不忍心發火的。建立親密關係是對EQ的一大考驗。你們就像是兩個不成熟的孩子，但願痛苦的學習有代價。

有興趣可以去「我學網」的春天姐姐部落格看看，那裡討論很多愛情問題。

我愛上一個有男友的好女孩[6]

Q 我愛上了一個女孩,她是那麼好,仿佛是我夢中的天使。和她交往讓我感覺找到最愛、我的未來。可是她有男朋友,現在鄰近的一所大學就讀,他們的愛情是在大學之後展開的,她說她喜歡他,對他的愛情很模糊,也說不清。現在我愛上她了,好像很深,但我不想傷害她,可是我對她的感情是真實的,我不想讓自己那麼孤獨痛苦。她現在已經知道我對她的愛情,但她只是說我是個麻煩的傢伙。我該怎麼辦?

A 這是你的初戀嗎?看你對她理想化的描述似乎你尚在對女子的「唯美盲目期」。她喜歡她的男友,但她喜歡你嗎?時間是很好的試金石,感情必須經歷考驗,你也必須用開放的眼光看待現實中的她,愛情並非如此完美,反而是挑戰重重。

其次,在她結婚前你都有機會追求她,可以跟她的男朋友公平競爭。如果他們的感情好,你追也沒用;如果根基不牢,你就不要錯失良機,機會對於你們兩個人來說都是同等的。既然她現在已經知道你對她的感情,而且沒有堅決地拒絕,我想你應該還是有機會的。

男人的失戀[7]

Q 看到大家那麼積極向上,我顯得非常自卑。已經兩個月了,我還沒有擺脫失戀的陰影。當我看見她時,還是那麼躁動。她拋棄我,和另一個男子走了,留下孤零零的我。我每天渾渾噩噩,朋友也失去了耐心,紛紛離開。戀愛真的毀了我嗎?

A 兩個月，似乎還在「失戀急性期」。從失戀中復原需要時間，不過要看到自己的進步，哪怕一點也好。很多時候的痛苦和孤獨是因為自己看不開造成。愛走了，還會再來。所以當愛還在時，享受它，既然走了，就灑脫地重新開始！

永遠不要虧待自己！對付失戀最好的辦法就是強迫自己有規律地生活，不給自己胡思亂想的機會，多去戶外做運動，在生活裡習慣沒有她，你就會徹底好起來。

當你學會自己站起來，發誓要重新開始人生的時候，才會更加清楚知道生命和人生的意義。沒有過不去的坎坷，也沒有克服不了的困難，任何痛苦都會隨著時間的推移而淡化的。失戀的痛苦是一時的，人的意志力和堅強能夠逾越這個障礙。換個角度思考，她拋棄你不如你拋棄自己可怕。再換個角度思考，捨了你這個癡心人，可是她的損失。

附上我姐姐李開敏寫的「失戀CPR自救手冊」供你參考。

失戀CPR自救手冊／李開敏

有一本書提到世上的人可分為三種：一種在與人建立關係上有困難；第二種是維繫關係不易；第三種是結束關係最為辛苦。

戀愛是人際關係中難度最高的，因為親密關係的建立、維繫，是青少年階段心理發展邁向獨立的試金石，而青少年逐步脫離對父母的依賴，尋找自我認同時，很容易感情過度依附：「你泥中有我，我泥中有你」、「你儂我儂，忒煞情多」，卻忘了這是熱戀時的「部分寫照」；生活中大部分時候還是得回

歸：「你有你的，我有我的方向」，或者「海洋戀愛著月光，月光戀愛著海洋，水天相映，卻遙遙各據一方」。

我非常喜歡長期在美國提供婚姻輔導諮商的黃惟仁博士的譬喻，他說愛情不可缺的有兩部分，如同生火要有「火種」和「空氣」。火種代表「自信」，空氣代表「自由」。失戀時這兩部分多半瓦解殆盡，失去愛情勾起每個人被棄的恐懼、無助，心中自然就和「自己是個不值得愛的人」劃上等號，終日茶不思、飯不想，心靈受禁錮，有如行屍走肉，還有什麼自由可言？

失戀CPR自救手冊希望提供一些思考方向，讓失戀者重拾「自信」和「自由」。

失戀CPR自救術

紓解壓力有六個要點，透過這六種方法可以適當地紓解壓力。我們不妨模擬，失戀急救箱裡也應備妥幾樣物品，以下兩類供參考。

第一類：六帖維他命，每日定時吞服
維他命A─行動（Act）

失戀最怕癱瘓不起，任何自我照顧的行動都是良藥，建議去打球、狂舞、爬山、海邊大叫、遛狗，去公園曬太陽，去看電影。很多人藉由儀式來完成心理的哀悼，比如燒毀昔日信函，此類告別行動頗有療傷的效果。

維他命B—轉念（Believe）

失戀最怕鑽牛角尖，特別是算舊帳，悔不當初，其實於事無補。想想情聖們的金玉良言：「得之我幸，不得我命」、「曾經愛過，又何必擁有」、「愛情若握在手裡，就扼殺了這只愛情鳥」，「往者已矣，來者可追」……收藏起美好的回憶，祝福為這段因緣劃下句點。

維他命C—傾吐溝通（Communicate）

失戀最怕自我退縮、封閉，將自己禁錮在悲傷孤單的城堡。找人說、自己寫，上網和網友訴訴心聲，想要情緒有出口，不然會決堤。然而因為怕說了更惹傷心或「心醜不可外揚」，怕別人笑話，乾脆封口，殊不知說出來就是一種治療，能說代表心理上已經可以坦然面對。

維他命D—轉移（Distract）

失戀最怕陷在泥淖無法自拔，抽離心情的方法很多，離開傷心地去旅行、聽段音樂、看看書、祈禱，或把愛轉移，去幫助那些需要愛的流浪狗，去關懷身邊的老人、小孩……年輕人最常利用上網、看電視、聊天來轉移。

維他命E—擷取意義（Extract）

失戀最怕僵化思考，完全失去反省或在痛苦中找尋意義的能力，反省不是數落誰的錯，而是能在失去後客觀評估雙方的成長、學習，以及可以做為下一段感情的借鏡。

維他命F—體適能（Fitness）

失戀最怕「虐待自己的身體」，狂吃狂飲，甚至借酒、藥物消愁。每天要想辦法鍛鍊自己，有氧舞蹈、游泳、慢跑可以強化心肺功能；做瑜珈、皮拉提斯可以增強身體的柔軟度；舉重、仰臥起坐、伏地挺身可以維持肌肉耐力。運動可以讓身體釋放，加速身心復原。

第二類：四張over止痛藥膏，痛時使用

失戀的痛無所不在，觸景傷情，夜深時昔日光景歷歷如繪，真是苦不堪言，有時成了身心症，胸悶心口痛、失眠、厭食、注意力不集中等，生活大受影響，需拿出一些方法為自己減輕傷痛，簡而言之，就是要接受戀人關係的終止，承認那已是過去式，over了。然而，生命仍可繼續它的自由豐富之旅。

O 以開放（open）代替沉溺（obsessed）

沉溺自苦，無法自拔，往往因為只看過去，永遠都在悔不當初，只膠著在失去，難免終日喪志。試想一個開車的人不往前看，只執意用後視鏡，是多麼危險的行為！身後美景已是過眼雲煙，前窗開放的是未來的新可能。

開放心胸才能止痛。下列開放三帖，供參考：

1. 找回愛自己的力量：每天列出三件欣賞自己的地方，比如「仍維持生活的常軌」、「理性的溝通能力」、「可以微笑」、「願意自省」等。

2. 保持與外界連結：跟別人分享經驗，聽演講、讀書，了解別人的復原歷程，參加社團等休閒活動，都可以找到不同的應對方式。

3. 藉美的事物開放，洗滌心靈：大自然、音樂、詩詞，都是療傷良藥。以先人為師「揮一揮衣袖，不帶走一片雲彩」，愛的路上，瀟灑走一回。

V以得勝（victory）代替受害（victim）

失戀者常以受害者自居，有時以受苦做自我懲罰，有時以苦肉計懲罰對方，或企圖挽回，其實失戀並非真正的問題，我們如何面對和回應失戀的局面才是考驗，有些人成了受害上癮，自艾自憐，開口閉口都是別人負他，搞悲情無濟於事，只會削弱自己的力量。這樣的心態對自己傷害更大，不得不警惕。

跨出受害者角色，要靠重建認知三帖：

1. 失戀並非失敗。戀愛在於兩情相悅，回顧戀愛中的點滴，彼此都是成人，各自有該負的責任，變調是雙方的互動結果，雙方都有責任學習和平分手，甚至快樂分手，過程雖痛，仍可雙贏。

2. 失戀調適，要建立「正向分離」的觀念。也就是分手除了充滿焦慮、痛苦、害怕、悔恨、不捨，也可以是坦然、有準備、感恩和彼此祝福。勉強沒幸福。

3. 看到更獨立的自己。分手雖痛苦，卻是一個可以自

主、再學習的過程，列出復原計畫和時間表，期待通過且跨越此座柵欄，戰勝失戀的打擊，自己在情緒及生活的獨立，會更精進。

E以表達（express）代替爆發（explode）

失戀者要保持冷靜和理性的溝通、自我表達，否則一旦落入非理性思考和衝動，或失去自我控制，心存挑釁，用攻擊暴力採取報復行動，很容易鑄成大錯，後悔莫及。表達有各種形式，當今國際知名的創傷心理治療專家、國際心理治療聯盟理事長、瑞士的史奈德（Ulrich Schnyder）醫師提供了一個良方，就是每天給自己20分鐘書寫負面情緒，比如憤怒、悲傷、自責、孤單等，毫不保留地寫下，然後找一個盒子放置，這在心理上有其意義，因為心理受創時，很容易情緒泛濫，所以用這種方法等同在時間（20分鐘）和空間（盒子）上都設限，完成後就如同完成今日功課，試著放下。

預防不當的情緒爆發，可藉助表達三帖：

1. 要道歉，昨日之非不要迴避，坦然致歉，也原諒自己的無心。
2. 要道謝，對方的好、付出，甜蜜的回憶、感情的記憶將仔細存妥收藏，以感恩做為青春歲月的註記。
3. 要道別，有些分手一方避不見面，或避重就輕，無法善別將留下疑雲重重，好好道別則幫助雙方負責地為關係劃上句點。

R以尊重／反省／復原（respect/reevaluate/recover）代替壓抑／退化／怨恨（repress / regress /resent）

戀情不成情義在，失戀的警訊讓自己有機會重新評估自己的核心價值，尊重彼此的過去，尊重自己當初的選擇，反省親密關係中未修畢的功課，虛心受教，如此復原指日可待。反之，有些較不成熟的年輕人，親密關係中過度依賴，失去自我，戀人離去後彷彿也失去自己的完整性，退化到失去功能的狀態或無法化解內心的怨恨，壓抑鬱積，導致生活出現危機。

走出危機，有復原三帖：

1. 幽默以對。研究顯示，逆境中仍展現韌性的往往是具備幽默感的人，不論藉自嘲、自我調侃，都是一種輕鬆的態度，代表打破沉悶的能量。尋求其他人生樂趣，如同學聚會、運動、社團、旅行。

2. 正常作息可以增加抗壓能力。找出生活的秩序，失戀常會瓦解我們的生活動力，考驗我們的應變能力，重新列出生活的優先順序，嘗試拓展生活圈，為自己的復原訂出目標和計畫，逐步向前。

3. 尊重生命的不完美。勇於自我修正，以正向思考、心存感激、超越往昔的自己，邁向更平衡成熟的兩性關係和更健康的人生哲學。

如果每日都服用以上綜合維他命，代表你看重自己，也有能力照顧自己，復原指日可待，傷痛膏藥針對「over」的結束

之痛提出療方，請隨身攜帶使用。

最終，失戀會是讓你更成熟、更獨立的一段插曲，你終會回到生命的基調，繼續完成屬於自己的樂章。

怎樣和女友分手？

Q 我愛上一個大二女生，並且給了她承諾，然而自己不知道為什麼會喜歡她。我已經大四了，沒時間陪她，我的壓力很大，愛得很辛苦、很累，但偶爾也有驚喜，我們以後不知會怎樣。當我決定和她分手時，又會猶豫，愛情、考試、工作，該犧牲哪種責任，該怎麼做？

A 看完你的留言，我搞不清楚為何你們會在一起？又為何要分手？像一筆糊塗賬。你沒時間陪她，該她提分手，怎麼是你？為何愛得很辛苦、很累？是她要求太多？看來你很矛盾。愛情如果和考試、工作並列為責任，真是太沉重了。這樣的親密關係很怪。

真誠地跟女友談心，把你的壓力和心情向她表白，對於疏忽對她的照顧、關心和呵護，請她別計較，她如果善解人意，會理解並支持你為了工作和考試努力，而且能給你動力，這樣壓力就會減輕。至於說大四了，不知以後會怎樣，這不是理由，當初你追求她和做出承諾的時候這個問題也是存在的。如果覺得感情薄弱，長痛不如短痛，就不要拖了，及早誠實以告，還能讓彼此祝福對方。

每個人都有不同的壓力，要學會釋放和解壓，把所有的事

情按輕重緩急排序，做到有主次之分，隨著年齡增長，你也會發現肩上的責任愈來愈大，所以從現在開始培養和學會面對，以後遇到類似情況會從容很多。

分手後應不應該做朋友？

Q 我跟女友剛分手，但我不希望今後關係太僵，畢竟大家還是同學，請問分手後我們是不是還應該做朋友？

A 這個問題因人而異，看你面對的是什麼樣的人。如果你面對的是傷害過自己的人，無法繼續做朋友，就別勉強；或者有些人不想分手，以做朋友為理由保持聯繫也不可取。但有些人分手後十分友好，即使不能成為戀人，卻可以做一生一世的知心朋友，尤其是在自己遇到困難和挫折時他們能夠挺身而出、真心相助。有些戀人分手後反而成為更好的朋友。所以，你的問題不是應該與否，而是適合與否，這要雙方來決定。

關於愛情，我的困惑[8]

Q 我正陷在失戀的痛苦當中，四年苦戀，在沒有任何預兆的情況下，她提出分手。她說對我沒有感覺了，但這只是一個藉口，後來聽說她可能愛上了別人。我知道後，真是心如刀割，那種撕心裂肺的痛一直伴隨著我，想起過去，感覺人生真的沒有什麼了。我們曾經愛得很深，經歷過風雨和考驗，我從來沒懷疑過她會移情別戀。這段時間我想過結束自己，經常在夜深人靜時突然產生那種念頭。我把感情看得很重，我也知道自己還年輕，還有很多事要做，但現在生不如死，我該怎麼辦？

A 顯然你的戀情還在經歷考驗，你的苦包含了被拋棄、被背叛，肯定痛心。想結束自己是想懲罰她嗎？還是這份感情已經讓你失去了自我？但你的生命豈是為另一個人而存在的，相愛中還是要實現自己的價值。

等感情慢慢沉澱以後，你可能會發現在這段感情中也留下了美好的回憶，只需把苦澀過濾掉，深愛記下來。有句名言：「只要曾經擁有，無須天長地久。」如果你愛的人現在過得幸福，你為何還要感傷不已？愛她就希望她過得幸福吧！放手對彼此都是一種解脫。「天涯何處無芳草」，默默祝她幸福，也祝自己幸福。你說自己還年輕，感覺還有很多事要做，在這個世界上愛情的確不是唯一。好好想想，還有什麼想做的事情，還有什麼夢想要實現。要加倍愛自己，把愛的能量轉移到自己身上。

誰的心理有問題？

Q 我的室友與其他班的女生發生同性戀，這種事情發生在認識的人身上，我發現自己實在不能接受。我看不慣室友在她「男友」面前裝得溫柔又發嗲的樣子。真不知道現在的大學生是怎麼想的，他們的心理到底有什麼問題？（說實話，我室友和她的親密「男友」是特別吸引男生注意的女生。）

A 你的問題反映出對同性戀相當不友善、懷有偏見甚至歧視的態度。你說她們是「心理有問題」，這言論如在美國，你會被人圍剿。種族、性別、年齡歧視都同出一轍，有人認為某種種族、性別優於另一種，希特勒以此為依據屠殺猶太人。你的文章說的是「異性戀正常，同性戀畸形」，這只不過是異性戀人

多，自以為正常，忽略了「性別取向」是一個極複雜的問題，混合了先天生理和後天環境造成的狀況，無關優劣，只是不同。

根據精神科診斷，在約三、四十年前就已經將同性戀剔除在精神疾病之外，這是一個西方同性戀運動發展的里程碑。不過醫療界的「去汙名化」不等於社會已經開放，大家都能尊重和接納同性戀。你雖然是年輕一代，但對「女同志」仍相當排斥，並以健康為名希望改變室友，即為一例。西方某些地方已經認可同性戀婚姻，社會也逐漸不以排擠和異樣眼光來看待他們。西方國家常以接納少數族群做為一個社會進步的指標，值得我們深思。

面對學業、家庭雙重難題，我該怎麼辦？[9]

Q 我是一所知名大學的研二學生，專業是電腦應用技術。現在我面臨著很多難題：首先，由於我是跨科系考研究所的學生，以前念的是電子系，專業基礎比大學本科學電腦的同學要差很多，有很多東西需要學習，但不知該從哪裡學起，因為要學的太多了，讓我不知怎樣去規劃。我發現自己對程式設計沒什麼興趣，而對網路工程和網路安全方面較有興趣。如果我畢業後從事網路工程方面的工作需要很好的程式設計能力嗎？

其次，我家境貧困，今年上半年父親患病去世，家父一生為了供應我讀書過得很辛苦，如今卻已無機會享福了，這是我此生最大的遺憾！父親的離去讓我和媽媽都承受了很大壓力！現在家裡背負債務（為父親治病四處借錢），所以我感到身上的擔子很重，也擔心年老的媽媽，加上我有慢性疾病，所有這些不利因素常常讓我感到挫折，無法對生活有積極而正向的看法。經歷過這場變故後，在

學習態度上也沒有以前那樣積極了，一想到破碎的家庭、債務、不好的身體等，就積極不起來，心情時好時壞，現在就希望能快點畢業，工作賺錢以還清債務，讓媽媽過好日子。

您有什麼建議？我是不是該放棄學位，找份工作幫助家裡？

A 關於你的家庭，你想儘快幫媽媽還清債務，這份孝心十分難得。你也很誠實，看到多方的壓力讓自己感到挫折，對生活不再積極，但壓力要分輕重緩急，龐大債務是你不能改變的事實，一定要做出計畫分期攤還。希望你也能坦誠和師長、家人討論（有時學校或社福機構可提供貸款、獎助金，可多方面查詢），若家中危機一時難以安定，必須由你承擔，暫時休學如能找到收入尚可的工作，也可以去做。人生際遇難料，只要有心、用心，日後還有復學或再進修的機會。

要停止你的消極生活需要相當的意志力。你要知道你可以改變的事情，例如自己的健康和價值，你要有勇氣去改變那些你可以改變的事情。你的願景應該是媽媽和你走出傷痛、恢復健康，不負父親的希望，母子平安歡喜度日。不要浪費時間在那些你不能改變的事情上。唯有努力學習才能增加自己的價值，增進找到好工作的機會。你的消極、傷心只會讓你的問題無解，還會讓媽媽更擔心，到時你最大的遺憾將不再是未能回饋父親，而是走不出喪父之痛，難慰他在天之靈。

至於學業，你既然認為自己比電腦系畢業的同學差很多，那你就必須去彌補這個差距，而且要從基礎課程彌補起。想要跳過程式設計去做網路工程、網路安全就像想要跳過加減乘除去做微積分一樣，是不可能的。就算你能一時考試過關，以後上班也

會出問題。因此，我建議你儘快把基礎補牢，才能夠掌握更深入的知識。祝你一切順利。

爸媽要離婚了，我該怎麼辦？

Q 爸媽要離婚了，我不知道該怎麼辦，也無法接受這個事實。假如我這次暑假有回家，事情就不會演變到這個地步了……

A 父母離婚與孩子沒有任何關係，是他們兩人的感情出了問題，這是大人之間的事，孩子是插不上手的，你更不可能控制住局面。

孩子內心通常有一種「奇幻」或「不切實際」的想法，以為他們可以拯救父母的婚姻，或使父母重拾歡笑，即便成年的孩子也會這樣想。比如你就以為如果暑假返家，就可以挽回局面。當你有天醒悟了，知道這是一廂情願的奇想，那將是你邁向成熟，接受生命中不完美、甚至缺陷的開始。

離婚的理由很多，傳統的想法都是勸和不勸離，可是有些貌合神離的家庭，經過努力仍不能改善，還不如誠實面對關係中的問題，讓雙方解脫，不必痛苦地維繫，才有機會重新開始。

孩子能做的只是儘量不要捲入父母的紛爭，成為裁判或法官，如果他們一方向你抱怨，你可以表示雙方都是至親，請他們想辦法一起解決，不要將你拉上陣。即是他們離了婚，與你的親情仍存在，你要試著和雙方保持獨立的關係。你應該期待父母能理性分手，保留對彼此的感謝和祝福，希望他們分手後能成為更好的朋友。而你是他們這段婚姻所留下最好的禮物，值得珍惜。

離婚後，父母要適應，孩子也是，記得多找幾位談得來的

朋友，陪伴你度過這段蛻變期，順利的話，你會更獨立、成熟。最重要的還是你要過好自己的生活，這樣父母也就放心了。

父母離婚的陰影影響至今[10]

Q 今年我二十一歲，父母在我八歲的時候就離婚了，我跟著爸爸生活。爸爸是生意人，很忙碌。記憶中，父母從來沒有為我做過一頓早飯，彷彿我是多餘的。在我心裡，從來沒有感受過家的溫暖。他們也沒有關注過我的成長。我一直覺得很孤獨，沒有安全感。現在我工作了，生活完全獨立，沒有和父母住在一起。我愈來愈覺得孤獨，沒有方向感。我非常渴望父母的懷抱，渴望家的溫暖。我恨他們，可是孤獨的我又想他們。我矛盾痛苦，想到今後的人生，非常沮喪，甚至不想活下去。我解不開這十多年來的心結。

A 父母離婚是所有孩子最深的恐懼和絕望，孩子常常無法接受，傷害深遠。對孩子的影響一方面與孩子的年齡有關，一方面與孩子得到的關懷有關。

有些父母欠缺做父母的能力，或在婚變中自顧不暇，苦了孩子，只有等孩子成長後逐漸體會父母的限制，期望自己能跳出他們的命運，找到穩定的感情，做稱職的父母，擁有不一樣的人生。這就是內心接受生命的殘缺，卻依舊保有追求的動力。

不過，在研究人員長期追蹤父母離異的兒童後發現，如果婚姻中有嚴重衝突，父母分開對孩子的成長及適應不見得有害，更多時候反而有利。這些客觀事實證明了離婚不一定是下策，有時分手確實可能比「勉強守著痛苦的結合」來得好。

但在主觀方面，孩子要慢慢適應一個「不完整的家」。父

母分手過程如果比較平和，雙方能提供給孩子足夠的承諾，也就是父母保證自己對孩子的關愛和聯繫不會因離婚而改變，一定可以減輕孩子的不安。你也可以多找談得來的朋友，過好自己的生活，讓自己走出陰影，那麼你一定能變得更獨立、成熟。

面對家人的生老病死

Q 我是一名大四學生，剛獲保送研究所，就在前途一片光明時，家中傳來不幸消息，爺爺得了不治之症，已經到了晚期，要我做好回家的準備。

聽到這個壞消息時，我躲到一個僻靜的地方放聲大哭，我恨老天對人不公，為什麼那麼好的人要遭受這樣的不幸！正在外地求學的我很想馬上回到爺爺身邊，但是保送研究所的事就差最後一步確認，而且必須本人親自簽名，考試科目也剩最後一科了，我想放棄一切回家陪爺爺度過最後的時光，但我害怕爺爺會生氣，會讓所有幫過我、期望我成功的人失望，我更害怕看到爺爺日益病重、日益憔悴，而自己卻無能為力，我不知道爺爺能不能等我那麼久，也怕自己不能安心學習，我很矛盾、很煎熬！

A 你矛盾和煎熬的痛苦心情大家都能理解，當然你能馬上回去一次固然好，但畢竟那差一步的事關係到你的未來和前途。你有沒有常常打電話或寫信給爺爺？你家中如能上網，你有沒有利用視頻會議的方式和他交流，或錄一段視頻放在網上請他看？這樣你雖不能在身邊陪伴，但心意可透過各種方式傳達。向老人家訴說心中的思念、對他的感謝，也和他分享記憶中溫暖的回憶和他分享，讓他感受到你的關懷。

你也可以徵詢他的意見，很可能他希望你以學業為重，那你可不要辜負他的好意，等學校的事情辦完後再回去也不遲，否則爺爺也會因為影響了你的前程而內疚和不安。為讓自己能安心學習，你可以每天為爺爺祈禱，並寫下祝福，來取代心中無能無力的感覺。若你一直被矛盾、煎熬所困，你爺爺也不會安心，枉費自己留下的苦心。若實在放不下心，就試著請假探親，給自己放幾天假陪伴爺爺，不是要挽回他的生命，只是陪在他身邊，把心裡的話說給他聽，讓他知道他對你的重要和你的感謝。

隨著年齡增長，你會經歷生活中更多的生老病死、生離死別，老天並非不公，所有人有朝一日都會接受死亡的召喚。在面對死亡的過程中，我們會不斷長大和成熟，也愈來愈坦然堅強。

朋友和友情[11]

如何找回昔日的友情？[12]

Q 我現在讀高三，雖然課業很重，我仍然很看重與朋友的友誼。但最近我最好的朋友突然對我變得很冷漠，我也因此無心學習，我真希望我們能重拾昔日的友誼。請問您有什麼好辦法？

A 你的問題反映了在高壓下，人的改變或不同的調適。友誼對你來說不會因課業壓力而變淡，然而或許你的朋友有不同的選擇，既然你們曾是最好的朋友，那麼首先試著接納對方的改變，相信他事出有因，而不是故意要傷害你，如果執意要找回原來的他，表示你們的感情還停留在「控制」的層面，也就是你

不允許他改變，這樣的友情基礎是薄弱的。非要一切如原狀，如你所願，這樣的心態太以自我為中心了。所有關係都必須不斷接受挑戰，面臨調整和改變，你在親密關係中要學習開放溝通，彈性調整人與人之間的距離。

其次，很多青少年過度在乎同伴關係，你的「無心學習」似乎也透露出如此訊息。但維持朋友關係不是完全受你控制，把重心放在課業上，說不定會發現，與其強求朋友關係而覺得失落，不如把握學習，充分感受自己可以控制事物的力量。

我能給你的具體建議，有以下幾點：

1. 友情和愛情不一樣，不必過於執著、專情。友情並非是給得愈多、收回得就愈多。我感覺你對這個朋友太執著、甚至可以說太「專情」了，勸你看開一點，以後多交些朋友，不要縮小了交際範圍。

2. 為了挽回這段友情，你是否嘗試過坦誠地把你的想法告訴他？如果你把以上所寫的信拿給他看，他會有什麼感覺？如果他會感到驚奇，我想你並沒有將想法很坦誠地告訴他；如果他仍然對你沉默不語，那這段友情很難持續下去；如果他對你有某方面的意見，你可以要求他也能同樣坦誠地告訴你。

3. 抽空和你的朋友談談，探討問題所在，才能徹底解開心結。當然，如果他不願說，就要給他時間。無論他的態度如何，你還是要一如既往地關心、幫助他。

4. 不要因為這件事影響你的學習。高三是衝刺階段，一定要

排除任何心理干擾，專心學習。我認為這對你是一次很好的考驗。

君子之交淡如水

Q 我的座右銘是「君子之交淡如水」。我憎恨那些所謂「高EQ」、「拍馬屁」的人，我一見到那種人就會自然地產生反感。在與別人的交往中我總是保持一定距離，我喜歡獨來獨往，因此我沒有關係比較好的朋友，我與周圍同學的交往平淡如水。或許表揚沒有我、升遷沒有我，但我不後悔。有時候我問自己：我平等待人為什麼得不到別人的平等回報？我真的不明白。

A 你的問題把上部屬、同事關係混為一談，把「高情商」、「拍馬屁」混為一談，又把「平等待人」、「平淡待人」混為一談。其實這些都是不同的事情，要分開來講。

君子之交淡如水的涵義是：君子相交，不被利欲和物質所累，全憑用心相處。不要把這句話理解為君子之交就是淡淡的交情，不必投入過多感情。

情商不僅僅包括人際關係方面的處理技巧，也不是指拍馬屁。如果你希望了解何謂情商，建議你讀讀我的「給青年學生的第二封信」（收錄在《做21世紀的人才》第13章）。

不要把「平等待人」和「平淡待人」混為一談。「平等待人」是正確的態度，因為只有平等待人才能得到別人的信任，只有平等待人才能證明你自身的素養。而你的「平淡待人」卻是獨來獨往、與人刻意保持距離，獨來獨往會讓你被周圍的人理解為

自命清高，刻意保持距離會讓人以為你不屑於與他們為伍，平淡如水的交情會讓你被認為是無情的人。

在乎別人在人際交往中絕不是壞事，只有理解別人才能與人合作，信任別人才能有真正的團隊精神。沒有感情地平淡待人，你就會什麼都不在乎，從而缺乏對他人的理解、缺乏對他人的信任。

曾經有位員工告訴我，他從不把個人感情帶入公司和工作中。但正是由於他在公司的人際關係中不帶入任何情感，所以他的部屬覺得與他共事非常吃力、與他溝通非常困難，因為他沒有喜怒哀樂，就像是一部工作機器，因此部屬認為他不在乎他們的感受、不信任也不理解他們。後來，他徹底失去了部屬對他的信任，而缺乏信任又造成他進一步被誤解，最後只好離開公司。

交友的困惑[13]

Q 我身邊的一些朋友都是泛泛之交，請問我們要怎麼樣才能變成摯友？另外，如果有了摯友，而雙方長時間見不到，又該怎麼維持？

A 中國人用「推心置腹」來形容親密的朋友，可見摯友之間就要能開誠布公地談心事，能夠信任彼此。從泛泛之交的朋友中先發現一些比較談得來的或有相同興趣、類似價值觀的人進一步交往，慢慢發展就能成為知心朋友。建立信任關係需要冒險，其間要學習自我開放，而開放的結果可能會讓人受傷。

真正的好朋友不在乎非要天天在一起，只要心中有份牽掛和惦念，現在通訊如此方便，即使天涯海角，仍可保持友情。

在網路上聊天，到底得到了什麼？

Q 現在那麼多人喜歡上網聊天，我實在不明白為什麼他們能樂此不疲？

A 為什麼這麼多人沉迷網路，你的問題真應該在網路上進行一次調查。網路聊天能給人帶來什麼呢？它提供了一個管道，讓我們跨越時空認識不同的人，因為不必面對面，所以有更大、更開放或更隱秘的空間。我問過很多人，網路聊天似乎不見得讓他們得到什麼，不過似乎都肯定讓他們「消除、排除」了什麼——那就是寂寞。

【註釋】

1 參見論壇關於與父母溝通的討論：http://book.5xue.com/85。
2 參見論壇討論「覺得父母不懂我」：http://book.5xue.com/86。
3 請參見網站專家春天姐姐解答各種情感和生活問題的專帖：http://book.5xue.com/87。
4 請參考論壇討論——「愛應該如何表達」：http://book.5xue.com/88。
5 專家王智告訴你如何學習愛的能力：http://book.5xue.com/89。
6 類似的問題，春天姐姐給你的建議：http://book.5xue.com/90。
7 參見論壇相關討論：http://book.5xue.com/91。
8 可參考專家楊銳的文章〈感情為何愈來愈淡薄？〉：http://book.5xue.com/92。
9 面臨責任和興趣，如何抉擇？參見論壇討論：http://book.5xue.com/93。
10 如何讓你的心不受傷？專家王智告訴你如何保護自己的心靈：http://book.5xue.com/94。
11 真正的朋友是什麼？參見論壇討論：http://book.5xue.com/95。
12 請參考專家春天姐姐對相似問題的回答：http://book.5xue.com/96。
13 參見論壇文章——〈如何贏得朋友〉：http://book.5xue.com/97。

前不久，我的同學蘭迪・波許教授（Randy Pausch）在我們的母校卡內基梅隆大學做了一場風靡全美的講座，題目是「真正實現你的童年夢想」。該講座在不同影音網站上被點播了上千萬次。《華爾街日報》把這次講座稱為「一生難覓的最後講座」。在美國一些大學院校裡，「最後的講座」是著名教授退休前的最後一課。蘭迪教授並沒有準備退休，但是他患了胰腺癌，只剩下幾個月的生命。這次講座對他來說，竟真的是他一生中「最後的講座」了。

　　我的親友紛紛在電子郵件中向我推薦蘭迪教授的此次講座。我和女兒一起看了講座的影音播放。看完後，我們感動地含著眼淚，同時又因為感悟和興奮而相視一笑。我們像每一個聽過講座或看過講座影音播出的人一樣，激動的心情久久不能平息。我透過電子郵件找到蘭迪，他慷慨地答應讓我們把他的講座影音內容加上中文字幕，並授權讓我們把影音、講稿和討論放在「我學網」（www.5xue.com）與華人網友分享。

　　對這樣一次出色的講座，我的感觸很深，也領悟到了許多東西，在這裡和大家分享。

幽默、樂觀、無懼

蘭迪和我同年進入卡內基梅隆大學攻讀電腦科學博士。在學校裡，我們交往並不深，但是他是我們那一屆最出風頭的學生。他外向、健談，幽默、有表演天才，還有很強的親和力。在他的講座裡，我們很容易發現這些特點。

雖然蘭迪已經進入癌症末期，但他還是在講座中保持他慣有的幽默感。演講開始時，他說：「癌症讓我比你們身材更好。」他還開玩笑說：「臨終的人常會在死前信奉宗教。我也是這樣。前幾天，我買了一台蘋果電腦。（我現在信奉蘋果教！）」

我們常說，樂觀的人看到半杯水時，總會說杯子是「半滿」而不是「半空」。樂觀的蘭迪教授甚至在杯中只剩一滴水時，也依然能看到那僅存於最後一滴水中的美，並因此而感恩。也正是因為有了這樣的樂觀天性，他才能夠在自己的生命結束前，留下這樣一次「照亮他人」的「人生作品」。

蘭迪說：「對於無法改變的事情，我們只能決定如何反應。我們不能改變手裡的牌，但是可以決定如何出牌。」這充分體現出他樂觀進取的心態和寬廣的胸襟。我想，任何人如果有了這樣的心態，無論是面對病痛的折磨還是人生的失意，都能用一次次漂亮的出牌實現自己最大的價值。

蘭迪幽默的最後一課，有些人說他像金凱利。

你的夢想，自己會來找你

蘭迪教授此次講座的主題是「真正實現你的童年夢想」。他談到，小時候他的夢想是在嘉年華會上贏得超大型的動物玩偶、體驗無重力的環境、參加全國橄欖球聯盟的比賽、當星際迷航記中的庫克船長、寫一篇百科全書的文章，以及加入迪士尼夢幻工程隊，設計狄斯奈樂園的雲宵飛車。這些夢想看起來雜亂無章，但是，在那些純真的孩子心裡，這些東西才是最真實，最不受外界影響的渴望。而對這些夢想的追尋就是「追隨真心」（follow your heart）。

我和蘭迪在電子郵件交流中談到今天許多年輕人把「財富」當作自己的夢想。他說：「只有極端缺乏想像力的人才會把財富當作自己的童年夢想。」何況，研究結果告訴我們，追尋你真正的夢想反而比追逐財富可能得到更多財富。

蘭迪教授感謝他的父母，因為是父母讓他成為一個心中有夢想的孩子，並為他創造了一個寬鬆的成長環境，鼓勵他嘗試和創新，幫助他建立自信心。他的父母甚至讓他在自己房間的牆壁上隨意塗鴉。是他父母創造的良好環境讓他的夢想得以清晰呈現，並在一生中不斷督促、引導他前進。如果每個人都像蘭迪那樣從小心中有夢，那麼「你的夢想，自己會來找你」。

蘭迪在講座中把他贏的超大動物玩偶搬上講台，並贈送給觀眾。

蘭迪小時候的臥室。父母讓他在牆上塗鴉。

令人驚訝，也令人羨慕的是，蘭迪這些兒時的夢想後來竟然大部分都實現了。其實，這些看似荒誕不羈的夢想反映了他潛意識中隱藏的人生理想，也折射出他特有的思維方式與個性特點。例如，寫百科全書的夢想，意味著他希望做一個學識淵博的人；想體驗無重力的環境，體現他的好奇；為狄斯奈樂園設計雲霄飛車的夢想，代表了他對高科技的癡迷；而參加全國橄欖球聯盟比賽的夢想，則反映出他對團隊、運動和競爭的興趣。這些個性特質、思維方式和人生理想最終成就了今天的蘭迪。

磚牆擋不住追夢人

在追尋夢想的途中，肯定會困難重重。蘭迪教授在講座中不止一次使用一面咖啡色的磚牆來代表較難克服的困難。在追尋夢想的過程中，這面牆常常擋在我們面前。但這面牆所能夠擋住的其實是那些沒有誠意的、不相信童年夢想的人！蘭迪教授說：「這面牆讓我們知道，為它後面的夢想而努力是值得的。這面牆迫使我們向自己證明，我們是多麼渴望牆後面的寶藏——我們的夢想！」

蘭迪教授認為，要得到磚牆後面的寶藏，你必須想盡辦法，努力工作，還需要甘冒風險，克服自己的惰性，離開自己的

蘭迪演講中屢次出現的磚牆。

「安樂窩」，積極主動地去爭取和開拓。例如，當年輕的蘭迪收到卡內基梅隆大學的拒絕信時，他想盡辦法安排了一次與卡內基梅隆電腦系主任見面的機會，並當面說服了那位系主任，使對方收回成命，錄取了他。

蘭迪教授的一個夢想是進入迪士尼的夢幻工程隊設計雲霄飛車。雖然他多次收到迪士尼公司寄給他的拒絕信，但他沒有氣餒，並保留這些信，用它們激勵自己繼續努力。終於有一次，蘭迪在一個學術會議上發表演講後，一位夢幻工程隊的工程師向他提問，蘭迪是這麼回答他的：「我很願意回答你的問題，但我想先問你：明天可以和我一起共進午餐嗎？」這一次午餐終於讓夢幻工程隊認識了蘭迪，此後不久，他就得到了夢幻工程隊的工作邀請。

蘭迪只有一個夢想沒有實現——他沒能成為職業橄欖球運動員。但是他認為，從這個沒有實現的夢想中得到的東西，可能比從已經實現的夢想中得到的還要多。

匹茲堡職業橄欖球隊教練聽了蘭迪的演講後，特別請他參加球隊的排練，幫助蘭迪圓最後一個未完成的童年夢想。

他雖然沒有成為職業球員，但是打球幫助他建立了信心，培養了努力的習慣，提高了團隊合作的能力。對此，他總結說：「如果你非常想要某一樣東西，而你努力過了卻又沒有得到它，那麼你收穫的就是寶貴的經驗。」

最偉大的事：做老師，助人圓夢

如果完成夢想是重要的目標，那麼，什麼是偉大的目標呢？在蘭迪看來，幫助別人完成夢想，做個助人圓夢者是真正偉大的目標。蘭迪說：「年長之後，我發現幫助他人實現他們的夢想是唯一比實現自己夢想更有意義的事情。」

從這個意義上說，老師往往是最好的「助人圓夢者」。蘭迪教授特別感謝他的恩師引導他肩負起教育這個偉大的任務。他的恩師曾對他說：「你應該做教授。你是一個天生的推銷員，任何一個得到你的公司都會利用你賺錢，不讓你推銷有價值的東西太可惜了。你還是做教授去推銷教育吧！」

成為教授後，蘭迪在卡內基梅隆開了一個「圓夢」的課程，讓各個科系的學生在一起用虛擬現實技術，開發一項完成童年夢想的專案計畫。為了這個做「圓夢者」的機會，他最後拒絕了夢幻工程隊的邀請。為了長大後發現的新夢想，他放棄了兒時的夢想。但是，如果不是追逐兒時的夢想，他又怎麼會找到長大後的新夢想呢？

在他的「圓夢」課程中，一批學生只用了兩個星期就完成了一般團隊要做一個學期的專案計畫。對此，蘭迪備感驚訝，但

卡內基梅隆大學的學生經由蘭迪「圓夢」虛擬現實課程實現他們的夢想。

他只是對學生們說：「你們做的不錯，但是我知道，你們可以做得更好。」有這樣的老師，學生不但可以實現夢想，甚至可能超越夢想。

　　我曾經雇用過一名蘭迪的學生。他對我說：「蘭迪是我所見過的老師裡面最有熱情的，他能夠用生動有趣的例子解釋複雜的科技。更重要的是，他真的在乎他的學生，他希望他們能發揮他們的潛力，實現他們的夢想。」

心存感激，心存包容

　　蘭迪有一顆感恩的心。他勸我們隨時心存感激，多想別人，少想自己。他在講座中說，昨天是他妻子的生日，為了準備

此次講座，他沒有好好替妻子過生日。隨後，他當場推出了一個大蛋糕，請他妻子上台，親自唱生日快樂歌，以此來表示對妻子的感謝。

他對他的恩師也心存感激。他記得，當他是一個不討人喜歡又自以為是的大學生時，他的恩師利用和他散步的機會，親切地摟著他肩膀說：「蘭迪，你很有才華，可是有人覺得你很傲慢。這真遺憾，因為這樣會限制你的發展。」這句話改變了他的一生。

此後，在蘭迪的工作和生活中，他不但處處心存感激，而且善於包容他人。他說如果不是當時老師包容他，耐心地勸他，而只是批評他，他的傲慢可能一輩子都不會改過來。有些人讓你生氣，但只要你有足夠的耐心，就總能發現他們性格中閃亮的地方。他說：「如果你對某個人有意見，那是因為，你還沒有給他足夠的時間。」在這裡，包容是感恩的第一步。

蘭迪教授的感恩之心，以及他的真誠打動了他周圍的人。我的一位朋友參加了那次講座，他說：「我從來沒有見過那麼多成年人在一起失控並痛哭。連我們最嚴肅的校長和一位最嚴厲的教授都被他打動而失聲落淚。」我的朋友還說，蘭迪曾經花很多時間幫助少數民族，資助貧困的亞洲國家的教育，希望給更多的人實現夢想的機會。

引領你的一生

關於此次講座，蘭迪教授有兩個結論：

　　第一：「今天的演講不是講如何實現你的夢想，而是如何引領你的一生（Lead your life.）。如果你正確引領你的一生，因緣自會帶來一切你所應得的。」

　　我認為引領你的一生（Lead your life.）這句話既簡短有力又意味深長。"Lead your life."而不是"Live your life."，也就是說，不要只「過一生」，而是要用你的夢想引領你的一生，要用感恩、真誠、助人圓夢的心態引領你的一生，要用執著、無懼、樂觀的態度來引領你的一生。如果你做到了這些，因緣會給你一切你所應得的。

　　孔子說：「未知生，焉知死。」而蘭迪彷彿想透過他的「最後的講座」告訴我們：「如果你盡力去實現你的夢想，那你才是真正地生活過了。對一個曾經真正生活過的人，死亡是一點也不可怕的。」

　　第二：「今天的講座其實不是為你，而是為了我的孩子。」

　　這是多麼珍貴的遺產呀！我相信他的三個孩子會依據他「最後的講座」來引領他們的一生。我也相信，透過網路的傳播，更多的孩子會因為看過蘭迪的「最後的講座」，而去追尋自己的

蘭迪和他的三個可愛孩子。

403

夢想和更加精采的一生。

　　我十一歲的女兒看完「最後的講座」後告訴我：「我要寫下我童年的夢想。」我拍拍她的頭，讚賞她的計畫。她又說：「我可以去畫我房間的牆壁嗎？」我提醒她：「你小時候畫的還不夠嗎？」她吐吐舌頭說：「我知道。謝謝你以前讓我畫。」

　　希望我們的孩子能和蘭迪的孩子一樣，用夢想引領他們的一生。

與李開復對話

2007年12月初版 　　　　　　　　　　　定價：新臺幣399元
有著作權・翻印必究
Printed in Taiwan.

著　者	李　開　復	
發行人	林　載　爵	

出 版 者	聯經出版事業股份有限公司	叢書主編	張　奕　芬
台北市忠孝東路四段555號		校　對	鄒　恆　月
編輯部地址：台北市忠孝東路四段561號4樓			方　怡　雯
叢書主編電話：(02)27634300轉5047			林　怡　君
發　行　所：台北縣新店市寶橋路235巷6弄5號7樓			任　　遠
電話：(02)29133656		封面設計	兆 登 華 生
台北忠孝門市：台北市忠孝東路四段561號1樓		內文設計	陳　俐　君
電話：(02)27683708		內文排版	林　燕　慧
台北新生門市：台北市新生南路三段94號		照片提供	李　開　復
電話：(02)23620308			聯　合　報
台中門市：台中市健行路321號			
電話：(04)22371234ext.5			
高雄門市：高雄市成功一路363號			
電話：(07)2211234ext.5			
郵政劃撥帳戶第0100559-3號			
郵撥電話：27683708			
印刷者　文鴻彩色製版印刷有限公司			

行政院新聞局出版事業登記證局版臺業字第0130號

國家圖書館出版品預行編目資料

與李開復對話 / 李開復著 . 初版 .
臺北市 . 聯經，2007 年 12 月（民 96）
416 面；14.8×21 公分 .
ISBN　978-957-08-3217-4（軟皮精裝）

1.言論集　2.問題集

078　　　　　　　　　　　　　96021568

聯經出版公司信用卡訂購單

信用卡別： ☐VISA CARD ☐MASTER CARD ☐聯合信用卡

訂購人姓名： ＿＿＿＿＿＿＿＿＿＿＿＿＿＿＿＿＿＿＿＿

訂購日期： ＿＿＿＿＿年＿＿＿＿月＿＿＿＿日

信用卡號： ＿＿＿＿＿ ＿＿＿＿＿ ＿＿＿＿＿ ＿＿＿＿＿

信用卡簽名： ＿＿＿＿＿＿＿＿＿＿＿＿＿＿(與信用卡上簽名同)

信用卡有效期限： ＿＿＿＿＿年＿＿＿＿月止

聯絡電話： 日(O)＿＿＿＿＿＿＿夜(H)＿＿＿＿＿＿＿

聯絡地址： ☐ ☐☐＿＿＿＿＿＿＿＿＿＿＿＿＿＿＿

訂購金額： 新台幣＿＿＿＿＿＿＿＿＿＿＿＿＿元整
（訂購金額 500 元以下，請加付掛號郵資 50 元）

發票： ☐二聯式 ☐三聯式

發票抬頭： ＿＿＿＿＿＿＿＿＿＿＿＿＿＿＿＿＿＿＿＿

統一編號： ＿＿＿＿＿＿＿＿＿＿＿＿＿＿＿＿＿＿＿＿

發票地址： ＿＿＿＿＿＿＿＿＿＿＿＿＿＿＿＿＿＿＿＿

如收件人或收件地址不同時，請填：

收件人姓名： ☐先生
＿＿＿＿＿＿＿＿＿＿＿＿＿＿＿＿＿＿ ☐小姐

聯絡電話： 日(O)＿＿＿＿＿＿＿夜(H)＿＿＿＿＿＿＿

收貨地址： ＿＿＿＿＿＿＿＿＿＿＿＿＿＿＿＿＿＿＿＿

· 茲訂購下列書種·帳款由本人信用卡帳戶支付·

書名	數量	單價	合計
		總計	

訂購辦法填妥後

直接傳真 FAX：(02)8692-1268 或(02)2648-7859

洽詢專線：(02)26418662 或(02)26422629 轉 241

網上訂購，請上聯經網站： www.linkingbooks.com.tw